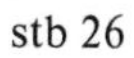
stb 26

D0682666

John McGahern, 1934 in Dublin geboren, war zunächst Grundschullehrer. Sein zweiter Roman »Das Dunkle« wurde 1965 von der Zensur angefochten und McGahern aus dem Schuldienst entlassen. Nach Lehraufträgen in England, Frankreich und den USA lebt er als freier Schriftsteller auf einem Bauernhof bei Mohill in Leitrim/Irland. Zuletzt erschien von John McGahern im Steidl Verlag »Der Pornograph« (1992).

John McGahern

Unter Frauen

Aus dem Englischen von Martin Hielscher

Steidl

Titel der englischen Originalausgabe: »Amongst Women«,
zuerst erschienen 1990 bei Faber and Faber Ltd., London

1. Auflage Juli 1993

Umschlag: Klaus Detjen/Gerhard Steidl unter Verwendung eines
Fotos von Wolfgang Kunz/Bilderberg
Satz, Lithographie, Druck: Steidl, Göttingen
Printed in Germany
ISBN 3-88243-269-1

Für Madeline

Als er schwächer wurde, begann Moran sich vor seinen Töchtern zu fürchten. Dieser einst mächtige Mann war so mit ihrem Leben verwachsen, daß sie Great Meadow nie wirklich verlassen hatten, trotz ihrer Berufe und Ehemänner, trotz ihrer Kinder und Haushalte in Dublin und London. Jetzt konnten sie es nicht zulassen, daß er sich einfach davonstahl.

»Du mußt wieder auf die Beine kommen, Daddy. So kannst du nicht weitermachen. Du hilfst uns ja gar nicht. Allein bringen wir dich nicht auf Vordermann.«

»Na und? Wen kümmert das schon?«

»Uns. Uns kümmert das sehr.«

Sie kamen alle zu Weihnachten. Nach Weihnachten kam Mona, die einzige, die nicht geheiratet hatte, jedes Wochenende aus Dublin. Manchmal ließ Sheila ihre Familie allein, um mit ihr mitzufahren, und ab und zu fuhr sie auch mitten in der Woche für ein paar Stunden hinüber. Der Flugpreis von London nach Dublin war zu hoch, als daß Maggie regelmäßig hätte kommen können. Ihr jüngerer Bruder Michael hatte versprochen, zu

Ostern aus London rüberzukommen, aber Luke, der älteste, kam auch jetzt nicht. Die drei Mädchen planten einen Besuch, um den Monaghan Day wieder aufleben zu lassen. Sie mußten ihrer Stiefmutter Rose erklären, was es mit dem Monaghan Day auf sich hatte. Sie hatte in der ganzen Zeit, die sie nun in diesem Haus lebte, noch nie davon gehört.

Monaghan Day war der Jahrmarkt Ende Februar in Mohill. McQuaid kam jedes Jahr am Monaghan Day zu Besuch. Er und Moran hatten im Krieg in derselben mobilen Einheit gekämpft. McQuaid trank, wenn er sie besuchte, immer eine Flasche Whiskey.

»Wenn wir den Monaghan Day für Daddy wieder aufleben lassen, hilft es ihm vielleicht, langsam wieder zu sich selbst zu kommen. Monaghan Day hat ihm einmal alles bedeutet.«

»Ich bin mir sicher, Daddy hat es nicht besonders gern gesehen, wenn eine ganze Flasche Whiskey in seinem Haus geleert wurde.« Rose zweifelte an der ganzen Idee.

»Er hatte nie was dagegen, daß McQuaid den Whiskey trank. Ohne Whiskey kriegte man McQuaid gar nicht ins Haus.«

Sie klammerten sich derart zäh an diesen Plan, daß Rose das Gefühl hatte, ihnen nicht im Wege stehen zu dürfen. Moran sollte nichts davon erfahren. Sie wollten, daß es wie ein Überraschungsschlag kam. Wider alle Vernunft glaubten sie, daß es seinen langsamen Verfall ungeschehen machen könnte, so wie ein Wunder von Lourdes. Vergessen war die ängstliche, atemberaubende Pflichtübung, die der Monaghan Day immer für alle gewesen war; aus der Distanz war daraus etwas Großes, Heroisches, Schauerlich-Mystisches geworden, etwas, dem das Unmögliche entrissen werden konnte.

Maggie kam am Morgen dieses Tages mit dem Flugzeug aus London. Mona und Sheila holten sie am Dubliner Flughafen ab, und die drei Schwestern fuhren in Monas Wagen nach Great Meadow. Sie hatten es nicht eilig. Mit den Jahren waren sie sich nähergekommen. Wenn sie voneinander getrennt waren, konnten sie mit atemberaubender Schärfe über die Schwächen der anderen urteilen, aber waren sie zusammen, verschmolzen ihre Persönlichkeiten so sehr, daß es schien, als wäre nur noch ein einziges Wesen da.

Auf den Wogen von London und Dublin waren sie kaum mehr als kleine Schaumflocken, aber zusammen waren sie die aristokratischen Morans aus Great Meadow, eine Welt für sich, Morans Töchter. Jede kleine Neuigkeit, die eine von ihnen über sich oder die engste Familie zu erzählen hatte – sei es Kind, Mann, Hund, Katze, der Bendix-Geschirrspüler, ein neues Kleid oder ein Paar Schuhe, seien es die Preise sämtlicher Sachen, die sie gekauft hatte –, faszinierte die anderen so, als sei es die eigene Neuanschaffung; und die kleinste Kleinigkeit aus Great Meadow verband sie nur noch enger. Gemeinsam waren sie das Gegenteil jener Frauen, die nicken und nicken, während sie

»Es wäre in Amerika bestimmt nicht leicht für dich«, sagte sie.

»Damit käme ich schon klar«, lachte er selbstzufrieden. »Wenn wir schon nicht nach Amerika können, dann laß uns doch nach Sligo fahren!«

Sie verbrachten den ganzen nächsten Tag in Sligo, aber ihre gemeinsamen Tage waren gezählt. Nell hatte fast ihr ganzes Geld verbraucht. Sie begann sich ein wenig schuldig zu fühlen, daß sie soviel Geld und Zeit mit Michael verbracht hatte statt mit ihrer eigenen Familie, obwohl ihm Geld nichts bedeutete und er jeden Pfennig, den er in die Finger bekam, für sie ausgab.

»Ich werde bald fahren müssen, Michael«, sagte sie eines Abends zu ihm, als sie im Auto saßen und den weißen Mond über Lough Key beobachteten, der auf die unruhigen Wellen eine helle Bahn ergoß.

Ohne Vorwarnung begann er zu weinen, wobei er nicht wußte, ob er um seinen eigenen Verlust weinte oder den von Nell, die diesen ruhigen Ort verlassen und sich wieder der harten Realität Amerikas stellen mußte. Sie nahm ihn in den Arm, preßte ihn an sich, strich ihm das Haar zurück, bis er sich zu ihr drehte.

»Du solltest wieder zur Schule gehen«, erklärte sie ihm. »Dann kannst du später im Leben einen besseren Job kriegen.«

»Nein«, sagte er. »Mit der Schule bin ich fertig.«

»Was willst du denn tun?«

»Vielleicht könnte ich dir bald nach Amerika nachkommen?« fragte er wieder. Das kam so lieb aus seinem Mund, daß sie nicht weiterfragen oder sich vorstellen oder darüber nachdenken wollte, was sie über diesen Augenblick hinaus noch miteinander zu tun hätten oder ob sie überhaupt noch irgend etwas miteinander zu tun hätten.

Falls er darauf wartete, daß ihm die Entscheidung durch äußere Einflüsse abgenommen wurde, so kamen diese mit erschreckender Schnelligkeit schon am nächsten Abend. Nell und er waren an diesem Morgen wegen des Donnerstagsmarktes über die Grenze nach Enniskillen gefahren. Er war wie gewöhnlich mit seinen Büchern um sechs nach Hause gekommen. Moran saß sehr still im Autositz. Rose rumorte im Haus herum. Auf dem Tisch war nicht für ihn gedeckt. Bevor noch ein Wort gesagt worden war, spürte er schon, daß er in Gefahr war.

»Wir hatten heute einen Besucher«, sagte Moran.

»Wen?«

»Immer mit der Ruhe«, sagte Moran sarkastisch. »Dein Freund Bruder Michael von der Schule. Er ist zu uns herausgekommen, um sich nach dir zu erkundigen. Er dachte, du wärst krank. Du bist offenbar seit Weihnachten nicht mehr in der Schule gewesen.«

»Ich konnte es einfach nicht mehr ertragen, zur Schule zu gehen«, er begann zu weinen.

»Und warum, wenn ich fragen darf?»

»Ich konnte es nicht mehr aushalten.«

»Du überraschst uns, Michael«, sagte Rose.
»Was hast du die ganze Zeit gemacht?«
»Ich bin einfach weggeblieben.«
»Wo bist du hingegangen?«
»Ach, nur hierhin und dahin.«
»Wo ist Hierhin-und-dahin? Ich hab' noch nie davon gehört.«
»In die Stadt, bloß hierhin und dahin.« Er fühlte sich in die Enge getrieben.
»Jetzt versuchst du auch noch zu lügen und uns etwas vorzumachen! Ich habe ein paar Erkundigungen eingezogen, nachdem Bruder Michael gegangen ist. Ich habe herausgefunden, daß Miss Morahan, die zur Zeit aus Amerika zu Besuch ist, dich im ganzen Land herumkutschiert hat.«
Es hatte keinen Sinn, noch weiter zu antworten.
»Ich weiß nicht, warum du uns das angetan hast, Michael«, sagte Rose.
»Rose und ich ernähren dich, geben dir ein Dach über dem Kopf, schicken dich zur Schule, und das ist nun der Dank, den wir dafür ernten.«
Michael schwieg. Die Pausen zwischen seinen Schluchzern wurden länger.
»Du hast uns wohl nichts zu sagen. Es tut dir nicht einmal leid.«
»Es tut mir leid«, schniefte er.
»Ich glaube, ich muß dir noch eine Lektion erteilen. Ich möchte, daß du in dein Zimmer gehst, deine Kleider ausziehst, und in ein paar Minuten komme ich nach. Vielleicht können wir diese Angelegenheit zwischen uns beiden in Ordnung

bringen.« Morans Stimme war so ruhig und bestimmt, daß Michael sich tatsächlich in Richtung seines Zimmers in Bewegung setzte; plötzlich wurde ihm klar, was er da eigentlich tun sollte, und er blieb stehen.

»Nein!« schrie der Junge voller Angst und Wut.

»Du wirst tun, was ich sage, wenn du weiter in diesem Haus leben willst.« Moran war sehr schnell aus seinem Stuhl heraus, aber der Junge war zu stark. Er entwischte seinem Vater mit Leichtigkeit und rannte aus dem Haus.

»Irgendwann muß er ja zurückkommen«, Moran atmete schwer. »Und wenn er das tut, dann werde ich diesen Gentleman halb tot schlagen.«

Er dachte gar nicht daran, zurückzugehen. Er ging den ganzen Weg bis zu den Morahans, hoch auf den Plains. Der Wagen stand draußen vor ihrem Häuschen mit dem Asbestdach. Eine jüngere Schwester von Nell kam an die Tür und bat ihn herein.

»Nein danke, Brigid«, ein mattes Lächeln huschte über sein Gesicht. »Ich möche mit Nell sprechen.« Und als sie an die Tür kam, sagte er: »Er hat das mit der Schule herausgekriegt. Er ist völlig wahnsinnig geworden. Er hätte einen umbringen können. Ich bin weggelaufen.«

»Willst du wieder zurückgehen?«

»Ich gehe nach England«, sagte er entschlossen. »Wenn ich nach Dublin kommen könnte, würden mir meine Leute da das Fahrgeld geben. Ob du mir vielleicht das Geld für den Zug leihen könntest?«

»Wann fährt er?«

»Morgen früh.«

»Wo willst du bis dahin bleiben?«

»Ich werd' schon was finden, einen Stall oder irgendwas anderes«, sagte er theatralisch.

»Bist du sicher, daß du so fahren willst?«

»Ich werde trampen, wenn du mir das Fahrgeld nicht geben kannst.«

»Ich fahre dich nach Dublin«, sagte sie. »Möchtest du nicht ins Haus kommen, wähend ich mich fertig mache?«

»Ich möchte in dieser Verfassung nicht ins Haus kommen.«

»Dann setz dich besser ins Auto.«

Er setzte sich in den Wagen und stellte das Radio an, fummelte an den Knöpfen herum. Anfälle von Wut und Angst schüttelten ihn jedesmal, wenn er an Moran dachte, verwandelten sich dann in Selbstmitleid. Als Nell endlich kam, war er es müde geworden, das Radio laufen zu lassen. Sie hatte sich feingemacht und hatte einen Koffer dabei, den sie hinten im Wagen verstaute.

Sie fuhren an dem Haus und an der Schule vorbei, durch Longford und Mullingar, Städte, in denen sie ganze Tage lang glücklich gewesen waren. Jetzt waren nur noch die Bars offen, die beleuchteten Straßen waren winterlich und leer, die stillen Reihen der am Bürgersteig geparkten Autos wirkten trübselig.

»Er hat mir gesagt, daß ich in mein Zimmer gehen soll. Ich sollte all meine Sachen ausziehen und in meinem Zimmer auf ihn warten. Ich bin aus dem Haus gerannt.«

»Er muß ja verrückt sein.«

»Einmal hat er Luke dazu gezwungen, in seinem Zimmer all seine Sachen auszuziehen. Wir haben die Schläge gehört.«

»Würde Luke dir helfen, wenn du nach London kämst?«

»Das täte er bestimmt. Luke hat immer getan, was er gesagt hat.«

»Es bringt nichts, wenn wir um diese Zeit noch zu deinen Schwestern fahren. Wir können genausogut für eine Nacht ins Hotel gehen. Ich fahre dich dann morgen früh zu deinen Schwestern.«

»Lassen sie uns denn in einem Hotel übernachten?«

»Solange es ein *großes* Hotel ist, haben sie wohl nichts dagegen«, lachte sie. »Solange wir bezahlen können.«

»Bist du denn sicher, daß es nicht zu teuer wird?«

»Nächste Woche bin ich wieder in Amerika«, sagte sie.

»Ich werde dir schreiben«, sagte er, und sie drückte einfach nur sein Knie, während sie durch Enfield fuhr. Hinter Maynooth sagte sie ihm, er solle nach Hotels Ausschau halten. Das »West Country« am Straßenrand wirkte groß und unauffällig, und sie hatten Zimmer frei. Sie bezahlte in bar, wobei sie ihren amerikanischen Akzent betonte, und das Mädchen an der Rezeption schaute sie kaum an, als sie die Formulare ausfüllten und die Zimmerschlüssel ausgehändigt bekamen. Das Zimmer war schlicht, aber gemütlich. Als sie das Zimmer sahen, merkten sie erst, wie ausgehungert sie waren. Der Speiseraum unten war leer, aber noch immer geöffnet. »Heute abend sollten wir uns richtig was gönnen.« Nell ermutigte ihn, sich was immer er wollte, auf der Karte auszusuchen. Sie aß ein Steak und er einen riesigen Grillteller mit Pommes frites. Sie mußten in dem leeren Speiseraum länger auf ihr Essen warten, als sie dann brauchten, um es zu verschlingen. Michael flüsterte, weil er an solche Orte nicht gewohnt war. Nur wenn er lachte, wurde seine Stimme lauter.

Sie liebten sich die ganze Nacht hindurch. Seine Ängstlichkeit – er war noch so jung – wich bald Zärtlichkeit und großer Dankbarkeit. Jedesmal, wenn sie dachte, daß er nun schließlich doch einschliefe, drang er wieder in sie ein. Sie empfing ihn, als wäre er gleichzeitig Mann und Kind: Seine Magerkeit wurde durch Kraft aufgewogen, seine Unsicherheit durch Stolz; und sie nahm ihn jedesmal, als ob sie langsam und behutsam Abschied von seiner Jugend nahm, die sie, als sie jung war, nicht gehabt hatte, weil sie viel zu hart hatte arbeiten müssen. Erst am Morgen sanken sie aus lauter Erschöpfung in den Schlaf, und als sie wieder erwachte, weckte sie ihn sofort und fuhr ihn in den Stadtteil, wo seine Schwestern wohnten.

»Ich werde schreiben«, sagte er in der morgendlich leeren Straße.

»Hast du die Adresse?«

»Hab' ich.« Er klopfte auf sein Jackett.

»Ich schreibe auch.«

»Wir sehen uns in New York.« Er klopfte zum Zeichen der Zuneigung mit der Faust auf das gewölbte Autodach, bevor sich der Wagen entfernte.

Die ganze Straße schien noch zu schlafen. Ein Milchmann mit einem Elektrolieferwagen trug Flaschen aus und stellte sie auf die Eingangsstufen, und der Motor surrte, wenn der Lieferwagen weiterfuhr. Er mußte lange klopfen, bevor sich im Haus, in dem Sheila und Mona wohnten, irgend etwas rührte. Dann öffnete sich ein Fenster im ersten Stock. Mona lehnte sich in ihrem Nachthemd heraus. Sie wußte nicht, ob sie mehr überrascht sein oder es überhaupt nicht glauben sollte.

»Was machst *du* denn hier?« fragte sie.

»Ich bin weggelaufen«, sagte er.

»Weshalb kommst du hierher?«

»Ich möchte nach England.«

»Ich komme runter«, sagte sie und machte das Fenster zu.

Er hörte, wie sie im Zimmer rasch mit jemandem, wahrscheinlich mit Sheila, redete. Es kam ihm sehr lange vor, bis jemand an die Tür kam. Sie waren beide angezogen, als sich die Tür öffnete.

»Wie bist du überhaupt so weit gekommen?« fragte Sheila.

»Ich bin getrampt.«

»Mitten in der Nacht?«

»Ich bin ein paarmal eine kleine Strecke getrampt, und dann hat mich ein Milchlaster heute morgen mit in die Stadt gekommen.« Er erzählte ihnen die Geschichte, wie er weggelaufen war etwa so, wie er sie auch Nell erzählt hatte, aber sie erwähnte er überhaupt nicht. »Er sagte mir, ich sollte in mein Zimmer gehen, meine Sachen ausziehen und dort auf ihn warten.«

»Er bringt uns um, wenn wir dir das Fahrgeld geben.«

»Irgendwie muß ich es kriegen. Ich gehe nicht wieder nach Hause.«

Sie brieten Würstchen, Eier und Speck, machten ihm Tee und Toast. Der Mann und die Frau, denen das Haus gehörte, kamen hinunter und bekamen die Geschichte erzählt. Der Mann war still und trug eine Briefträgeruniform. Trotz ihrer Angst wurden beide Mädchen allmählich von der Dramatik dieses Ereignisses gepackt, und als sie zur Arbeit gingen, nahm Sheila Michael mit in die Behörde in der Kildare Street. Dort hielt die Aufregung an. Nach kurzer Zeit schien die ganze Behörde bei Sheila hereingeschaut zu haben. Ein junger Mann, höflich und gutaussehend, war von zu Hause weggelaufen. Die grauen Beamten erinnerte das an ihre eigene, strahlende Jugend. Hätte es nicht die vorschriftsmäßigen Verfahren gegeben, an die man sich halten mußte, wäre ihm wahrscheinlich an Ort und Stelle ein Posten in der Behörde angeboten worden. »Es ist schrecklich. Wir wissen nicht, was wir tun sollen«, sagte Sheila immer wieder, aber sie genoß den Wirbel und die Aufmerksamkeit.

Heimlich, wie es ihre Art war, hatte sie sich bereits zurechtgelegt, wie sie mit der Situation fertig werden wollte, aber sie fuhr fort, Rat einzuholen, was ihr bei den anderen Sympathien einbrachte. Sie hatte jetzt einen Freund, ein Beamter wie sie, und Mona und er gesellten sich beim Lunch in der riesigen Kantine zu ihnen. Michael amüsierte sich prächtig. Hier waren Leute und Aufregung und Lärm und Geschäftigkeit. Verschwunden war die Unterdrückung in Morans Haus. Sein Charme würde hier genausogut funktionieren wie irgendwo anders. Aber Sheila hatte andere Pläne. »Du kannst nicht nach England«, sagte sie.

»Warum? Ich will nicht nach Hause.«

»Du bist noch nicht mit der Schule fertig. Wenn du mit der Schule fertig bist, kannst du überall hingehen. Wenn du jetzt abhaust, kannst du für den Rest deines Lebens nur noch Arbeiter werden.«

Sie ignorierte seine Einwände, daß dies seine Sache wäre. Am Abend würde sie zu Moran und Rose fahren. Wenn Moran nicht damit einverstanden war, daß er zurückkäme, könnte er bei ihnen in Dublin bleiben. Er müßte nur noch zwei Jahre hinter sich bringen, danach stünden ihm alle Möglichkeiten offen, auch Fabrikarbeit, wenn es das war, was er wollte. So wie er jetzt handelte, hätte er gar keine Möglichkeit.

Sie nahm den Zug nach Great Meadow, um Moran gegenüberzutreten. Es war schon soviel Zeit vergangen, ohne daß sie von Michael gehört hatten, daß sie Angst bekommen hatten und jetzt erleichtert waren, sie zu sehen. Moran hatte keinen Grund anzunehmen, daß sie möglicherweise nicht vollkommen auf seiner Seite stünde.

»Also zu dir ist er gelaufen«, sagte Moran.

»Er ist getrampt.«

»Ich habe einen Plan mit diesem Jungen«, sagte Moran.

Er war einfach. Sie brächten Michael nach Hause, und die ganze Familie würde gemeinsam eine Prügelstrafe überwachen, die Moran ihm verabreichen würde. Auf diese Weise würde korrekt verfahren, und sie würden sich vor rechtlichen Folgen schützen; im übrigen war Moran nicht mehr stark genug, ihn allein in den Griff zu kriegen: »Das wird eine Lektion sein, die er sein ganzes Leben nicht mehr vergessen wird.«

»Nur wegen uns kommt er nicht nach Hause. Er will bloß dann nach Hause kommen und wieder in die Schule gehen, wenn die ganze Sache vergessen wird.«

»Ihr müßt es ihm ja nicht sagen.«

»Ich muß es ihm sagen«, sagte Sheila beharrlich.

»Auf mich nimmt in diesem Haus natürlich keiner Rücksicht«, schrie Moran, aber er konnte wenig ausrichten.

Sheila fuhr zurück nach Dublin, und ein paar Tage später brachte sie zusammen mit Mona Michael zurück. Sie mußten ihm versprechen, daß sie ihm, sollte es wieder Ärger geben, jede nur mögliche Hilfe leisten würden, damit er in Dublin bleiben oder nach London gehen könnte.

»Mach es so gut, wie du kannst«, drängten sie ihn. »Wenn es nicht klappt, dann helfen wir dir, so gut wir können. In zwei Jahren bist du mit der Schule fertig, und dann kannst du hingehen, wohin du willst.«

Als er das Haus betrat, tat er es so vorsichtig, befangen und verlegen, daß es fast komisch wirkte.

»Willkommen.« Moran sah bekümmert weg, als er ihm die Hand entgegenstreckte. »Jeder aus meiner Familie ist immer willkommen in diesem Haus, ohne Ausnahme.«

Sheilas Freund, Sean Flynn, hatte sie alle hingefahren. Er zog fast die gesamte Aufmerksamkeit Morans auf sich, der annahm, daß sie ihn nicht in eine derart delikate Familienangelegenheit mit hineingezogen hätte, wenn sie nicht vorhätte, ihn zu heiraten. Sean Flynn war geschmeichelt; er war es gewohnt, anderen gefällig zu sein. Sie sprachen über Politik, über das Land, das die Flynns in Clare bestellten, seine große Familie, und sie stimmten beide darin überein, daß die Familie die Grundlage der Gesellschaft und jeglicher Zivilisation sei. Moran genoß das Gespräch und fühlte sich betrogen, als die Zeit für sie kam, sich auf den Weg zurück nach Dublin zu machen.

»Nächstes Mal müssen Sie uns richtig besuchen«, sagte Moran, als er beim Auto seine Hand schüttelte.

»Wenn ich eingeladen werde«, Sean Flynn drehte sich um, um Sheila zu necken.

»Sie werden schon eingeladen werden«, lachte Moran. »Den Frauen sollten sie nie zu viel Macht einräumen. Die legen Ihnen Fußangeln an, eh Sie's überhaupt merken.«

Es sah so aus, als hätte Sean Flynn ihren Vater für sich eingenommen. »Jetzt ist aber genug«, sagte Sheila und verbarg ihre Verwirrung und ihre Freude, indem sie hinten im Wagen herumkramte.

Im Haus war Michael blaß und ängstlich, aber Moran schaute ihn nicht einmal an.

»Dieser Sean Flynn scheint ein intelligenter, gut erzogener junger Mann zu sein«, sagte Moran, als er seinen Rosenkranz zum Beten herausholte.

»Ich freue mich für Sheila«, sagte Rose. »Sie braucht jemanden, der ruhig ist.«

»Dein Bett ist gelüftet«, sagte sie sehr sanft zu Michael, nachdem die Gebete gesprochen waren. »Du bist bestimmt ganz erschöpft.«

»Ich glaube, dann gehe ich jetzt ins Bett«, sagte der Junge. Er wußte nicht, ob er sich wegstehlen oder wie gewöhnlich zu seinem Vater hingehen und versuchen sollte, ihm einen Gutenachtkuß zu geben.

»Geh und gib Daddy einen Kuß«, flüsterte Rose, als sie sah, wie er zögerte.

Moran hielt ihm das Gesicht zum Kuß hin. Seine Augen waren fast geschlossen. Der ganze Anblick wirkte, als wollte er eine höhere Macht anflehen, ihm bei der Erfüllung seiner väterlichen Pflichten beizustehen. Der Junge berührte mehr die Bartstoppeln als die Lippen, bevor er zurückwich.

»Gute Nacht, Daddy.«

»Gute Nacht, mein Junge. Gott segne dich.«

Schon am nächsten Tag mußte er wieder in die Schule gehen. Er wurde von den Brüdern willkommen geheißen, als wäre er nach einer sehr langen Krankheit wiedergekommen, denn Sheila hatte auf ihrem Weg nach Dublin beim Kloster halt gemacht und für sein Fehlen bestimmte Schwierigkeiten im Elternhaus geltend gemacht.

»Du weißt selbst, daß du einer der schlauesten Köpfe in der Schule bist«, schmeichelte ihm Bruder Superior Gerald sanft. »Wenn du jetzt anständig lernst, dann kannst du später alles erreichen. Dir wird die ganze Welt offenstehen. Aber wenn du das Handtuch wirfst, dann bist du gar nichts.«

Diese Worte waren wie ein abgedroschener Refrain, den er satt hatte. Die neugewonnene Aufmerksamkeit, ja Schmeicheleien der anderen Jungs fand er lästig. Er konnte die Schule nicht mehr ertragen – in die Klassenzimmer strömen, dürren Worten lauschen, zusehen, wie sinnlose Schaubilder mit Kreide an die Tafel gekritzelt wurden: Es war, als wäre alles speziell dazu gedacht, ihn verrückt zu machen. Er wußte, daß er nicht so weitermachen konnte. Nell war fortgegangen. Sein ganzes Leben schien woanders zu sein.

Auf der Straße fuhr ihr schwarzer Wagen an ihm vorbei. Einer der jüngeren Morahans saß am Steuer. Sie winkten, machten aber keine Anstalten anzuhalten. Wieder allein, schrie und fluchte er. Die kleinen Erlen und Weidenbäume an der

Straße, die braunen Klumpen toter Binsen bis hinunter zu den Schwemmwassern von Drumharlow schienen sich nicht freundlich wie alte Vertraute zu neigen. Es waren bloß Büsche; sie wirkten nicht nur feindlich, sondern, schlimmer noch, nutzlos. Er konnte nicht dableiben. Er konnte nicht weggehen. Ohne einen bestimmten Plan zu haben, würde er sich doch so verhalten, daß sie gezwungen wären, ihn davonzujagen.

An jenem Abend verzichtete Michael auf den ehrerbietigen Ton, den er Moran gegenüber immer an den Tag gelegt hatte. Er war nicht offen unhöflich, aber reserviert und schwerfällig. Moran war irritiert von seinem Benehmen und beobachtete es sorgfältig, schwieg aber dazu. Das ging mehrere Tage so weiter. Die Schule blieb unerträglich. Seine Schulkameraden fanden ihn in sich gekehrt und brutal, wenn er an Mannschaftsspielen teilnahm. Sie ignorierten ihn. In einem trüben Nebel von Selbstmitleid kam er in die Klasse, und genauso verließ er sie wieder. Im Haus steigerte sich die Anspannung mit jedem Tag. Rose war nervös. Sie konnte es nur mit Ausbrüchen liebenswürdigen Geplappers versuchen, auf die sie weder vom Vater noch vom Sohn eine Antwort erhielt. Selbst die Luft war schon so angespannt, als würde sie jeden Moment umschlagen oder reißen: Etwas so Unerhebliches wie ein Salzstreuer schließlich sorgte dafür, daß sich die Dinge entscheidend zuspitzten.

»Das Salz da«, forderte Moran.

»Welches Salz?«

»Gibt es zwei Salzstreuer? Gib mir das Salz!«

Statt ihm den kleinen Glasstreuer zu reichen, stieß ihn Michael quer über den Tisch zu seinem Vater hinüber. Moran kochte vor Wut, als er das sah. Als er angestupst wurde, stieß der kleine Glasstreuer an eine Falte im Tischtuch und kippte um.

»So würdest du nicht mal einem Hund Salz geben«, Moran stand auf. »Weißt du überhaupt noch, wem du dieses Salz da gibst?«

»Ich wollte nicht, daß es umkippt.« Michael befand sich, weil er noch aß, auf unerträgliche Weise im Nachteil.

»Du hast es gerade einem Hund hingeschoben.«

»Ich sagte doch, ich wollte nicht…«

»Ich werd' dir beibringen, wer hier was will!« Moran schlug ihn hart, aber es gelang ihm, den Schlag teilweise abzuwehren, wobei, als er aufsprang, der Stuhl umfiel. »Du brauchst dir nicht einzubilden, daß du hier für den Rest deiner Tage wie Graf Koks herumsitzen kannst.«

Den zweiten Schlag blockte er mit den Armen ab, aber trotzdem stieß er noch mit dem Rücken gegen die Nähmaschine. Er spürte das Metall in seinem Rücken, fühlte aber keine Verletzung und empfand auch keine Angst. Indem er das alte Fußpedal als Sprungbrett benutzte, machte er einen Satz nach vorn und packte Morans Hand, als sie wieder heruntersauste. In dem kurzen, schweigenden Kampf war er der Stärkere. Moran stürzte hin und zog den Jungen mit sich, war aber nicht in der Lage, ihn im Fallen seitwärts gegen die Anrichte zu schleudern. Sie kämpften blind und rollten über den Boden. Schließlich war es der Junge, der den Vater auf dem Boden festnagelte; aber als er versuchte, ihn an den Armen festzuhalten, erhielt er, als er sich aufrichtete, einige heftige Schläge auf den Kopf. Er lockerte, schreiend vor Schmerzen, seinen Griff und sprang zur Seite. Rose stellte sich mit einer klobigen Bürste in den Händen zwischen die beiden Männer.

»Du überraschst mich, Michael«, sagte sie anklagend und kam dann Moran zu Hilfe. »Ist alles in Ordnung, Daddy? Ist alles in Ordnung?«

Er tat ihre Hilfe ab, kam taumelnd auf die Füße und ging, sehr schwer atmend, zu seinem Sessel, um sich hinzusetzen.

»Ist alles in Ordnung, Daddy?« fragte sie noch einmal.

»Ich bin gleich wieder in Ordnung«, sagte er. »Und mit diesem Gentleman bin ich keineswegs fertig. Wenn dieser Gentleman glaubt, daß er in diesem Haus alles so machen kann, wie es ihm gerade paßt, dann werd' ich ihn schleunigst auf andere Gedanken bringen.«

In diesem Moment geschah es, daß er, kalt und entschlossen, das Gewehr fixierte, das neben der Hintertür in der gegenüberliegenden Zimmerecke stand. Ob er nun ernsthaft daran dachte, zur Waffe zu greifen, oder nur wollte, daß Michael das glaubte, wurde auch später nie klar. Wenn er nur wollte, daß Michael glaube, er würde es gegen ihn gebrauchen, dann gelang ihm das jedenfalls vollkommen. Den Rest jenes Abends hielt Michael sich in der Nähe des Gewehrs auf. Jedesmal, wenn Moran sich zwischen ihm und der Hintertür bewegte, war er plötzlich gespannt wie ein Bogen. Er hätte alles gegeben, um herauszufinden, ob die Waffe geladen war, aber er konnte das nicht nachprüfen. Er beruhigte sich damit, daß Moran immer darauf bestanden hatte, daß eine Waffe entladen werden mußte, wenn man sich einem Haus näherte oder über einen Zaun kletterte.

Wenn es nicht heftig geregnet hätte, wäre Michael wohl schon in jener Nacht gegangen. Am Morgen würde er gehen, und dieses Mal käme er nicht wieder. Er mußte nur noch die Nacht überstehen. Gehorsam brachte er die übrigen Gesten hinter sich. Moran sprach, außer, daß er den Rosenkranz betete, überhaupt nicht. Michael sagte Rose gute Nacht, aber es war klar, daß er Moran nie mehr gute Nacht sagen müßte. Sobald er in seinem Zimmer war, verrückte er sein Bett, so daß es die Tür versperrte, und entriegelte das Fenster. Er atmete etwas ruhiger, als er hörte, daß sein Vater und Rose ins Bett gingen, aber er schlief nach wie vor nicht. Gegen Morgen, eine Stunde bevor Rose gewöhnlich aufstand, stahl er sich in die Küche hinunter. Alle Türen standen offen, und er konnte, ohne Lärm zu machen, hindurchgehen. Er konnte sein eigenes Herz laut schlagen hören, als er in die Ecke langte und langsam das Gewehr hob. Er nahm es mit in die Diele, bevor er die Kammer öffnete. Als sie leise klickte, lauschte er aufmerksam, aber er konnte aus dem entfernten Schlafzimmer kein Geräusch hören. Er erwartete, die Kammer leer vorzufinden. Das Gewehr zitterte in seinen Händen, als er das Blech der Patronenhülse sah. Wenn die Waffe geladen war, dann verstieß das gegen alles, was Moran sein Leben lang über Waffen gepredigt hatte; aber als er die Patronenhülse aus der Kammer nahm, sah er, daß sie leer war. Schon sehr viel ruhiger atmend schob er die Patronenhülse wieder hinein und stellte die Waffe leise in die Ecke zurück. Wieder im Bett, versank er in tiefen Schlaf. Rose mußte ihn schütteln, um ihn wachzukriegen. Er zog sich eilig an und machte aus den wenigen Sachen, die er mitnehmen wollte, ein kleines Bündel. Im Wohnzimmer, zusammen mit Rose, war er vorsichtig, still und ein wenig deprimiert. Er würde diese kleinen morgendlichen Rituale in diesem Zimmer nie wieder tun. Seine jugendliche Versenkung in sich selbst war komisch. Er würde nie wieder sein gekochtes Ei köpfen, während er über die Felder auf die Mauer der McCabes schaute. Mit einer gewissen Sentimentalität empfand er, daß er mit jeder kleinen Handlung Abschied von seiner Jugend nahm. Rose hielt sein Schweigen und den vagen Eindruck, daß er deprimiert sei, für Zerknirschung über seinen Zusammenstoß mit Moran.

»Mach dir keine Sorgen, Michael«, sagte sie. »Du mußt nur sagen, daß es dir leid tut, wenn du aus der Schule kommst, und alles ist wieder gut. Dein Vater liebt dich über alles.«

»Es war nicht mein Fehler. Das Salz ist einfach nur umgekippt. Ich habe gar nichts getan.«

»Du weißt, daß es nicht bloß das Salz war, Michael.«

»Er läßt mich in letzter Zeit überhaupt nicht mehr in Ruhe.«

»Du kennst deinen Vater doch. Er wird sich jetzt nicht mehr ändern. Du mußt ihm nur das Gefühl geben, daß du nachgibst, und dann wird er alles für dich tun. Er will doch nur für uns alle das Beste.«

»Danke, Rose«, er lächelte, als er aufstand. Während ihrer kleinen Rede waren ihm fast die Tränen gekommen. Er wollte aus dem Haus sein, bevor sie wirklich flossen. Rose sah seine Tränen, und ihr selbst stiegen Tränen in die Augen. Sie war sicher, daß bald alles wieder in Ordnung wäre. Sie würde, sobald Moran aufgestanden war, mit ihm über Michaels frühmorgendliche Zerknirschtheit sprechen und dafür sorgen, daß alles auf Versöhnung hinausliefe und die fraglose Liebe, die sie selbst von ganzem Herzen fühlte.

Ein Bäckereilieferwagen, der schon früh am Morgen unterwegs war, brachte Michael bis nach Longford, ein Viehtransporter nahm ihn von da bis nach Maynooth mit. In Maynooth mußte er lange warten, bis ihn ein Priester mit in die Stadt nahm. Die Mittagszeit war schon vorbei, und er fühlte sich ganz schwach vor Hunger, als er von der O'Connell-Brücke zu dem großen Amtsgebäude ging, in dem Sheila arbeitete. Ein Pförtner, der sich noch vom letzten Mal an ihn erinnerte, brachte ihn mit dem Fahrstuhl hoch zu Sheilas Büro.

»Was machst du denn schon wieder hier?« fragte sie streng, obwohl sie es schon wußte.

»Ich gehe nach England«, sagte er.

»Wann?«

»Noch heute abend, wenn es geht.«

Er erzählte ihr von dem Kampf, davon, wie Rose ihn mit der Bürste auf den Kopf geschlagen hatte und wie Moran dann dagesessen und auf das Gewehr in der Zimmerecke gestarrt hatte. Es war alles zu vertraut, um bloße Erfindung zu sein. Sie rief Mona an, die aus ihrem Büro herüberkommen und sie in der Kantine treffen wollte. Er hatte bereits gesagt, daß er schon ganz schwach vor Hunger sei. Sie versorgte ihn mit einem riesigen Teller mit Pommes frites, Eiern, Würstchen, Blutwurst und Tee und ging noch einmal nach oben, um zu versuchen, Maggie in London anzurufen. Sie erreichte sie sofort. Maggie wollte sich den Tag freinehmen und an den Frühzug in Euston kommen.

»Dann ist das Nest also schließlich leer«, sagte Maggie, als alles geregelt war. »Alle Vögel sind ausgeflogen. Wenn man darüber nachdenkt, ist es irgendwie traurig nach all den Jahren«; aber Sheila war zu aufgebracht, um zu antworten. Dann rief sie Sean Flynn an, der sagte, er wolle seine Arbeit liegenlassen und zur Kantine hinüberkommen. Die Familie genoß solch einen Vorrang, daß jeder sofort seine Arbeit stehen- und liegenlassen konnte, ohne sich dafür Ärger einzuhandeln. Ihre

Vorgesetzten fanden sogar, daß die Anteilnahme der Schwestern bewundernswert war. Sheila gewann die Sympathien vieler und erhielt zahlreiche Hilfsangebote. »Du kannst die liegengelassene Arbeit jederzeit nachholen«, sagten sie.

Mona war bereits bei Michael, als Sheila zur Kantine zurückkam. Bald danach stieß Sean Flynn zu der kleinen Gruppe. Er lächelte wohlwollend, froh darüber, daß er an diesem Familiendrama teilhaben konnte.

»Er wird morgen früh in Euston abgeholt«, verkündete Sheila.

»Sollen wir ihn dann alle zur Fähre bringen?« fragte Mona wichtigtuerisch.

»Ein paar von uns müssen das sowieso«, sagte Sheila und wandte sich dann an Michael. »Du hast dir ja nicht gerade ein Bein ausgerissen, nachdem wir dich nach Hause gebracht haben und so weiter.«

»Ich hab' alles versucht«, sagte er.

»Das wage ich zu bezweifeln. Wie sind wir denn wohl klargekommen, als wir so alt waren wie du?«

»Damals wart ihr ja auch noch alle da.«

»Er stürzte an der letzten Hürde«, sagte Sean Flynn und lachte.

Sheila reagierte auf sein Gelächter mit einem vernichtenden Blick. Er durfte vielleicht durch sie zur Familie dazukommen, aber das hieß noch lange nicht, daß er dazugehörte. Kein Außenseiter durfte über etwas so Sakrosanktes wie die Familie lachen.

Sie hatten nicht mehr viel Zeit. Das Boot legte um zwanzig vor neun ab. Sie standen auf, um den frühen Schiffszug zu erreichen. Am Hafen übernahm Sheila wie üblich das Kommando. Sie kaufte die Fahrkarte, gab ihm Geld für die Reise und drängte sich an Bord, wo sie einen Schaffner fand, der versprach, sich um Michael zu kümmern und ihn in den Zug nach London zu setzen. Als das Boot Holyhead erreicht hatte, waren alle, die er kennenlernte, hilfsbereit, sobald sie die Geschichte einmal erfahren hatten: Es war, als wäre jeder irgendwann einmal von zu Hause weggerannt oder hätte wegrennen wollen.

Alle drei sahen dem Boot noch lange nach, nachdem es aus dem Hafen ausgelaufen war. In den Augen der Mädchen standen Tränen, und Sean Flynn legte seinen Arm um Sheilas Schultern, als sie sich von der See und der Betonmauer mit den kleinen glitzernden Muskovitstückchen abwandten.

»Jetzt ist keiner von uns mehr da«, sagte Sheila zwischen leisen Schluchzern.

»Irgendwann mußte es ja mal so kommen, aber es hätte vielleicht auf bessere Art und Weise geschehen können«, sagte Mona.

»Vielleicht gibt's keine gute Art für so etwas«, in Sheilas Stimme lag jetzt ein barscher Unterton.

Sean Flynn schwieg klugerweise.

Ungefähr zur gleichen Zeit, als das Schiff auf Holyhead zusteuerte, kniete Moran nieder, um den Rosenkranz zu beten.

»Es sieht nicht so aus, als käme er jetzt noch«, sagte Rose ängstlich. Sie hatte das Abendessen für ihn bei schwacher Hitze im Ofen warmgestellt, aber das Essen schmeckte bereits nicht mehr. »Er muß wieder zu den Mädchen gefahren sein«, fuhr Rose nervös fort. »Er hatte immer ein großes Talent, Mitleid zu erregen. Morgen hören wir wahrscheinlich schon von ihnen. Vielleicht bringen sie ihn ja am Wochenende schon zurück.«

»Dann muß er aber sein Benehmen gehörig ändern, wenn er wieder hierbleiben will.«

»Ich weiß auch nicht, was in ihn gefahren ist. Er hat mir heute morgen gesagt, daß es ihm leid täte. Er wollte sich heute abend entschuldigen.«

»Wir sollten jetzt im Namen des Herrn den Rosenkranz beten.«

Moran holte seinen Kranz heraus und klapperte ungeduldig mit den Perlen. Das Licht zwischen den großen Bäumen wurde schwächer, aber die Steinmauer am Grundstück der McCabes hob sich noch immer fahl und massiv ab. Moran mußte die Dritten Geheimnisse selbst sprechen, weil der Junge nicht da war. Hinterher saß er grimmig in seinem Sessel und wollte überhaupt nicht reden, sondern nur zuschauen, wie das Licht schwand. Rose machte Licht, zog die Vorhänge zu und begann, Tee zu machen. Moran stand auf und stellte das Radio an. Musik erklang. Er stand da, lauschte eine Weile, die Hand am Sendeknopf, und schaltete es dann abrupt wieder ab. Als er seinen Tee getrunken und sein Brot gegessen hatte, beugte er sich hinunter, um die Schnürsenkel an seinen Stiefeln zu lockern.

»Er ist weg«, brütete er. »Jetzt sind sie alle weg.«

»Vielleicht ist er morgen schon wieder da«, versuchte Rose ihn zu trösten.

»Wer will ihn schon wiederhaben? Wer will schon irgendeinen von ihnen wiederhaben? Jetzt sind sie alle fort, und wen kümmert es schon?«

Mona und Sheila schwankten, ob sie die Nachricht nach Hause schreiben oder telegrafieren sollten. Sie entschieden sich gegen ein Telegramm, weil es die schlimmsten Befürchtungen weckte, und schrieben eine kurze Mitteilung, daß Michael nach London gefahren sei und sie am Wochenende hinüberkomen wollten, um ihnen das Ganze zu erklären. Sie kamen zusammen mit der Bahn.

Gewöhnlich war Moran auf dem Bahnsteig, um sie vom Zug abzuholen, und wenn er gut gelaunt war, machte er sofort kleine Witze, sobald er sie gefunden hatte, aber an diesem Freitagabend war von ihm, als sich der Bahnsteig bereits geleert hatte, noch immer nichts zu sehen. Schließlich entdeckten sie, daß er in seinem Auto vor dem Bahnhof wartete.

»Wir dachten, du wärst nicht gekommen«, sagte Mona nervös, aber er antwortete nicht. Er ließ den Wagen an und fuhr, indem er sich betont auf das Fahren konzentrierte, aus der Stadt.

»Michael ist nach London gegangen«, platzte Sheila heraus und brach das Schweigen. »Wir haben versucht, ihn dazu zu bringen, wieder nach Hause zu fahren, aber dieses Mal hatte es keinen Zweck. Man konnte nicht mehr mit ihm darüber reden. Er war fest entschlossen, nach London zu fahren. Es war überhaupt nicht mehr wie beim letzten Mal.«

»Woher hatte er denn das Fahrgeld?« fragte Moran kurz angebunden.

»Wir haben ihm das Fahrgeld gegeben. Das mußten wir. Er hat gedroht, daß er ohne Fahrgeld losfahren und Lukes Namen in London angeben würde, wenn man ihn erwischt.«

»Wenn man ihn erwischt, könnte er ja auch mal lernen, daß alles nicht so einfach ist.«

»Er wollte jedenfalls unbedingt fahren, und wir hatten das Gefühl, wir müßten ihm das Fahrgeld geben. Wir haben Maggie angerufen, damit er drüben abgeholt wird.«

»Ich nehme an, er hat mich ordentlich angeschwärzt.«

»Er hat gesagt, daß es eine Prügelei gegeben hat. Er sagte, daß er Angst vor dem Gewehr gehabt hat.« Jetzt ging Sheila zum Angriff über, denn sie war es leid, Morans Aggressionen aufzufangen.

»Ich wußte ja, daß er mich anschwärzen würde. Ich würde nie jemanden aus der Familie verletzen. Ich habe immer nur das getan, was ich für die, die es anging, für das beste hielt. Vielleicht habe ich mich manchmal auch vertan, aber es war immer gut gemeint.« Wenn Moran moralisch wurde, dann, das wußten die Mädchen, war bereits eine Art von Lösung erreicht.

Die Scheinwerfer beleuchteten schon die dunkle Eibe am Eingangstor. Rose war so nervös, daß sie nicht herauskam, um sie an der Tür in Empfang zu nehmen. Sie fanden sie ganz hinten in der Küche, und sie tat so, als hätte sie den Wagen nicht gehört. Als sie sich schnell die Hände abtrocknete und auf sie zulief, überdeckten ihre übermäßige Freude und Zärtlichkeit eine Angst, die an ihr genagt hatte, seit Michael das erste Mal weggelaufen war.

»Er ist nach London gefahren. Sie mußten ihm das Geld geben«, verkündete Moran Rose. Die beiden Mädchen konnten zum ersten Mal ihre Angst abschütteln, seitdem sie Dublin verlassen hatten, und umarmten Rose warmherzig.

»Wir mußten ihm das Geld geben«, sagte Mona. »Wir konnten ihn nicht dazu bringen, wieder nach Hause zu fahren.«

»Armer Michael«, sagte Rose. »Er glaubt, daß in London das Geld auf der Straße liegt und ihm die Mädchen an jeder Ecke in die Arme fallen.«

»Dem werden noch die Augen geöffnet werden«, sagte Moran.

Mit diesem einen Wortwechsel wurden die Umstände seiner Flucht abgetan, und dann beeilten sich alle, sofort zur Tagesordnung überzugehen. Rose machte zum Tee eine große Pfanne Spiegeleier und Bratkartoffeln, als wäre es ein besonderer Sonntag. Sie lachte und schwatzte das ganze Essen hindurch und gab danach, als sie mit den Mädchen abwusch, den neuesten Klatsch zum besten – neue Kleider und Moden, die bei der Messe von denen getragen worden waren, die frisch aus England und Amerika zurück waren, und daß sie gedacht hatten, sie hätten die Schere verloren und müßten eine neue kaufen, daß sie aber erst vorgestern in einem alten Stiefel von Daddy auf sie gestoßen wäre; sie mußte in den Stiefel gefallen sein ...

»Niemand ist blinder als die, die nicht sehen wollen«, sagte Moran launig.

»Also Daddy. Du weißt, ich habe Tag und Nacht nach ihr gesucht«, protestierte Rose, lachte aber mit.

»Das sind die Blindesten«, wiederholte Moran und lachte noch lauter. Sie waren erleichtert. Seine Stimmung hellte sich auf. Als sie das Geschirr abgetrocknet und das Zimmer aufgeräumt hatten, schlug Moran vor, daß sie nun den Rosenkranz beteten, und sie alle ließen sich auf die Knie nieder. Ganz am Ende sprach er noch ein besonderes Gebet für Michael und alle abwesenden Familienmitglieder und daß ihnen in London nichts Böses widerfahren möge. Den Rest des Abends spielten sie Karten. In ihr Schweigen beim Kartenspielen hinein fragte Sheila – eigentlich war es mehr laut gedacht –, während von draußen in der Dunkelheit nur das Rauschen der Bäume rund ums Haus zu hören war: »Was sie in London wohl jetzt gerade alle tun?«

»Sie sitzen wahrscheinlich ganz genau wie wir in irgendeinem Zimmer«, sagte Rose sanft, um jegliches Unbehagen, das die Frage bereiten könnte, zu verscheuchen.

»Herz war dran«, sagte Moran forsch. »Ihr wollt doch noch nicht einschlafen.«

»Mach dir keine Sorgen, Daddy«, sagte Mona gefühlvoll, als sie sich hinunterbeugte, um ihm den Gutenachtkuß zu geben. »Michael wird schon zurechtkommen.«

»Sorgt euch nicht um mich, sondern um euch selbst und eure Kinder«, zitierte Moran vieldeutig in dem gleichen halbwegs neckischen Tonfall, den er den ganzen Abend lang angeschlagen hatte.

»Maggie wird sich um ihn kümmern«, Sheila ignorierte das Zitat lieber.

»Es wäre besser gewesen, wenn er den Anstand gehabt hätte, seine Lektion hier zu lernen«, Moran artikulierte jedes Wort langsam, diesmal unmißverständlich in seinem gewohnten Tonfall. »Jetzt wird die Welt sie ihm erteilen. Und die wird sich nicht allzusehr um ihn scheren.«

»Gute Nacht, Daddy«, Sheila küßte ihn.

»Gott segne euch«, antwortete Moran. Dann gingen beide Mädchen zu Rose, um sie zu küssen.

Der nächste Tag war ein Samstag. Als die Mädchen aufstanden, hatte Rose den Kamin schon lange an, und die graue Katze streckte sich vor dem Ofen.

»Ich dachte, die darf nicht rein«, fragte Mona, als sie sich hinunterbeugte, um die Katze zu streicheln. Sie mochte alle Tiere.

»Sie durfte es auch nicht«, sagte Rose. »Dann hat Michael angefangen, sie reinzulassen. Jetzt lassen wir sie manchmal drinnen. Sie glaubt, sie hat Rechte.«

Das Zimmer war warm und gemütlich. Sie konnten sich zum Frühstück wünschen, was sie wollten, sogar gegrillte Lammkoteletts, aber sie wollten Orangensaft, heißen Porridge, Tee und Toast. Moran kam von draußen herein, setzte sich an den Kamin und trank Tee. Er war ganz besonders gut gelaunt und begann sie aufzuziehen, weil sie so lange geschlafen hatten. Sie waren nach Hause gekommen und hatten mit Ärger und Vorwürfen gerechnet, und statt dessen fanden sie freundliche Wärme und gute Laune vor. Sie schämten sich für ihre Angst. Auf diese Wärme wollten sie von ganzem Herzen reagieren. Sie wären schon mit viel weniger zufrieden gewesen als mit dem, was sie jetzt bekamen. Mona wischte auf der Fensterscheibe eine Stelle frei, um auf die ihr so lieben Felder und Bäume hinauszusehen, das Bild, wie es sich am weit entfernten Himmel abzeichnete.

Dann bemerkte Mona die Ecke eines neuen Stalles, den ein Nachbar gebaut hatte und der die Aussicht störte. Als Sheila ans Fenster kam, war sie empört. »Ich hab' mich dran gewöhnt«, sagte Rose. »So viel macht es auch nicht mehr aus.« Obwohl Moran sich über den Stall ärgerte, tat er so, als gefiele er ihm, um die Mädchen noch mehr zu provozieren. Später gingen sie mit dem alten Hütehund in die Felder, um sich diesen Stein des Anstoßes etwas genauer anzusehen.

Daß sie einander so dringend brauchten, schweißte sie noch enger zusammen, jetzt, da die anderen fehlten. Am Abend fuhren sie alle in die Stadt, um ein bißchen einzukaufen. Moran blieb im Wagen sitzen, während Rose und die beiden Mädchen zusammen losgingen. Rose kannte viele Leute im Ort, und sie blieb stehen,um sie zu grüßen. Verglichen mit ihr waren die Mädchen den Leuten gegenüber steif, verlegen und unsicher, wie sie sich benehmen sollten.

»Daddy mag es nicht, wenn ich mit zu vielen Leuten rede. Er hält das für Zeitverschwendung, aber Zeit verschwendet man ja sowieso genug«, vertraute Rose ihnen an, als hätte sie sich etwas zuschulden kommen lassen, während sie zum wartenden Auto zurückeilten. »Ihr wißt ja, daß Daddy es nicht mag, wenn er zu lange warten muß.«

Der Wagen parkte hinter dem Postamt am Zaun der tiefer liegenden Tennisplätze, und er saß da und blickte auf die Passanten, ohne sie zu grüßen oder von ihnen gegrüßt zu werden. Er mußte sich aus seiner Lethargie wachrütteln, als er Rose und die Mädchen kommen sah.

»Ihr müßt die ganze Stadt gekauft haben«, sagte er, als sie die Wagentür öffneten.

»Die Zeit hatten wir nicht«, sagte Rose. »Oder nicht das Geld.«

»Aber ihr habt bestimmt trotzdem 'ne Menge gekauft.« Das Warten hatte ihn nicht ungeduldig gemacht. Er ließ sofort den Motor an und fuhr nach Hause.

Sie legten noch einmal Holz aufs Feuer, machten Tee, beteten den Rosenkranz und spielten Karten, bis sie sich den Gutenachtkuß gaben, und der Rest der Welt war ausgesperrt. Moran hätte das ganze Wochenende über gar nicht liebenswürdiger sein können. Er mußte gar nicht besonders liebenswürdig sein. Sie hatten gelernt, ihn mit all seinen Launen zu akzeptieren: Sie waren schon dankbar, wenn er nicht besonders übellaunig war, und übermäßig dankbar für das kleinste bißchen guten Willen, was sie wohl kaum von jemand ihresgleichen hingenommen hätten.

»Ich danke euch für alles, was ihr für Michael getan habt«, sagte er zu ihrer Überraschung, als sie am nächsten Abend im Wagen vor dem Bahnhof warteten.

»Es tut uns leid, daß wir ihn nicht überreden konnten, wieder nach Hause zu kommen«, murmelte Mona.

»Ich weiß, daß ihr alles versucht habt. Mehr können wir nicht tun.«

Auf dem Bahnsteig küßte er sie, als der Zug kam. Sie sagten ihm, daß sie bald wieder nach Hause kämen. Die beiden Schwestern schwiegen, als der Zug den Shannon überquerte und durch die Felder fuhr. Als der Zug in Dromod einfuhr, wo der kleine Bahnsteig schwarz vor Menschen war, die wie sie nach dem Wochenende nach Dublin zurückkehrten, sagte Mona mit gefühlvoller Stimme: »Ganz gleich, was die Leute sagen, Daddy kann wunderbar sein.«

Sheila nickte heftig zustimmend mit dem Kopf: »Wenn Daddy nett ist, dann ist er einfach toll. Er ist anders als alle anderen«, und sogar die kleinen, weißen Steine auf dem Bahnsteig begannen im Licht der Lampen besonders zu leuchten.

Moran ging zur Straße und machte das Eisentor unter der Eibe zu, nachdem er mit dem Wagen vom Bahnhof zurückgekehrt war. Er horchte auf das Geräusch des Dieselzuges, der hinterm Haus die Plains überquerte, aber er war schon vorbeigefahren. Das Licht wurde schwächer, aber er wollte nicht ins Haus gehen. Systematisch, ein dunkles Feld nach dem anderen, begann er, sein Land abzulaufen. Er war nicht dort aufgewachsen, aber er hatte das Gefühl, als wäre er es. Er hatte es von der Abfindung gekauft, die er bekommen hatte, als er die Armee verlassen hatte. Von der kleinen Rente konnte man nicht leben, aber zusammen mit der Arbeit auf den Feldern hatte es für den Lebensunterhalt gereicht. Hier wäre er sein eigener Herr, hatte er gedacht, und zum ersten Mal in seinem Leben wäre er nicht mehr unter Leuten. Jetzt lief er die Felder ab, die nicht mehr so gut gepflegt waren wie früher, die Hecken waren verwildert, aus den Mauern waren Steine gefallen, aber er brauchte die Felder kaum noch. Es kostete nicht viel, Rose und ihn durchzubringen.

Es war, als wollte man nach Wind haschen, wenn man bedachte, wie schnell hier die Jahre verflogen waren. Seine Zeit war fast abgelaufen. Es lag in der Natur der Dinge, und doch gab es ihm das Gefühl, betrogen worden zu sein, und erregte seinen Zorn, als hätte er nie sehr viel verstanden. Er hatte manchmal das Gefühl, als hätten die Felder ihn benutzt statt er sie. Bald würden sie jemand anderen an seiner Stelle benutzen. Es war unwahrscheinlich, daß es einer seiner Söhne wäre. Er versuchte sich vorzustellen, daß ein anderer den Hof bewirtschaftete, wenn er nicht mehr da wäre, und er konnte es nicht. Er ging weiter über seine Felder, wie ein Mensch, der zu sehen versucht.

Dunkelheit hatte sich herabgesenkt, als er ins Haus kam. Rose hatte nach dem Besuch abgewaschen und aufgeräumt, aber er bemerkte das nicht. Sie fragte ihn nicht, wo er gewesen war, aber sah ihn mehr als einmal voll versteckter Angst an. Sie wäre ruhiger gewesen, wenn er getobt oder geschimpft hätte. Als er sich an den Tisch gesetzt hatte, bereitete sie ihm seinen Tee und goß ihm eine Tasse ein. Sie prüfte, ob alles, was er brauchte, auf dem Tisch stand, und fragte ihn dann, ob der Tee stark genug wäre.

Mona und Sheila kamen jede zweite Woche aus Dublin nach Hause, und zweimal im Jahr kam Maggie aus London. Nach der langen Zugfahrt und der Überfahrt übers Meer blieb sie zunächst einen Tag und eine Nacht bei ihren jüngeren Schwestern in Dublin. Die drei Mädchen hatten sich immer so viel zu erzählen, daß die Zeit nie zu reichen schien. Gemeinsam fuhren sie dann mit der Bahn nach Hause. Sie waren in ihrer Blüte und zogen viele Verehrer an. Moran kam immer allein zum Bahnhof, um sie abzuholen. Obwohl er vor Nervosität ganz aufgeregt war und schon Tage, bevor sie kommen wollten, gereizt war, war er distanziert und zurückhaltend, wenn er sie dann wirklich abholte. Roses Wiedersehensfreude wurde von ihrer natürlichen Wachsamkeit zunächst leicht gemäßigt, aber kaum war eine Stunde vergangen, da war sie schon wieder ein Herz und eine Seele mit der Mädchenschar, scherzte, lachte, bat sie, ihr beim Haushalt zu helfen, wobei sie ihnen immer ihre ganze Aufmerksamkeit schenkte, und sie behandelten sie dafür, als wäre sie noch eine Schwester und nicht die Frau ihres Vaters.

Wenn Moran auf den Feldern war, rauchte sie manchmal eine »schlimme« Zigarette. »Ich weiß, Daddy mag es nicht, aber es ist ein Anlaß.«

»Rauchen schadet nicht«, sagten sie einmütig, obwohl sie selbst nicht rauchten.

»Schlechte Angewohnheiten aus Schottland«, sagte sie fröhlich und schaute lachend auf. »Natürlich rauche ich auch vor ihm, aber er mag es einfach nicht.«

»Jetzt wird er sich nicht mehr ändern.«

»Nein, das ist sehr unwahrscheinlich.«

Ganz gleich, auf welches Thema die Schwestern im Gespräch auch kamen, sie kehrten immer wieder wie magnetisch angezogen zu dem zurück, was Daddy wohl mochte und was er nicht mochte, was ihm gefiel und was ihm nicht gefiel. Seine unvorhersehbaren Zornausbrüche taten sie einfach ab, wie sie es vielleicht mit den Wutanfällen eines schwierigen Kindes machen würden. Seine Launen waren so wechselhaft wie die eines Kindes an einem langen Tag, und Rose konnte jetzt sogar besser auf sie eingehen als die Mädchen. Manchmal waren seine Stimmungen einfach bezaubernd, etwa, wenn er eins der Mädchen bat, mit ihm über die Felder zu gehen, um das Vieh anzugucken, als lade er sie an einem besonderen Ort in seinem Herzen ein.

»Das ist mehr, als Rose heute tun würde – komm mit und guck dir das Vieh an«, sagte er dann neckend, während er darauf wartete, daß eins der Mädchen sich für die Felder fertig machte.

»Nun hört euch das mal an«, schimpfte Rose glücklich. »Wer hat denn das ganze Vieh versorgt, als du kurz vor Weihnachten eine Woche im Bett lagst?«

»Jetzt ist aber genug«, sagte er dann nachsichtig.

Wenn Moran nicht im Hause war, redeten sie oft über Luke und Michael. Rose fragte besonders ungeduldig nach Michael. Er hatte bereits mehrere Jobs gehabt – als Bürokraft, als Arbeiter, als Nachtportier in einem Hotel und sogar als Koch: »Der arme Michael als Koch«, Rose lachte so sehr über diese Vorstellung, daß sie Bauchschmerzen bekam. »In dem Restaurant würde ich ja nicht so gern essen.«

»Es war eine Kantine, aber er hat jemanden mit heißem Fett verbrannt und wurde rausgeschmissen. Jetzt arbeitet er auf dem Bau.«

»Hat er Freundinnen?«

»Freundinnen?« sagte Maggie. »Es ist ihm, glaube ich, ziemlich egal, wen er hat, solange sie Röcke tragen. Und sie sind hinter ihm her, als wär' er aus Honig.«

»Er ist noch so jung«, sagte Rose. »Hat er irgendwas davon gesagt, daß er mal nach Hause kommt?«

»Er sagt, daß er im Sommer nach Hause kommen will, aber daß er dafür sparen muß.«

»Ist er noch böse auf das, was passiert ist?« fragte sie ängstlich.

»Nein, überhaupt nicht. Eines Abends hat er einer seiner Freundinnen von hier erzählt. Sie war Inderin. Es war zum Lachen. Es klang, als würde er den Himmel beschreiben.«

»Es war sowieso alles sein Fehler; und du kennst ja Daddy.«

»Michael ist, was das anbelangt, gar nicht wie Luke. Er ist überhaupt nicht nachtragend. Was vorbei ist, ist vorbei.«

Rose wollte nicht über Luke reden, oder sie war noch nicht soweit, denn sobald sein Name fiel, wechselte sie das Thema und redete von einem Einkaufsbummel, der geplant war.

All diese Gespräche wurden Moran von Rose übermittelt: Sie waren ihr Hauptgesprächsthema, wenn sie allein waren, und sie hortete sie wie kostbare Leckerbissen. Morans Gesicht hatte immer einen derart verletzten Ausdruck angenommen, wenn Lukes Name fiel, daß sie geglaubt hatte, er wollte überhaupt nichts von ihm hören, weil es ihn zu sehr verstörte; aber allmählich begriff sie, daß das Gegenteil der Fall war und Moran sich nur nicht dazu durchringen konnte, die Mädchen zu fragen. Sie hinterbrachte ihm alles, was sie wußte.

Luke hatte die Prüfung als Buchhalter bestanden, arbeitete aber immer noch bei der gleichen Firma, die um Notting Hill herum alte Häuser kaufte und sie in Wohnungen verwandelte, die dann verkauft wurden. Die Firma hatte expandiert. Er schien einer von vier Teilhabern zu sein. Seine Freundin war eine Engländerin, die er bei der Arbeit kennengelernt hatte. Sie waren sich nicht sicher, ob sie zusammenlebten, glaubten es aber. Sie war groß, dunkel; sie war nicht hübsch, aber sie meinten, man könne sie wohl attraktiv nennen: Sie mochten sie nicht allzusehr.

»Ist sie ein bißchen *gewöhnlich*?« fragte Rose heiter.

»Ich glaube, ihr Vater hat in einer Bank gearbeitet«, sagte Maggie.

»Daddy würde sich so freuen, wenn Luke nach Hause käme, aber er kann's einfach nicht sagen«, sagte Rose.

»Ich habe es ihm erzählt«, sagte Maggie warm. »Ich habe ihn gefragt, ob er Angst hätte, nach Hause zu fahren, oder was eigentlich mit ihm los wäre. Er wurde grob – die Art, wie er einen anschaut! Man weiß nie so genau, *was* er eigentlich denkt.«

»Was hat er denn gesagt?«

»Er sagte, nur Frauen könnten mit Daddy leben.«

»Er ist ganz schön rüde. Irgend etwas stimmt mit ihm nicht. Er kann andere nicht so sein lassen, wie sie sind«, fügte Sheila hinzu.

Maggie wollte lieber über Mark O'Donoghue reden, einen jungen Mann aus Wexford, der in London auf dem Bau arbeitete. Sie hatten sich heimlich verlobt, aber es war ein Geheimnis, das sie jedem erzählte, einschließlich Rose, die es natürlich Moran weitererzählt hatte. Sie wollte, daß jeder, der Mark kennenlernte, genauso begeistert von ihm war wie sie selber. Ein Teil ihres Ärgers über Luke kam daher, daß er zurückhaltend reagiert hatte, als sie sich in London getroffen hatten, und daß er sich geweigert hatte, zu sagen, was er von Mark hielt, obwohl sie ihn unter Tränen dazu gedrängt hatte. »Ich hab' nichts gegen ihn«, war das Äußerste, was sie ihm an Zustimmung hatte abringen können. Aber mehr als alles andere wollte sie Morans Zustimmung.

Maggie brachte Mark O'Donoghue zu Ostern mit nach Hause. Nach der Überfahrt mit dem Schiff blieben sie über Nacht bei Mona und Sheila in Dublin. Obwohl die beiden Schwestern viel von ihm gehört hatten, waren sie verblüfft über seine Aufmachung. Er war genauso blond und hübsch, wie sie gehört hatten, aber sie waren schockiert von seinen schwarzen Röhrenhosen, den schwarzen Wildlederschuhen, der Elvis-Frisur und dem dunklen Wolljackett, das mit kleinen Metallstückchen besetzt war, die glitzerten, wenn das Licht auf sie fiel.

»Mein Gott, das ist ja ein Teddy-Boy«, sagte Sheila, sobald sie ihn an der Seite Maggies auf dem Bahnsteig erblickt hatte.

»Daddy wird 'nen Anfall kriegen«, sagte Mona bestürzt.

Als sie Maggie gegenüber andeuteten, daß Mark für den wichtigen Besuch zu Hause einen dunklen Anzug oder ein Tweedjackett kaufen sollte, war sie geknickt und wütend. Was Mark trug, war der letzte Schrei. Es hatte ein kleines Vermögen gekostet, die Sachen zusammenzukriegen. In anderen Sachen würde er sich nicht wohlfühlen, und sie würden ihm auch nicht so gut stehen; und als sie sahen, wie ihr die Tränen in die Augen stiegen, drängten sie sie nicht weiter.

An jenem Abend gingen sie alle zusammen in einen Pub. Mark war charmant, ein gutaussehender Mann mit drei jungen Frauen, und er trank mehrere Pints und blieb den ganzen Abend über gutgelaunt. Auch Maggie trank Bier. Ihre beiden Schwestern sahen bald durch sein gutes Aussehen und das glitzernde Jackett hindurch auf die Art von Familie, aus der er kam, armen Leuten aus der Kleinstadt. Er tat ihnen ein bißchen leid, aber um Maggies und auch ihres gemeinsamen, zukünftigen Lebens willen wurden alle möglichen anderen Empfindungen allmählich von dem überwältigenden Wunsch ausgelöscht, daß Moran mit ihm einverstanden sein möge. Sie sahen, daß Maggie ihn heiraten würde und daß ihr Leben in den kommenden Jahren mit dem seinen verknüpft wäre.

Im Zug trank er an der Bar eine Flasche »Smithwicks« nach der anderen. Maggie machte sich keine Sorgen, weil er von Bier nie betrunken wurde. Sie trank Tee.

»Warum trinkst du kein Bier?« fragte er.

»Ich fänd's komisch, Daddy zu treffen, nachdem ich Bier getrunken habe.«

»Das klingt in meinen Ohren ganz schön beknackt«, lachte er. »Aber tu, was du magst. Tee ist ja auch billiger.«

Nachdem der Zug an Mullingar vorbei war, wurde sie allmählich nervös. Nach Longford ging sie los und verbrachte ziemlich viel Zeit auf einer der Toiletten. Als sie zurück an die Bar kam, merkte Mark, daß sie sich nicht nur die Haare gekämmt und das Gesicht geschminkt, sondern auch ihren Verlobungsring abgenommen hatte. Seine Stimme hatte einen scharfen Unterton, als er fragte, wo er wäre.

»Er ist in meiner Handtasche.«

»Warum?«

»Wir haben Daddy nicht erzählt, daß wir verlobt sind. Wenn ich den Ring trüge, dann sähe das so aus, als ob wir uns ohne seine Zustimmung verlobt hätten.«

»Genau das haben wir doch getan.«

»Es würde nicht gut aussehen.«

»Was ist denn, wenn der alte Knabe mich nicht mag?«

»Das würde nichts ändern, Liebling. Du weißt doch, daß ich dich liebe. Ich weiß, daß er dich mögen wird. Du siehst einfach toll aus. Vertrau mir. Laß es uns so machen.«

»Wie du meinst«, sagte er und zuckte mit den Schultern. Als die vorletzte Station hinter ihnen lag, holten sie ihr Gepäck hervor und stellten sich in den Gang. »Wir fahren jetzt am Haus vorbei.« Sie zeigte auf hohe Bäume in der Ferne jenseits der Felder mit den Steinmauern. Trotz der vielen Biere hatte sich ihre Aufregung ein wenig auf ihn übertragen, und er schwieg und strich ihr leicht mit der Hand über das Haar.

Tief im Dunkeln verborgen beobachtete Moran, wie sie aus dem Zug stiegen. An diesem stillen Ort, wo man sich konservativ kleidete und alles Aggressive versteckte, wirkte Mark wie die Figur aus einer Pantomime. Moran lächelte grimmig und hatte das Gefühl, daß er im Vorteil sei, und trat entschlossen aus dem Dunkel hervor. Maggie küßte ihn nervös und stellte die beiden Männer einander vor.

»Willkommen«, sagte Moran ohne Wärme, als er ihm die Hand schüttelte.

»Freut mich, Sie kennenzulernen, Michael«, sagte Mark. *Michael* war die Anrede, auf die Mark und Maggie sich geeinigt hatten, da Mark ihn auf keinen Fall *Daddy* nennen wollte. Es war die entsprechend »schicke« Form, von der sie fühlten, daß sie zu seinem guten Aussehen paßte. Moran gefiel diese Vertraulichkeit nicht, und er fuhr schweigend nach Hause. Maggie gab die ganze Zeit einen nervösen Bericht darüber zum besten, wie es Luke und Michael in London so ging. Moran schien nicht zuzuhören.

»Diese Autos sind sehr sparsam in der Haltung«, sagte Mark nach einem langen Schweigen.

»Sie fahren«, antwortete Moran, ohne den Blick von der Straße abzuwenden.

Im Haus war es leichter, Rose empfing ihn sehr freundlich, stellte warmes Essen auf den Tisch und bat ihn, nach der langen Fahrt doch ordentlich zuzugreifen. Er lächelte sein sonniges hübsches Lächeln, aber obwohl Rose es strahlend erwiderte, spürte er, daß es nicht funktionierte, und bemerkte die heimliche Wachsamkeit hinter Roses Charme. Alle waren hier sehr wachsam. Es war, als bewegte man sich in einem Kriegsgebiet. Was ihn zuerst an Maggie beeindruckt hatte, war, daß sie überlegen und etwas Besonderes zu sein schien, als er sie eines Samstagabends im »Legion« kennengelernt hatte, nachdem er schon halb besoffen aus dem »Crown« dorthin gekommen war. In diesem Haus verschwand das alles, als hätte es nie existiert. Sie, die ihm gegenüber immer nur sehr selbstsicher gewirkt hatte, war hier nervös, vorsichtig und paßte bei jedem Wort und jeder Bewegung auf.

Plötzlich war er wütend. »Sie haben hier aber ein schönes Haus, Michael«, sagte er voll männlicher Aggression.

Moran sah ihn an, aber Mark wartete offen, ohne mit der Wimper zu zucken, auf eine faire

Antwort auf sein Lob. Moran schob seinen Teller und die Tasse von der Tischkante weg.

»Danke schön«, sagte er, und die beiden Frauen lächelten und konnten sich wieder rühren. »Die Familie ist hier aufgewachsen. Ich denke, es ist nicht alles so gewesen, wie es sein sollte, aber wir haben getan, was wir konnten, nach bestem Wissen und Gewissen. Keiner ist verhungert. Wir haben niemanden um irgend etwas gebeten.« Plötzlich änderte er seinen Ton. »Ich denke, daß wir jetzt, nachdem wir unseren Tee hatten, im Namen des Herrn den Rosenkranz beten sollten, dann haben wir es hinter uns.«

Er holte das Täschchen mit dem Kranz aus seiner Hosentasche, und ohne auf irgendeine Antwort zu warten, schüttete er den Rosenkranz auf seine Handfläche. Er legte eine Zeitung auf den Zementfußboden und kniete nieder, wo er aufrecht am Tisch gesessen hatte. Er wartete darauf, daß die anderen sich hinknieten. Maggie gab Mark eine Zeitung und bedeutete ihm, sich am Tisch oder an einem Sessel hinzuknien. Er hob die Augenbrauen, kniete dann aber auch nieder.

»Ich fürchte, ich habe keinen Rosenkranz«, sagte er und sah sich zu der ängstlichen Maggie um.

»Sie haben Finger«, sagte Moran und begann: »Herr, öffne mir die Lippen«, was niemals herrischer geklungen hatte. Maggie sprach die Dritten Geheimnisse. Als sie fertig war, folgte eine lange Pause. Erst als sie scharf *Mark* rief, begriff er, daß sie darauf warteten, daß er die Vierten Geheimnisse sprach. Er stolperte durch die ersten Zeilen, so daß Maggie Qualen ausstand, falls es sich zeigte, daß er das Beten so wenig gewohnt war, daß er die Worte vergessen hatte; aber als er endlich bei den Ave Marias angelangt war, konnte er wieder in die rhythmischen Wiederholungen einfallen, und Maggie konnte wieder ruhig atmen. Er erinnerte sich wieder daran, wie man mit den Fingern zählte. Als Kind hatte er nur so gezählt. Bei ihm zu Hause wurde nie laut gebetet. Jedes Kind sprach seine eigenen Gebete im stillen, bis das, als sie größer wurden, allmählich in Vergessenheit geriet. Seine Mutter ging fast jeden Abend zur Kirche, aber er dachte immer, daß sie nach dem Trubel des Tages vor allem Frieden suchte und nicht wirklich beten wollte – so wie sein Vater in O'Connells Bar an der Ecke ging, wenn er gut bei Kasse war. Moran selbst sprach die Fünften Geheimnisse, aber die Gebete gingen immer noch weiter: Salve Regina, die Lauretanische Litanei, der selige Oliver Plunkett, Judas Thaddäus, die Gnade eines sanften Todes, die abwesenden Mitglieder der Familie. Mark merkte, daß er, solange er bei den Antworten die richtigen Mundbewegungen machte, nicht allzusehr aufpassen mußte, sondern darüber nachdenken konnte, wer in diesem Augenblick wohl im »Three Blackbirds« war und was sie wohl tranken. Murphys Clique spielte sicher immer noch Darts im Pub, die einzelnen Flaschen Helles neben den Pint-Gläsern auf dem Tresen. Daher wurde er vom Scharren der Stühle überrascht, als Maggie und Rose aufstanden. Moran tat, immer noch knieend, langsam seinen Rosenkranz wieder in das schwarze Täschchen und erhob sich dann von den Knien.

»Man sagt, daß die Familie, die zusammen betet, auch zusammen bleibt«, sagte Moran. »Ich glaube, daß Familien auch dann zusammenbleiben können, wenn sie verstreut leben, man muß nur wollen. Der Wille ist das Entscheidende.«

Dann begann Moran, Mark mit Nachdruck auszufragen: Welche Fächer hatten ihn in der Schule interessiert, was hatte er getan, bevor er nach England ging, was machte er jetzt in England?

»Auf dem Bau kann man am leichtesten Geld verdienen, wenn man nach England kommt«, sagte Mark.

»Aber nicht, wenn man älter wird«, sagte Moran.

»Ich nehme gerade Fahrunterricht.«

»Für was?«

»Bagger und Kipper. Am besten bezahlt wird man aber, wenn man Kran fährt.«

»Wie lernen Sie das denn?«

»Man bringt sie dazu, daß sie einem das nach Feierabend zeigen, die Typen, die die Dinger fahren, so läuft das.«

»Wie bringen Sie sie dazu?«

»Sie müssen einen irgendwie mögen, und man gibt ihnen Pints aus. Wenn man ihnen genügend Pints ausgegeben hat, dann kommt man schon ziemlich weit.«

»Ich glaube, mein ältester Sohn arbeitet in einem ähnlichen Berufszweig«, wechselte Moran unbeholfen das Thema.

»Nein. Er renoviert Häuser«, erklärte Mark geduldig. »Sie kaufen alte Häuser auf und wandeln sie in Eigentumswohnungen um. Ich habe immer auf großen Baustellen gearbeitet.«

»Davon weiß ich nichts«, sagte Moran unwirsch. »Er hält es nicht für nötig, mir zu erzählen, was er macht.«

»Der ist richtig durchgestartet, der geht voll darin auf. Er ist einer der Chefs der Firma.«

»Davon weiß ich nichts«, Moran hatte jetzt genug. »Es würde auch nichts ändern, wenn ich Bescheid wüßte. Ich betrachte alle meine Kinder als gleich, ganz egal, wo sie im Leben stehen. Und wen auch immer sie mit in die Familie bringen, den betrachte ich genauso.«

Rose begann, den Tee zu machen, den sie jeden Abend tranken, bevor sie ins Bett gingen. Mark sah, daß es immer noch eine gute Stunde hin war, bis die Pubs schlossen. Nach der Anspannung des langen Abends und dem Verhör am Kamin hatte er schrecklichen Durst.

»Ich würde gern noch irgendwo was trinken«, sagte er zu Maggie.

»Die nächste Kneipe ist sechs Kilometer entfernt«, sagte Moran trocken.

»Da sind bestimmt noch Liköre im Haus von Weihnachten«, bot Rose an.

»Ich würde gern noch mal los. Können wir vielleicht den Wagen leihen?«

Maggie erstarrte bei dieser Herausforderung. Marks Bedürfnis, noch etwas trinken zu gehen, war so groß, daß es ihn sogar in Stand setzte, Morans übermächtige Autorität im eigenen Haus herauszufordern.

So langsam, wie es nur möglich schien, holte Moran die Autoschlüssel aus der Tasche und warf sie mit einem kleinen, verachtungsvollen Fingerschnipsen auf den Tisch.

»Mir gefällt der Gedanke nicht, daß Leute, die trinken, Auto fahren«, sagte Moran.

»Wir passen schon auf. Wir werden höchstens ein oder zwei Bier trinken. Bloß, um noch mal rauszukommen.«

»Ich kann mir kaum vorstellen, was Sie nach einer Woche im Haus machen würden, wenn Sie jetzt schon so wild darauf sind, rauszukommen«, sagte Moran sarkastisch, aber Mark hörte ihn nicht. Er hatte die Autoschlüssel. Er ging bereits auf die Tür einer fremden Bar zu, roch die Frische des Porters, schmeckte den weißen Schaumkranz.

Maggie zog sich den Mantel an und ging zu Moran, um ihm den Gutenachtkuß zu geben. Er erlaubte ihr, ihn zu küssen, gab ihr selbst aber keinen Kuß.

Die Stille war so bedrückend, daß Mark, jetzt da er die Schlüssel in der Hand hielt, fragte: »Wollen Sie und Rose nicht vielleicht mit uns mitkommen, Michael?«

Der Vorschlag klang in Morans Ohren so grotesk, daß diese Idee geradezu dem glitzernden Jakkett zu entstammen schien, und er begann rauh zu lachen. »Nein, Mark. Wir möchten nicht mitkommen, aber amüsiert euch.«

Sie brauchten eine gewisse Zeit, um den Wagen anzulassen. Als sie ihn wegfahren hörten, sagte Moran nachdenklich zu Rose: »Jetzt sind wir komplett. Als nächstes haben wir die Ortsarmen in der Familie.«

»Ich habe nichts gegen das Jackett. Das ist bloße Mode. Das ändert sich schon wieder«, sagte Rose vorsichtig.

»Es ist nicht das Jackett. Es ist der ganze Mann. Wir hatten eine Zeitlang ein paar von diesen Typen in unserem Bataillon. Sie konnten gewaltig angeben, aber wenn es wirklich zu irgendeinem Zusammenstoß kam, hatten sie kein Rückgrat.«

»Er sieht gut aus, und er scheint Maggie zu gefallen. Er sieht gütig aus.«

»Güte hat mich eigentlich nie so interessiert, aber mach dir keine Sorgen, Rose. Wenn er ihr recht ist, soll er mir auch recht sein«, sagte er.

Sie gingen zu Bett, schliefen aber erst, als der Wagen wieder im Schuppen stand. Eine Tür knallte, und Marks Stimme war laut, als sie hereinkamen. Dann hörten sie Maggies flüsternde Ermahnungen, daß er leise sprechen sollte.

»Das wird ihr Leben sein«, sagte Moran. »Geld verdienen, dann eine Sauftour; dann wieder Geld verdienen, wieder eine Sauftour. Es wird nicht leicht sein, das immer so weiter zu machen. Ich werde jedem aus meiner Familie helfen, wie ich nur irgend kann, aber wenn es darum geht, die Sauftouren zu finanzieren, da ist bei mir Schluß.«

Die folgenden Tage verliefen etwas leichter. Maggie war schon immer das bei weitem geselligste der Mädchen gewesen. In jedem Haus in der Umgebung kannte man sie. Jetzt konnte sie Mark vorführen. An einem so stillen Ort bedeutete das junge Paar Aufregung und Neuigkeiten. Wenn Marks gutes Aussehen bewundert wurde, blühte Maggie auf und wurde beim Lob noch hübscher. Gewöhnlich bekam er ein großes Glas Whiskey zusammen mit dem üblichen Tee und Kuchen oder Kekse. Er strahlte wegen all der Aufmerksamkeit und des Alkohols und kam zu Roses Mahlzeiten in bester Laune nach Hause. Trotz der Strenge der Familie fühlte er allmählich, wie schmeichelhaft es war, mit einem solchen Hause verbunden zu sein, diesem Haus, das im Mittelpunkt von Maggies ganzem Dasein stand. In solch einer Stimmung ging er dann auf Maggies Veranlassung los, um Moran auf den Feldern ausfindig zu machen und mit ihm zu plaudern. Moran betrachtete ihn nicht als Bedrohung und war ungewöhnlich milde. Maggies Freude war so groß, daß sie nicht sprechen konnte, wenn sie die beiden Männer zusammen ins Haus kommen sah. An den Abenden aber mußte, bis der Rosenkranz gebetet wurde, Morans brütendes Schweigen, unterbrochen von gelegentlichen Ausbrüchen, immer geachtet werden, und es war der Rosenkranz selbst, den Mark als das Schwierigste empfand; aber dann konnte er den Wagen zum Pub nehmen. Er fand eine Bar nach seinem Geschmack im Ort, wo er sich beim Besitzer und ein paar Stammgästen eingeschmeichelt hatte.

Ein paar Stunden, bevor sie losfahren mußten, um ihren Zug zu erreichen, ging Maggie allein und ganz beklommen in die Felder, um Moran zu suchen. Sie fand ihn, als er gerade Stacheldraht spannte, der sich an einem der Begrenzungszäune gelockert hatte, und er heftete ihn mit Krampen an frisch errichtete Pfähle. Als er sie kommen sah, wußte er sofort, weshalb sie gekommen war, und wartete.

»Wir fahren heute, Daddy.«

»Ich weiß. Ich fahre euch zum Bahnhof, aber wir haben noch Zeit.«

»Ich möchte wissen, was du von Mark hältst, Daddy.«

»Warum fragst du?«

»Wir denken ans Heiraten.«

Er ließ eine Litze Draht los und blickte sie direkt an. »Wenn er dir paßt, Maggie, dann paßt er mir auch.«

»Dann hast du also nichts gegen Mark?« Was er gesagt hatte, war sehr viel weniger gewesen, als sie sich erhofft hatte.

»Ich betrachte alle meine Kinder als gleich. Jeden, den sie mit in die Familie bringen wollen, betrachte ich genauso. Wenn du Mark heiratest, dann wird er genauso ein Mitglied der Familie sein wie alle anderen, nicht mehr und nicht weniger. Eins möchte ich dir aber sagen. Und das würde ich jedem sagen. Ich glaube nicht, daß es die beste Vorbereitung für eine großartige Ehe ist, jeden Abend in die Kneipe zu gehen.«

»Das ist doch jetzt nur wegen unserer Ferien so, Daddy.«

»Das hoffe ich wirklich«, sagte Moran bestimmt.

»Ist es dann in Ordnung, wenn ich Mark heirate?«

»Wenn er dir paßt, dann paßt er mir auch. Ich hoffe, daß du glücklich wirst.«

In ihren Augen standen Tränen, als sie ihn küßte. In den kommenden Wochen würde sich diese widerwillig gegebene Zustimmung in ihrem Kopf in eine ekstatische Aufnahme Marks durch ihre ganze Familie verwandeln.

Rose streichelte Maggies Arme von den Schultern abwärts und hielt ihren jungen Körper eine Armlänge weg, um ihn ganz bewundern zu können, als sie sich verabschiedeten. »Du hast eine wunderschöne Figur, Maggie. Es ist etwas Wunderbares, zu sehen, wie ein hübsches junges Paar sein eigenes Leben beginnt.«

Moran fuhr sie zum Bahnhof und wartete mit ihnen auf dem Bahnsteig, bis der Zug kam.

»Danke für alles, Michael«, sagte Mark mannhaft, als sie sich die Hände schüttelten.

»Gebe Gott, daß ihr beide glücklich werdet«, sagte Moran.

»Danke, Daddy«, Tränen rollten Maggies Wangen hinab, als sie sich reckte, um ihn zum Abschied zu küssen.

Sobald sich der Zug in Bewegung setzte, sagte Mark: »Ich muß was trinken. Ich brauche ein paar Bier. Ich hab' das Gefühl, ich bin gerade aus dem Gefängnis entlassen worden.«

»Du konntest doch gehen, wohin du wolltest.« Maggie war getroffen von der Unterstellung. »Daddy hat dir sogar jeden Abend seinen Wagen geliehen.«

»Ich will mich gar nicht beschweren. Es ist bloß ein Gefühl. Ganz gleich, was man tat, man hatte immer das Gefühl, es ist nicht genug.«

»Das ist einfach so Daddys Art. Er mochte dich sehr gern, aber er kann das nicht zeigen. Er sagte, er wäre sehr glücklich darüber, daß wir heiraten.«

»Wir würden sowieso heiraten, ob er darüber glücklich ist oder nicht.«

»Aber es ist viel schöner, daß Daddy einwilligt.« Sie hatte den Verlobungsring aus ihrer Handtasche geholt und ihn zurück auf ihren Finger geschoben. Sie hob den Ring ans Fenster, so daß sich in den drei kleinen Rheinkieseln das vorbeirasende Licht fing. »Den Ring werd' ich jetzt nie wieder abnehmen«, sagte sie.

»Möchtest du, daß ich dir ein Bier mitbringe?« fragte Mark.

»Ich komme mit. Wir können in der Bar zusammen was trinken.«

Als sie den leeren Gang zwischen zwei Waggons erreichten, blieben sie stehen und hielten sich lange umschlungen, bevor sie weiter zur Bar gingen.

Sie heirateten im Juli jenes Jahres in London. Die ganze Familie bis auf Moran und Rose kam zur Hochzeit. Mona war Brautjungfer. Luke nahm Morans Platz ein, und Maggie ging an seinem Arm zum Altar. Der Empfang wurde in einem großen Saal über dem »Three Blackbirds« gehalten. Nach dem Essen und den Trinksprüchen wurde zu Klavierbegleitung getanzt. Die meisten Gäste waren in den Zwanzigern, junge Männer, die von der Arbeit auf dem Bau gebräunt waren, und Mädchen aus den Krankenhäusern. Moran schrieb, daß London zu weit entfernt sei, als daß Rose und er in ihrem Alter noch so eine Reise machen könnten, und legte einen Scheck bei, der die meisten Kosten des Empfangs deckte.

»Es wäre zu hart für Daddy zu sehen, daß du in London heiratest«, Mona und Sheila versuchten gemeinsam, Maggie ihre Enttäuschung darüber, daß Moran nicht zu ihrer Hochzeit gekommen war, auszureden. »Rose und er sind nicht mehr jung.«

Als ob die Hochzeit ein Bruch wäre, den sie nicht noch tiefer werden lassen wollten, kamen die Mädchen in jenem Sommer und Winter sogar noch häufiger nach Hause als je zuvor. Mona oder Sheila – und oft auch beide zusammen – kamen jedes Wochenende. Sie nahmen ihren Urlaub so, daß er mit der Heuernte zusammenfiel, der einzigen Zeit im Jahr, wo es jetzt noch besonders harte Arbeit zu tun gab, und sie halfen Moran und Rose, zu mähen und das Heu in die Scheunen einzubringen.

Michael brach sich ein Bein bei einem Unfall auf der Baustelle. Er kam in jenem Winter während der Genesungszeit für mehrere Wochen nach Hause. Der ganze alte Ärger zwischen Vater und Sohn war vergessen; Michael lachte sogar einmal laut heraus, als das Gespräch zufällig darauf kam. Rose war begeistert darüber, Michael wieder im Haus zu haben. Er lag ihr mehr als irgendeines der Mädchen am Herzen. Wenn sie allein waren, konnte man sie miteinander schwatzen hören, und beide verstummten instinktiv, wenn Moran ins Zimmer kam. Während dieser Plaudereien erzählte er Rose, daß er, wenn er wieder in London war, mit der Gelegenheitsarbeit aufhören wollte. Luke hatte ihm erzählt, daß er eine Einrichtung für ihn in der Stadt finden würde, wo er einen Abschluß als Buchhalter machen konnte, wenn er seine Prüfungen bestand. Während sein Bein ausheilte, lernte er bereits aus Büchern, die Luke ihm zu lesen gegeben hatte. Rose gab all diese Informationen an Moran weiter. »Er könnte schon jetzt seinen Abschluß haben, wenn er sich zusammengenommen hätte, solange er noch zur Schule ging. Genug Verstand hatte er schon immer. Er mußte es eben auf dem harten Wege lernen.«

Der Schatten, der auf die Gespräche fiel, wenn Lukes Name genannt wurde, war ebensogroß wie der, der auf Roses und Michaels fröhliches Geschwätz fiel, wenn Moran ins Zimmer kam. Rose erzählte den Mädchen, daß Moran heimlich um Luke trauerte, und je mehr sie unter sich darüber sprachen, desto ungehaltener wurden sie darüber. Sie hatten das Gefühl, daß Lukes ganzes Verhalten unnatürlich, hart und unversöhnlich war. Sie alle hatten Kummer genug, aber es war doch zwecklos, ewig an so etwas festzuhalten.

Luke mußte herausgefordert werden. Maggie bot sich an, mit ihm zu reden. Sie rief ihn bei der Arbeit an. Er stimmte sofort zu, sich mit ihr in einem kleinen Pub dicht an der Leicester Square Station zu treffen. Mark kam mit Maggie. Luke war allein, als sie ankamen. Obwohl Mark ihn drängte, doch ein Pint zu trinken, bestellte er sich nur ein halbes Bitter, und daran nuckelte er das ganze Treffen über herum. Mark trank Pints und Maggie halbe Lager. Sie waren fein angezogen und sahen aus, als hätten sie vor, den ganzen Abend im Pub zu verbringen.

»Was ist denn mit dir los? Krank siehst du nicht aus, finde ich«, sagte Mark lachend, entspannt und bereit, liebenswürdig zu sein.

»Ich mach' mir einfach nichts draus«, Luke hob sein Glas.

»Ich hoffe, so was wird mir nie passieren. Viel Glück!«

»Daddy ist empört darüber, daß du all die Jahre nicht nach Hause gekommen bist. Er wird jetzt langsam alt. Er möchte, daß du mal nach Hause kommst.«

»Das würde nichts bringen.«

Obwohl er groß war, war Luke schon immer zierlich gebaut gewesen, und er war mit den Jahren nicht sehr viel breiter geworden. Seine Augen waren klar. Er war straff, wachsam und verschlossen, das völlige Gegenteil von dem guten Aussehen und sonnigen Gemüt seines jüngeren Bruders.

»Du hegst einfach zuviel Groll«, sagte Maggie.

»Ich hege keinen Groll. Das wäre doch dumm. Aber ich habe ein gutes Gedächtnis.«

»Dein Vater möchte, daß du nach Hause kommst«, unterstützte Mark Maggie.

»Wenn er mich sehen möchte, dann hätte er zu deiner Hochzeit kommen können, und wir hätten da wieder anfangen können. Er will einfach immer nur, daß man zu ihm kommt.«

»Daddy ist jetzt alt.«

»Viel ältere Männer kommen wegen der Hochzeit ihrer Tochter nach London. Ich habe keine Probleme mit seinem Alter. Es ist sein ganzes Getue, das ich nicht ertragen kann.«

»Daddy hat sich verändert.«

»Das glaube ich nicht.«

»Das stimmt«, sagte Mark eindringlich.

»Ich glaube nicht, daß die Menschen sich ändern, ihre Umstände vielleicht, und das verändert auch sie vielleicht ein bißchen, aber das ist keine richtige Veränderung.«

»Das ist zu hoch für mich«, sagte Mark. »Ich hol' mir noch ein Pint.«

»Das ist meine Runde, Mark.«

»Du trinkst doch gar nicht.«

»Das ist doch egal.« Er holte ein Pint für Mark. Maggie lehnte ein weiteres Getränk ab.

»Du trinkst bei deiner eigenen Runde nichts?« stichelte Mark spöttisch.

»Ich muß arbeiten.«

»Die Arbeit wird auch ohne dich auskommen«, sagte Maggie.

Er antwortete ihr nicht, aber sein Schweigen war unnachgiebig.

»Du hast wahrscheinlich schon so viel Geld auf der Bank, wie ich in meinem ganzen Leben brauchen werde«, scherzte Mark, vom Alkohol enthemmt.

Luke antwortete noch immer nicht. Er lächelte mit einer Miene liebenswürdiger Unnahbarkeit.

Mark hatte sein Pint ausgetrunken und wollte für eine weitere Runde zum Tresen gehen. »Willst du wirklich gar nichts mehr?« fragte er mit dem Unbehagen eines schweren Trinkers.

»Ich bin ja mit dem hier noch nicht mal fertig, und ich muß in ein paar Minuten los.«

»Ich dachte, wir verbringen den ganzen Abend zusammen«, sagte Maggie verärgert. »Man sieht dich ja kaum noch.«

»Ich rufe euch an. Kommt doch mal zu mir zum Abendessen!«

»Wir nehmen abends unsern Tee«, sagte Mark aggressiv, als er wieder an den Tisch kam.

»Ihr könnt auch euern Tee haben. Ich werd' euch schon geben, was ihr möchtet.«

»Und du wirst nach Hause fahren und Daddy besuchen?«

»Nein, ich sagte doch, daß ich nicht nach Hause fahre.«

»Das ist doch nicht normal.«

»Ich weiß. Ich habe mir meinen Vater nicht ausgesucht. Er hat sich mich auch nicht ausgesucht. Wenn ich es vorher gewußt hätte, hätte ich mich bestimmt geweigert, den Mann kennenzulernen. Ohne Zweifel hätte er bei mir das gleiche getan«, Luke lachte zum ersten Mal bei diesem Treffen.

»Das ist nicht komisch«, sagte Maggie wütend.

»Es ist vielleicht nicht normal, aber es ist wahr.«

»Du fährst also nicht nach Hause?«

»Nein.«

»Also gut. Dann kannst du auch deine Einladung zu diesem tollen Abendessen bei dir vergessen«, sagte Maggie mit brüskem Sarkasmus.

»Das tut mir leid«, Luke erhob sich und verabschiedete sich von ihnen. Er blieb einen Augenblick lang verlegen stehen, aber als sie ihm keine Antwort gaben, zuckte er mit den Schultern und verließ die Bar.

»Du kommst wirklich aus einer ziemlich merkwürdigen Familie. Ich glaube, dein Vater ist lockerer als dein Bruder hier. Ich kann mir nicht vorstellen, daß die beiden sich allzuviel zu sagen haben«, sagte Mark, sobald Luke gegangen war.

»Daddy ist nicht annähernd so hart«, protestierte Maggie, den Tränen nahe.

»Die stehen sich in nichts nach.«

»Daddy ist anders. Er hat seine Eigenarten. Ich hätte nie gedacht, daß Luke so hart werden würde.

Ich hoffe, du hältst wenigstens *mich* nicht für merkwürdig.«

»Ich halte dich überhaupt nicht für merkwürdig. Und ich freue mich aufs nächste Pint. Wenn einem einer so zuschaut, schmeckt einem das Bier ja nicht mehr.«

Daß Luke sich wieder geweigert hatte, nach Great Meadow zu kommen, war schon nach ein paar Tagen in der ganzen Familie herum, aber es wurde darauf geachtet, daß Moran davon nichts erfuhr. Zusammen fanden die drei Mädchen dies unannehmbar. Sie hatten geglaubt, daß die Zeit und die Entfernung die meisten Spannungen mildern würden, aber jetzt befürchteten sie, daß schon zuviel Zeit verstrichen war. Über alle Spannungen hinweg glaubten sie daran, daß das Haus der Morans letztlich eine Einheit war. Gemeinsam waren sie eine Welt und konnten es mit der Welt aufnehmen. Wenn man ihnen dieses Gefühl nahm, waren sie nichts, verstreute, vereinzelte Wesen. Sie würden sich mit allem abfinden, nur um sich dieses Gefühl der Zugehörigkeit zu erhalten. Sie würden es nie preisgeben. Sie konnten es keinem gestatten, sich so einfach davonzustehlen.

»Bist du sicher, daß du es ihm richtig beigebracht hast?« fragte Sheila. »Er schien doch bei deiner Hochzeit sehr vernünftig zu sein.«

»Mark war dabei. Frag ihn doch, wenn du möchtest. Oh, Luke kann sehr charmant sein – entschuldige –, solange man ihn nicht um etwas bittet, was er nicht will.«

»So sind wir doch alle, oder?« antwortete Sheila. Frustriert, wie sie war, schlug der Sarkasmus voll durch.

»Wir müssen es Daddy nicht unbedingt erzählen. Er würde sich nur aufregen«, sagte Rose, als sie davon erfuhr.

Als letztes Mittel beschlossen die Mädchen, Michael loszuschicken, damit er mit Luke redete. Sie verabredeten sich. Luke lud ihn zum Lunch ein und wählte ein italienisches Restaurant in der Nähe von Michaels Arbeitsplatz. Der Luxus des Restaurants sollte Michael eine Freude machen, und er war aufgeregt und lachte. Er hatte den gleichen Familiensinn wie seine Schwestern: Mit seinem Bruder an solch einem Ort zu Mittag zu essen, war wichtig.

Luke fragte ihn nach seiner Arbeit, seinen Prüfungen und ob er irgendwelche Hilfe bräuchte. Alles sei in Ordnung, antwortete Michael; erst mal mußte er den Abschluß machen. Sie genossen das Essen, den Luxus, den Wein, das Gefühl, hier privilegiert zu sein, wo alle nur kurz zusammenkamen, um sich zu stärken; und sie mußten keine Geschäfte machen.

»War es in Ordnung?« fragte Luke am Ende der Mahlzeit.

»Man kann sich daran gewöhnen«, lachte Michael. »Das würde mir nicht schwerfallen. Ich muß aber gestehen, daß ich hier bin, um dir etwas auszurichten.«

»Was sollst du mir ausrichten?«

Michael hob die Hand in gespielter Verteidigung. »Unsere Schwestern schicken mich. Ich soll dich bitten, nach Hause nach Great Meadow zu kommen.«

»Weshalb?«

»Weil Daddy dich sehen möchte.«

»Aber ich möchte Daddy nicht sehen.«

»Ich hab' meinen Teil gesagt. Mehr sage ich nicht.«

»Der Mann ist wahnsinnig. So habe ich ihn jedenfalls in Erinnerung.«

Michael fand das so komisch, daß sein plötzlicher Lachanfall an den Nachbartischen Aufmerksamkeit erregte.

»Es ist mir Ernst«, sagte Luke. »Es gibt Verrückte, richtig? Es gibt Väter, die verrückte Söhne haben müssen. Es muß Söhne geben, die verrückte Väter haben. Entweder ich bin verrückt, oder er ist es.«

Michael fand dies so komisch, daß er wieder die Blicke auf sich zog.

»Jetzt reg dich mal ab«, warnte ihn Luke. »Du fährst regelmäßig nach Hause. Du weißt jetzt mehr darüber als ich.«

»Daddy ist jetzt ganz in Ordnung. Er ist alt. Er kann überhaupt nichts mehr. Man muß nicht mehr auf ihn hören. Ich wüßte nicht, wie er ohne Rose zurechtkäme.«

»Ich sehe einfach keinen Grund, warum ich wieder hinfahren sollte. Ich fand es schon schwer genug, überhaupt von diesem verdammten Ort wegzukommen.«

»Dann fahr nicht. Ich sag' ihnen einfach, daß du nicht kommst.«

»Sie werden begeistert sein.«

»Na und?« fragte Michael.

»Na und!« wiederholte Luke, bestellte die Rechnung und bezahlte.

Draußen auf dem Bürgersteig sagte Michael, während die geschäftige Straße sie umgab: »Ich glaube, ich mag den alten Scheißkerl trotz allem irgendwie gern.«

»Ich nicht. Das ist das Problem.«

»Er kann ganz in Ordnung sein«, sagte Michael, als sie sich trennten. Bei all den schwachen Bindungen unter den Menschen schaute auch er, wie die Mädchen, nach Great Meadow zurück, um sich seiner selbst und der Kontinuität seines Lebens erneut zu versichern.

Als Michael von dem Treffen berichtete, argwöhnte Maggie schon, daß er doch nur dieselbe Botschaft brächte, die auch Mark und sie erhalten hatten.

»Er war bei allem sehr nett. Er hat mich zu einem Lunch mit allem Drum und Dran eingeladen, aber er möchte nicht nach Hause kommen.«

»Ich denke, der hat dich nur von seiner Sicht überzeugt.«

»Nein. Ich habe ihm erzählt, daß ich Daddy trotz allem mag. Er hält Daddy für verrückt. Er hat das so kühl und präzise ausgedrückt, daß ich mich fast kaputt gelacht habe.« Befreit von der Gezwungenheit im Restaurant, brüllte er vor Lachen.

»Ich weiß nicht, wer von euch beiden nun eigentlich der Schlimmere ist«, sagte Maggie, woraufhin Michael nur noch mehr lachte.

In jenem Sommer bekam Maggie ihr erstes Kind, einen Sohn, und Mark und sie brachten ihn einen Monat später mit nach Great Meadow. Zu Maggies tiefer Enttäuschung zeigte Moran nur wenig Interesse an seinem Enkel. Nur nach langem Drängen war er bereit, sich mit dem Baby zusammen im Vorgarten fotografieren zu lassen.

»Wer will sich denn so ’n alten Knacker wie mich angucken?« beklagte er sich, und in dieser Klage lag nichts Kokettes.

»Das Baby ist doch noch zu klein zum Reisen«, sagte Moran zu Rose. »Sie sollten besser ihr Geld zusammenhalten und zu Hause bleiben.«

»Du kennst doch junge Mütter. Sie haben die Vorstellung, die Sonne scheint nur auf ihr Kind.«

»Scheint aus ihrem Mund und ihrem Arsch«, antwortete Moran säuerlich, und während des Besuchs fühlte er sich mehr zu Mark hingezogen als zu der Frau und dem Kind. Mark schmeichelte diese Aufmerksamkeit, und er verwickelte Moran gern in Gespräche von Mann zu Mann. Unvermeidlich kamen sie dabei auf Morans Söhne.

»Michael ist jung und denkt bloß an Mädchen, aber irgendwann wird er zur Ruhe kommen. Er hat viel mehr Herz als Luke«, sagte Mark, obwohl er Michael nicht mochte. »Luke ist anders. Man weiß nie genau, was er eigentlich denkt. Er verwandelt sich irgendwie in einen Engländer.«

»Hat er mal was davon gesagt, nach Hause zu kommen? Nach all diesen Jahren könnte er das doch mal sagen.«

»Wir haben ihm das gesagt, Maggie und ich, daß er nach Hause kommen sollte, aber er sagte, das wolle er nicht.«

»Hat er irgendwelche Gründe genannt?«

»Er sagte, die Familie interessiere ihn nicht, ob du's glaubst oder nicht.«

»Ist er viel mit anderen Leuten zusammen?«

»Meistens mit Engländern. Leuten, mit denen er zusammenarbeitet. Er hat immer zu tun. Ich hab's dir ja erzählt, Michael, er hat sich selbst fast in einen Engländer verwandelt. Er ist mit einer Engländerin zusammen. Ich weiß nicht, ob sie seine Freundin oder Ehefrau oder Geliebte oder sonstwas ist. Anscheinend leben sie zusammen.«

»Darüber möchte ich gar nichts wissen, Mark. Es gibt Leute, die behaupten, daß wir vor unserem Leben schon einmal gelebt haben. Wenn das so ist, dann muß ich in meinem früheren Leben ein furchtbares Verbrechen begangen haben. Nur so kann ich mir das mit Luke erklären.«

Als sie auf dem Bahnsteig auf den Zug warteten, der sie zurück nach London bringen sollte, sagte Moran zu Maggie, während Mark Zigaretten für die Fahrt holte: »Ich habe Mark schätzen gelernt. Er scheint sich für unsere Familie zu interessieren.«

Während und nach dem Besuch begann Moran, nicht weil er wirklich krank war, sondern mehr aus einer geistigen Lethargie heraus, viel Zeit in seinem Bett zu verbringen. Das Heu war geerntet. Auf den Feldern gab es keine echte Arbeit mehr zu tun. Es reichte, wenn Rose zweimal am Tag ein Auge auf das Vieh warf. Wenn irgend etwas nicht in Ordnung war, würde sie es schon Moran erzählen, und sie hielten jetzt nur noch trockenstehendes Vieh. Die Tiere waren gesund und fett und standen bis zu den Knöcheln im Grummet.

Es war die Jahreszeit, auf die Rose wartete, wenn die Hetze und Angst des Sommers vorüber und die Härte des Winters noch nicht gekommen war. Plötzlich hatte sie ganz viel Platz und Zeit für alles. Sie konnte die Blumenbeete im Vorgarten winterfest machen und ließ die Tür auf, so daß sie Moran ganz sicher hören konnte, wenn er nach ihr rief. Im Obstgarten pflückte sie die letzten Pflaumen und sammelte ein paar Äpfel auf. Mona und Sheila kamen jedes Wochenende aus Dublin. Wenn sie die Hausarbeit getan hatten, saß sie mit den beiden Mädchen bei einem Kaffee und einer Zigarette zusammen, während ein paar Staubkörnchen in den Strahlen des ruhigen Sonnenlichts, das durchs Fenster fiel, aufleuchteten. Ein paarmal schwatzten sie so lange, daß es Moran schließlich ärgerte und er sie aus seinem Zimmer heraus anbrüllte.

Diese Besuche an den Wochenenden gestatteten Rose, ihr Elternhaus am See zu besuchen, während sie Moran der Obhut der Mädchen anvertraute. Es war ein sanfter Neubeginn. In manchen Jahren hatte sie das Gefühl gehabt, daß sie ihr Elternhaus wegen Great Meadow aufgegeben hatte. Das Auto nahm sie nicht. »Ich fürchte, Daddy würde es nicht lange im Bett halten, wenn er hört, wie ich irgendwo dagegenfahre!« Sie radelte und brachte immer Pflaumen, Äpfel und Marmelade im Bastkorb auf der Lenkstange mit. »In unseren ersten Ehejahren dachte Daddy immer, ich nehme das halbe Haus mit, wenn ich gefahren bin. Jetzt merkt er es nie, wenn ich irgend etwas mitnehme«, sagte sie zu den Mädchen.

»Warum glaubst du, merkt er's nicht?« Sheila lächelte, als sie fragte. Es war so subtil, daß es kaum spöttelnd wirkte.

»Ich weiß es nicht. Ich glaube, er hat sich dran gewöhnt. Daddy ist seltsam«, sagte sie.

»Daddy wird alt«, sagte Sheila nüchtern zu Mona, als Rose außer Hörweite geradelt war, und Mona hielt die Luft an, als bekäme sie Angst, und nickte dann.

Er gab ihnen nie irgendeine Erklärung dafür, warum er sich damals in sein Bett zurückzog. Es wagte auch keiner, ihn danach zu fragen. Es war, als wäre es völlig normal, ohne krank zu sein, einen Teil des Spätsommers im Bett zu verbringen und dann normal wieder aufzustehen und im Haus und auf den Feldern herumzulaufen, als hätte er sich nie in sein Bett verkrochen.

In jenem Winter gab Sheila ihre Verlobung mit Sean Flynn bekannt, und danach kam sie nicht mehr oft nach Hause. Als Entschuldigung gab sie an, daß Sean und sie ein Haus suchten. Als ob sie für ihr Ausbleiben einen Ausgleich schaffen wollte, kam Mona dafür jedes Wochenende allein. Sheila, die weit unabhängiger als Maggie war, verlobte sich ohne Morans ausdrückliche Zustimmung. Sean war angenehm, wollte unbedingt gemocht werden, und Moran empfand ihn nicht als Bedrohung. Sheila hatte die Beziehung von Anfang an dominiert, aber sie hatte sich auch schnell entrüstet gegen die lässige Art gewehrt, in der Moran bei ihrem letzten Besuch mit Sean umgegangen war.

Fast so, wie sie unbedingt hatte studieren wollen, hängte sie nun ihr Herz an eine Hochzeit in Weiß im Juni in der kleinen Dorfkirche. Das war zuviel für Moran. Er müßte sie den Mittelgang vor all den Leuten, denen er sein Leben lang aus dem Weg gegangen war, hochführen, ein paar von ihnen zum Empfang ins »Royal Hotel« einladen und für ihr Essen und ihre Getränke bezahlen. Das ertrüge er nicht.

»Es wäre einfacher, wenn sie in Dublin heiraten würde«, Rose fand einen Ausweg für ihn. Sie hatte Angst, daß er sich rundweg weigerte zu kommen, und diese Hochzeit konnte nicht nach London abgeschoben werden. »Wir müßten nicht alle einladen. Es wären nur die beiden Familien. Und wir müssen nicht ins ›Shelbourne‹ oder ›Gresham‹

gehen. Es gibt viele kleine Hotels. Um die Harcourt Street herum sind sie sogar billiger als das ›Royal‹«, erklärte Rose Moran.

»Dann müssen wir's vielleicht so machen. Ich weiß einfach nicht, warum die Leute derartig viel Aufhebens um ihre Hochzeiten machen müssen. War es nicht völlig ausreichend, so wie wir geheiratet haben?«

»Das kannst du vergessen, Daddy. Alle Mädchen wollen heutzutage einen großen Tag. Wer könnte ihnen das vorwerfen? Sie sehen, daß alle anderen im großen Stil feiern, und das wollen sie dann auch«, sagte Rose.

Sheila weinte ein wenig, als sie begriff, daß sie nicht auf der gleichen Kommunionbank, auf der sie ihre Firmung und die erste Kommunion erhalten hatte, ihr Gelübde ablegen und nicht aus der Kirche in den Schatten der großen Nadelbäume treten würde, die ihre Kindheit behütet hatten. Aber sie wollte, daß Moran bei ihrer Hochzeit dabei war. Vor die Wahl gestellt, wollte sie Moran mehr als irgendeine Kommunionbank oder irgendwelche geliebten Bäume. »Ich kann diese Bäume sowieso nie ansehen, ohne an Perlhuhn Flanagan zu denken.« Sie meinte einen Jungen, der sich diesen Namen dadurch erworben hatte, daß er, als sie auf die Firmung vorbereitet wurden, auf die Bäume geklettert war und die wilden Schreie des Perlhuhns nachgeahmt hatte, während ihre Klasse darauf wartete, daß der Priester an trockenen Winterabenden die Allee hinunterkam.

»Vielleicht ist es nur gut, am Hochzeitstag nicht an so etwas Albernes erinnert zu werden«, überzeugte sie sich selbst, aber ihr ganzer Ärger kam wieder hoch, als sie Luke zu ihrer Hochzeit einlud, ohne irgend jemandem Bescheid zu sagen.

Rose gelang es, Moran dazu zu überreden, daß er für ein paar Tage den Hof verließ. Ein Verwandter von ihr erklärte sich bereit, nach dem Vieh zu schauen, während sie fort waren. Sie wohnten bei einem Bruder von Rose in Dublin, und am Abend vor der Hochzeit führte Sheila sie aus, um ihnen das neue Haus zu zeigen, daß Sean und sie gekauft hatten. Es war ein niedriger, alleinstehender Bungalow in einer neuen Siedlung mit einigen Hundert exakt gleichen Bungalows, in deren Vorgärten noch der blanke Beton zu sehen war. In ein paar Gärten hinter den Häusern flatterten bereits Windeln an der Leine. Drinnen war das Haus mit Teppichen und Vorhängen und hübschen preiswerten Möbeln ausgestattet. Sheila zeigte ihnen alle Zimmer mit rührendem Stolz, wobei sie den Preis jedes einzelnen Möbelstücks nannte.

»Na, du bist wenigstens ein Mädchen, das sich von Anfang an gut einrichtet!« Rose umarmte sie, um ihr zu gratulieren.

»Sean macht sich Sorgen, daß wir zuviel ausgegeben haben«, vertraute ihr Sheila an.

»Darauf mußt du gar nicht achten«, flüsterte Rose. »So sind die Männer. Besorg dir, was du brauchst, solange du die Chance hast.«

Moran ging durch das Haus, das wie eine leere Bühne wirkte, die darauf wartete, daß ihr gemeinsames Leben darauf begann, und suchte sichtlich nach irgend etwas, was er sagen konnte, brachte aber nichts heraus. »Das muß aber 'ne Stange Geld gekostet haben«, sagte er schließlich.

»Ich fürchte, daran zahlen wir für den Rest unseres Lebens ab«, antwortete Sheila verlegen.

»Na, ich hoffe, ihr werdet glücklich hier. Das ist das einzige, was zählt. Ihr könnt von allem noch soviel haben, wenn ihr nicht glücklich seid, ist alles sinnlos«, sagte er. Er wollte unbedingt weg.

»Du siehst, kaum ist Daddy irgendwo drinnen, da will er auch schon wieder aus der Tür«, Rose neckte ihn mit etwas, das ganz genauso auch für sie galt.

An der Tür erzählte Sheila ihnen schließlich, daß Luke zur Hochzeit käme. Rose war erschrokken und schaute sofort Moran an. Sein Gesicht umwölkte sich bei der Nachricht und wurde ernst.

»Ich bin froh, daß du ihn eingeladen hast«, sagte er. »Ich fände den Gedanken nicht schön, daß irgendein Mitglied der Familie von einem Familientreffen ausgeschlossen würde«, aber als er vom Haus wegging, war sein Gang überhaupt nicht beschwingt.

Luke, Maggie und Michael flogen gemeinsam zur Hochzeit nach Dublin. Luke wollte am gleichen Abend nach London zurückfliegen. Michael und Maggie hatten sich beide ein paar Tage frei genommen und wollten auch noch nach Great Meadow.

»Bitte tu nichts, was Daddy aufregen könnte«, bat Maggie, als die Maschine zur Landung ansetzte.

»Natürlich nicht. Ich werde heute gar nicht existieren«, antwortete Luke.

»Was meinst du damit?« fragte sie ängstlich.

»Es ist Sheilas großer Tag. Die Aufmerksamkeit auf mich zu lenken, würde sich wohl kaum gehören.« Er trug schwarze Schuhe, einen dunklen Nadelstreifenanzug und einen dunkelroten Schlips und wirkte neben Michael, der einen leuchtend blauen Anzug trug, ausgesprochen schlicht. Sie nahmen ein Taxi vom Flughafen zur Kirche und kamen als erste an. Während sie auf dem leeren Betonpflaster draußen vor der Kiche warteten, zeigte Luke, falls er nervös war, kein Anzeichen davon, und er lächelte bestätigend bei jeder von Maggies stillen Nachfragen. Michael schien die ganze Situation komisch zu finden und brach mehrmals in hemmungsloses Gelächter aus.

»Wie schön, daß du alles so komisch findest«, sagte Maggie scharf, woraufhin er erst recht schallend lachte.

»Ich kann's einfach nicht anders sehen.«

»Was?« fragte sie ärgerlich.

»Die ganzen Umstände«, lachte er. »Unser ganzer verdammter Haufen und dieser Mann vorneweg.«

»So kann man auch damit umgehen«, sagte Luke schnell, um Maggie zu beruhigen. »Es gibt sicher schlimmere Formen, damit umzugehen, und schlimmere Umstände.«

Der Bräutigam und seine Familie erschienen als erste. Sean Flynn stellte sie eilig Maggie und den beiden Brüdern vor.

»Ich denke, dann sollten wir mal«, sagte Sean.

»Ich warte, bis die Braut hier ist«, sagte Luke, und die drei warteten weiter. Sheila, Rose, Mona und Moran kamen alle im gleichen Auto. Mona war Brautjungfer. Nachdem er Sheila und Mona umarmt hatte, schüttelte Luke Rose und Moran förmlich die Hand.

»Ich bin froh, daß du hier bist«, sagte Moran dunkel.

»Ich bin froh, hier zu sein.«

»Wir sollten jetzt reingehen«, sagte Moran.

»Wir sehen dich heutzutage nur noch bei Hochzeiten«, sagte Sheila aus lauter Nervosität zu ihm.

»Das sind doch die besten Gelegenheiten«, antwortete er. »Besonders, wenn es deine Hochzeit ist, Sheila.«

»Wir sollten jetzt wirklich reingehen«, sagte Moran noch einmal.

Sheila nahm seinen Arm, und sie gingen schweigend den Mittelgang hoch, wo Sean Flynn und sein Bruder an der Kommunionbank warteten. Nur einmal während der ganzen Zeremonie trafen sich die Blicke des glücklichen Paares, und sie drückten völliges Einverständnis mit dem aus, was sie miteinander durchmachen wollten.

Draußen vor der Kirche wurden Fotos gemacht, während der Wind Zeitungen über den Beton wehte und die Frauen nach Hüten und Schleiern griffen, um sie festzuhalten. Konfetti wurde geworfen. Sie fuhren in einem Auto mit weißen Bändchen die Straße hinunter zum Avonmore Hotel. Die verhängte Glastür des Hotels besaß einen langen, diagonal angebrachten Griff.

Drinnen in der Diele stand ein hufeisenförmiger Tisch gegenüber der Tür des Empfangsraums, in dem ein langer Tisch gedeckt war. Der junge Priester, der sie getraut hatte, saß am Kopfende des Tisches, und die beiden Familien saßen einander an der schmalen Tischplatte gegenüber. Sherry oder Whiskey wurden angeboten, aber die meisten tranken Orangensaft. Die, die tranken, dachten, es sei höflicher, den Sherry zu nehmen. Es war klar, daß sie sich, nur von den mahnenden Worten des Priesters unterbrochen, über alles, von der Suppe über das Hähnchen bis zum Sherry-Trifle, hätten hermachen können, ohne für eine kleine Ansprache oder einen Trinkspruch innezuhalten. Moran hielt die längste Rede und betonte vor allem, wie wichtig die Familie sei. Es gab Augenblicke, in denen das Gefühl, wie wichtig er selbst war, ihn zu überwältigen schien, aber nie so, daß er den Faden seiner ernsten und sorgfältig ausgefeilten Rede verloren hätte. Seine alte Übung im Briefeschreiben kam ihm dabei zugute. Als er sich hinsetzte, standen Tränen in Roses und der Mädchen Augen. Im Gegensatz dazu war der Vater des Bräutigams ein

Bild des Jammers, als er sich stockend durch einen einzigen Satz hindurchquälte, in dem er Sheila in der Familie willkommen hieß. Während er sprach, kreiste seine riesige Hand um das Sherry-Glas, als wäre es ein Getreidehalm.

Wenn es ein großes Fest mit Musik, Trinken und Tanzen gegeben hätte, hätte das vielleicht die Peinlichkeit des Ereignisses verbergen können. Nur das erschöpfte Gesicht von Seans Mutter war der Ausdruck reinen Gefühls. Er war ihr erster Junge gewesen, ihr Liebling. Schon früh hatte sie ihn zum Lernen für die Schule angespornt und vor der harten Arbeit auf dem Hof geschützt; manchmal hatte er sogar getrennt von seinen Geschwistern sein Essen bekommen. Während der langen Sommer, wenn er aus dem Internat nach Hause kam, sorgte sie dafür, daß er auch dann lesen oder spazierengehen konnte, wenn seine Schwestern zur Arbeit auf den Feldern gezwungen wurden. Er war ihr Goldkind. Eines Tages würde sie in ihrer Ortskirche knien und zuschauen, wie er die Hostie hochhielte, und wenn sie nicht mehr wäre, läse er die Messe für ihre Seele. Als er in den öffentlichen Dienst ging, statt in Maynooth weiterzumachen, schwelte die Enttäuschung darüber monatelang wie eine Wunde in ihrem Körper. Und nun verlor sie ihn an eine andere Frau, und er schickte sich an, mit seiner Frau das normale Leben eines Durchschnittsmannes zu führen. Ihr Blick war stumm auf ihn geheftet, als er sich zum Aufbruch rüstete. Als er sie in die Arme nahm – »Paß auf dich auf,

Mutter!« –, ließ sie schließlich ihren Tränen freien Lauf. Sie sah den beiden Köpfen nach, die sich in der Heckscheibe des Wagens, der sie zum Flughafen brachte, abzeichneten, bis sie im Verkehr verschwanden. Er schaute nicht ein einziges Mal zurück.

Bevor Sheila mit ihrem Ehemann abfuhr, ging sie zu Luke. »Jetzt, wo du hierhergefunden hast, mußt du auch häufiger nach Hause kommen.«

»Ich hoffe, ihr beiden werdet sehr glücklich«, antwortete er, und obwohl sie ihn voller Wärme küßte, gab sie ihm deutlich zu verstehen, daß sie gemerkt hatte, daß er ihr eine Antwort verweigerte.

Er war den ganzen Nachmittag über still, hörte jedem, der mit ihm sprach, aufmerksam zu, stellte höfliche Fragen, lächelte, hob das Glas. Er saß zwischen Mona und Michael, und da Moran nicht in seine Richtung blickte, gab es keine Schwierigkeiten, bis das Essen beendet war und die Gäste sich erleichtert wieder anschickten, auseinander zu gehen. Vor allem Moran konnte man ansehen, daß er Luke offensichtlich mied. Er stand da in einer Wolke moralischer Gekränktheit. Als er das bemerkte, ging Luke direkt zu Moran. Die Mädchen erstarrten, als sie sahen, wie ihr Bruder geradewegs auf ihren Vater zusteuerte, in ihrer alten Angst vor Gewalt.

»Ich möchte dir danken«, sagte Luke.

»Wofür?« fragte Moran.

»Für das Essen, für den Tag, für alles.«

»Ich hoffe, es kommt nie so weit, daß du deinem Vater für ein Essen danken mußt.«

Luke beugte sich zu Rose hinunter, die mit den Tränen kämpfte. »Irgend jemandem muß ich danken.«

»Willst du denn nach all diesen Jahren nicht noch ein bißchen weiterfahren?« fragte Moran, als sein Sohn sich wieder abzuwenden schien.

»Ich muß heute abend wieder in London sein.«

»Weshalb?«

»Ich habe zu tun.«

»Es wird auch noch nach dir genügend Arbeit geben.«

»Das weiß ich, aber es ist nicht meine Arbeit«, sagte Luke und ließ zum ersten und einzigen Mal an jenem Tag seine Festigkeit erkennen.

»Gott steh dir bei«, sagte Moran.

»Also dann, auf Wiedersehen. Solltest du jemals in London sein, würde ich mich freuen, wenn du mich besuchst.«

»Wir werden nicht in London sein.« Moran verweigerte seinem Sohn den Händedruck.

Als er zum Flughafen aufbrechen wollte, sagte Luke zu Maggie: »Du siehst, ich habe mein Versprechen gehalten: Ich habe heute nicht existiert.«

»Du hättest dir nach all dieser Zeit etwas mehr Mühe geben können«, sagte Maggie vorwurfsvoll. Sie hatte ihren Sohn bei einer Schwägerin gelassen, damit sie in Ruhe zur Hochzeit und anschließend noch für zwei Wochen nach Great Meadow fahren konnte.

»Ich habe getan, was ich konnte«, sagte er. »Ich habe Irland schon vor langer Zeit verlassen.«

»Wir alle haben Irland verlassen«, Michael, der bei ihnen stand, kicherte. »Ich fürchte, wir sterben alle noch in Irland, wenn wir nicht schnell genug wieder rauskommen«, und er lachte noch lauter über seinen eigenen Einfall. Auch er wollte an jenem Abend nach Great Meadow fahren.

Der kleine Wagen war voll besetzt, als er die Stadt verließ, Mona, Maggie und Michael hatten sich auf den Rücksitz gequetscht. Moran fuhr schweigend. Rose, die neben ihm saß, versuchte, die langsame Fahrt durch feinfühlige Small talk-Häppchen aufzuheitern, wobei jeder Scherz mehr ein offenes Angebot an die anderen als eine tatsächliche Feststellung oder ein Urteil von ihr war. »Jetzt haben wir also Sheila verloren«, sagte sie schließlich.

»Du dachtest wohl, mich bist du los, aber *mich* mußt du nach wie vor ertragen – in voller Lebensgröße«, antwortete Maggie.

»Wir haben unser Bestes versucht, aber wir haben's nicht geschafft«, sagte Michael.

»Das mußt du gerade sagen«, erinnerte ihn Rose.

»Es sollte ein Scherz sein.«

»Keiner ist für die Familie verloren, es sei denn, er will es«, sagte Moran gleichgültig, als bete er einen Refrain herunter.

»Ich frage mich, wie die arme Sheila wohl mit ihren neuen Schwiegereltern auskommt«, sagte Rose. »Ihr wißt ja, wie wählerisch sie bei Leuten ist.«

»Es scheinen doch anständige, hart arbeitende Leute zu sein«, sagte Moran.

»Die Mutter des Bräutigams schien sich nicht sehr zu amüsieren«, sagte Maggie.

»Die arme Frau sah wirklich ganz mitgenommen aus. Ich glaube, das war alles sehr fremd für sie.«

»Oder Sheila hat ihr ihren Goldschatz weggenommen.«

»Ich glaube, es ist die alte Geschichte«, sagte Moran, aber er sagte nicht, welche Geschichte er meinte. Sie waren erleichtert, daß sie ihn dazu gebracht hatten, sein Schweigen zu brechen.

Als der Wagen Longford erreichte, waren sie müde und verkrampft. Moran bot ihnen nicht an, eine Pause einzulegen. »Wenn wir den Rosenkranz jetzt beten, dann haben wir das schon mal erledigt, wenn wir nach Hause kommen.«

»Das hört sich doch vernünftig an«, fügte Rose hinzu.

»Wir beten diesen Heiligen Rosenkranz für Sheilas Glück«, begann Moran.

Das gemurmelte »Ehre sei dem Vater«, das dem »Ave Maria« und »Ave Maria« und »Vater unser« folgte, kam so glatt und gleichmäßig wie das Surren des Motors, der durch Dromod, Drumsna und Jamestown fuhr. Einmal versuchte Michael, Maggie durch einen Stupser zu einem pietätlosen Lachen zu bringen, als sie ihre Gebete sprach, aber der Ellbogenstoß, den sie ihm im Gegenzug verpaßte, war so heftig, daß seine Heiterkeit im Nu verflogen war. Das letzte Gebet war beendet, als sie bei der Brücke in Carrick ankamen. Danach sagte keiner mehr viel, als die Namen der Häuser zu murmeln, an denen sie vorbeikamen.

»Wir sind zu Hause!« sagte Michael, als die dunkle Eibe über dem Tor in Sicht kam.

»Ich muß jetzt unbedingt eine Tasse Tee haben«, sagte Rose, und alle im Wagen drängelten heraus, um erschöpft und erleichtert die Glieder ausstrecken, frische Luft holen und herumspazieren zu können.

Sheila und Sean verbrachten eine Flitterwoche auf Mallorca und kamen anschließend direkt nach Great Meadow, um ihre letzte Ferienwoche zusammen mit den anderen zu verbringen. Das Haus war seit Jahren nicht mehr so voll gewesen. Michael wurde in einen Vorratsraum an der Rückseite des Hauses umquartiert, um für das Paar Platz zu schaffen. Er war selten zu Hause, immer bis spät noch beim Tanzen oder ging mit Mädchen aus und schlief oft bis weit in den frühen Nachmittag hinein. Moran und er kamen jetzt recht gut miteinander aus, was vor allem daran lag, daß sie sich die meiste Zeit gegenseitig ignorierten.

Moran war mehr auf seinen neuen Schwiegersohn fixiert. Er erkundigte sich nach seinem Job, seinen Ideen, seinen Zielen. Sean erwartete, daß man ihn mochte, ohne daß er sich dafür anstrengen mußte. Er antwortete Moran träge, lächelte seinen Frager voll nachsichtiger Toleranz an. Das irritierte Moran erheblich, und die Kosten des

Hochzeitsempfangs von der vorigen Woche hatte er noch gut im Gedächtnis. Der Angriff kam ohne Vorwarnung.

»Was meinst du damit, daß *du* nicht viel vom Beamtenberuf hältst?«

»Es ist halt ein Job. Das ist alles. Viel mehr gibt's darüber nicht zu sagen. Toll ist es nicht.«

»Du machst wohl Witze«, sagte Moran verächtlich.

»Es ist nicht alles. Das kann doch nicht alles im Leben sein.«

»Du meinst, ein guter, solider Job, der immer so weitergeht, mit einer ordentlichen Rente am Ende ist nicht wichtig? In was für einer Welt lebst du eigentlich?«

»Ich finde immer noch, daß das einfach nicht alles sein kann«, Flynn verteidigte sich, so gut er konnte.

»Ich sehe, du mußt noch einen weiten Weg gehen, bis du erwachsen bist. So was kann man sich überlegen, wenn man allein lebt. Jetzt bist du verheiratet. Ich erwarte von den Mitgliedern meiner Familie eine reifere Einstellung.«

»Sicherheit ist doch nicht alles im Leben. Es gibt sogar Leute, die das für den Tod des Lebens halten«, Sean versuchte noch immer, seinen Standpunkt zu verteidigen, aber Moran begnügte sich damit, wieder in Schweigen zu verfallen.

Sheila kochte vor Wut, als sie von diesem Angriff erfuhr. »Solange ich in seinem Hause gelebt habe, bin *ich* nie so beleidigt worden. Luke hat recht, wenn er sagt, daß er sich wie ein Hund benimmt«, sagte sie erregt zu Rose.

»Daddy hat das doch gar nicht so gemeint«, sagte Rose.

»Nicht so gemeint?« wiederholte sie mit wütendem Sarkasmus. »Du machst wohl Scherze.«

Es war durchaus nicht leicht für sie, sich direkt mit Moran auseinanderzusetzen. »Ich sehe, du fängst jetzt auch schon an, deine Besucher auf Normalmaß zu reduzieren.«

»Ich habe deinem Ehemann nur ein paar nackte Tatsachen über das Leben beibringen wollen.«

»Du scheinst zu vergessen, daß er ein Gast in deinem Hause ist.«

»Er ist jetzt wie alle anderen auch ein Teil meiner Familie.«

»Das ist er, wenn er das sein will«, sagte Sheila hitzig. »Er ist bestimmt nicht hier, um sich beleidigen zu lassen.«

Er respektierte Sean nicht. Jetzt verachtete er ihn auch noch, weil er mit seiner Geschichte zu einer Frau gerannt war. Er war fuchsteufelswild darüber, daß seine Tochter seine Autorität in Frage stellte. »Ich wäre übel dran, wenn ich dich fragen müßte, wie man sich in meinem eigenen Hause zu benehmen hat.«

»Auf die Art könntest du vielleicht etwas Takt lernen.«

»Ich muß ein paar Wiesen mähen«, stieß er hervor. »Geh und stutz dir deinen armen Ehemann zurecht, wenn du das nötig hast. Dafür bist du bestimmt gut geeignet.« Bevor sie überhaupt die Möglichkeit hatte zu antworten, war er schon auf die Felder gegangen.

Der Wetterbericht sagte für mehrere Tage Hitze voraus, und weil er Hilfe im Haus hatte, beschloß Moran, alle Wiesen zu mähen. Stundenlang hörten sie das Klappern des Kreiselmähers auf den Feldern, das Dröhnen des Traktors, der näherkam und sich wieder entfernte. Als Moran zum Tee nicht hereinkam, brachten Rose und Maggie eine Kanne gezuckerten Tee und Sandwichs hinaus auf die Felder. Sie liefen über die Schwaden zweier gemähter Wiesen. Nur ein dünner Streifen stand immer noch in der Mitte der dritten Wiese, und sie warteten auf dem Rain und sahen das Gras zittern und vorm Mäher fallen. Zwei junge Hasen hoppelten davon, als sich das Gras zu einem letzten Streifen verengte. »Sie sind im letzten Moment noch davongekommen«, sagte Rose erleichtert. »Daddy findet es schrecklich, sie zu töten, aber im Gras kann man sie nicht sehen.« Die jungen Hasen hielten, nachdem sie entkommen waren, für einen Augenblick verdutzt inne, aber dann, als sie sahen, wie der lärmende Traktor wieder drehte, hoppelten sie vom Feld und waren verschwunden. Moran bemerkte, während er mähte, die wartenden Frauen, und sobald er mit dem letzten Stück fertig war, stellte er den Motor ab. Das gemähte Feld sah völlig leer und reinlich aus. Als Rose und die Mädchen die Schwaden überquerten, um zum Traktor zu kommen, stolperten sie beinahe über eine Fasanenhenne, die auf ihrem Nest saß. Sie waren verblüfft, daß sie nicht aufflog, bis sie Federn auf den Schwaden entdeckten. Die Beine waren ihr, während sie brütete, abrasiert worden. Ihre Augen glänzten und lebten, eine reglose Angespanntheit lag auf ihrem Nacken und dem Rumpf, sie war instinktiv versteinert.

»Das arme Ding«, sagte Rose. »Sitzt immer noch da.« Keiner brachte es über sich, noch einmal hinzuschauen.

»Du hast eine Henne erwischt«, sagte Rose, als sie ihm einen Becher Tee gab und die Sandwichs auf der roten Haube des Traktors ausbreitete.

»Ich weiß. Man kann sie im Gras nicht sehen. Wenigstens sind die Hasen entwischt.«

»Wo ist das Ehepaar?« fragte er, als er mit dem Essen fertig war.

»Die gehen spazieren.«

»Sie werden in den nächsten Tagen keine Spaziergänge brauchen. Die werden ordentlich Bewegung kriegen. Wir müssen nur noch die letzte Wiese erledigen. Diese Woche ernten oder verlieren wir alles.«

Während sie die Reste ihrer Brotzeit zusammenpackten und sich anschickten, von der Wiese zu gehen, stotterte der Traktormotor, wollte aber nicht anspringen. Moran mußte vom Traktor heruntersteigen. Er fummelte an einigen Drähten und der Benzinpumpe herum, während Rose und Maggie ängstlich wartend daneben standen. Der Motor stotterte wieder, als er ihn ein zweites Mal anließ, und sprang dann an. »Ich glaube, der einzige, der mehr über diesen Traktor weiß als Daddy, ist Henry Ford«, sagte Rose, als sie von der Wiese gingen. Sie mußte das aus reiner Liebe zu Moran gesagt haben, denn Moran war technisch nicht begabt, und der Traktor war ein alter Porsche.

Er ließ die Schwaden bis zum nächsten Abend liegen, als er sie mit dem Heuwender auseinanderschüttelte. Als er jünger gewesen war, hatte er immer behutsam ein Feld nach dem anderen gemäht, aber jetzt, da Hilfe im Haus war, wollte er sie lieber alle in einem Rutsch angehen, als die lange Plackerei allein mit Rose in Kauf zu nehmen.

Von der Henne war nur noch ein kleines Häufchen Daunen und Federn auf den trocknenden Schwaden übrig. »Ein Fuchs oder eine Katze oder eine graue Krähe – wer weiß ...«

Am nächsten Morgen verhüllten weiße Nebelschleier die dunkelgrünen Umrisse der Buchen am oberen Rand der Wiesen, und ihre Sandalen hinterließen grüne Flecken auf den von Spinnweben durchzogenen Weiden. Weiße Spinnfäden hatten die Pflaumen- und Apfelbäume im Obstgarten überzogen. Es war sicher, daß es ein heißer, trockener Tag werden würde. Nicht einmal am Abend würde Regen drohen. Man konnte erst mit der Arbeit beginnen, wenn die Sonne den Dunst weggebrannt und die Schwaden getrocknet hatte. Rose machte eine ordentliche Pfanne Bratkartoffeln und Spiegeleier und servierte dazu braunes, mit Soda gebackenes Brot und eine Kanne dampfenden Tee. Erst am Abend würden sie wieder in Ruhe essen können, und dann wären sie zu müde dazu. Moran war glücklich beim Frühstück, froh über die Aussicht auf unverändert gutes Wetter, darüber, daß er soviel Hilfe hatte und daß er sich offenbar wirklich auf das Wetter verlassen konnte. Am Abend hätten sie das meiste Heu geerntet, und sie bräuchten für ein ganzes Jahr nicht mehr daran zu denken.

»Haben sie bei euch viel Heu gemacht, Sean?« fragte er freundlich, während er vorsichtig in der Blutwurst und der Wurst herumstocherte.

»Heu und etwas Silage, wenn die Sommer schlecht waren.«

»Dann mußt du die Arbeit ja gewohnt sein?«

»Nicht so richtig. Das Heu haben die andern geerntet. Ich mußte im Sommer immer lernen.«

»Das Lernen hat dir im Sommer doch sicher nicht sehr viel gebracht«, sagte Moran sorglos.

»Doch, sehr viel. Man konnte die Texte fürs Schuljahr schon im voraus lesen. Damit hatte man gleich einen Vorsprung, wenn die Schule anfing«, antwortete er prompt, und das sorgte für beklommenes Schweigen. Alle Morans hatten von klein auf bei der Landarbeit helfen müssen. Es hatte Zusammenstöße wegen der konkurrierenden Anforderungen der Schule auf der einen und Ernten, Pflanzen oder Torfstechen auf der anderen Seite gegeben.

»Meiner Meinung nach macht man viel zuviel Wind ums Lernen«, sagte Moran. »Entweder man hat genug Grips, oder man hat ihn eben nicht.«

»Ohne Lernen kommt man doch in keinem Fach weiter.« Seans Weigerung, an diesem Punkt nachzugeben, verschärfte nur noch die feindselige Atmosphäre.

»Das kannst du zweimal sagen«, sagte Sheila, um ihn zu unterstützen.

»Du fährst oben rum, und ich fahr' unten rum, und ich werde vor dir in Schottland sein«, Moran pfiff, als er sich erhob.

Er ging auf die Wiesen hinaus. Die Schwaden waren noch nicht trocken, und so stellte er erst mal den Heuwender hier und da nach. Der Zusammenstoß mit Sean hatte seine Laune nicht gebessert: Er war ängstlich. Er hatte in den meisten Jahren bei der Heuernte irgendeine Maschine kaputtgemacht, und heute würde er vor der ganzen Familie kehren. Er begann, zuerst die flachen Stellen der Wiesen zu kehren, und als Rose den Traktor laufen hörte, trommelte sie alle anderen zusammen und ging mit ihnen hinaus, wobei sie, während sie durch den Obstgarten liefen, kleine Scherze und geistreiche Bemerkungen machte, die ihre Angst verrieten.

Der Heuwender kehrte das Heu in dicke weizenfarbene Reihen, und der Boden zwischen den Reihen war so sauber gemäht wie ein Rasen. Moran saß steif auf dem Traktor und schaute die ganze Zeit ängstlich hinter sich auf die Zinken, die sich drehten, während er nach rechts und links kehrte.

»Man denkt doch, daß Daddy mit dem Traktor zusammengewachsen ist«, sagte Rose.

Sie begannen sofort, die Reihen zu Heuhaufen zusammenzuschieben. Rose war geschickt, genauso wie Michael, wenn er arbeiten wollte, und heute wollte er seine Schnelligkeit und Kraft beweisen. Er gabelte und las das Heu auf, wo es besonders schwer war. Das trockene Gras raschelte köstlich an den Heugabeln. Rose setzte die Heuhaufen gerade, während er weiterging, und bald schossen sie anstelle der Reihen einer nach dem anderen aus dem Boden. Alle Mädchen arbeiteten gut, bis auf Sheila, die sich mehr auf Sean als auf die Arbeit konzentrierte. Obwohl er sich von ganzem Herzen bemühte, wußte er nicht, wie man die Geräte richtig benutzte, und stand den anderen mehr im Wege, als daß er ihnen half. »Ein Schluck Wasser würde mir jetzt mehr nützen«, sagte Moran zu sich selbst, als er die sinnlosen, um sich dreschenden Bewegungen beobachtete. »Er wird noch jemanden verletzen.«

Dann kam der alte Ryan, ein pensionierter Lehrer, aus seinem Haus weit hinten oberhalb der Wiesen herüber, das von Bäumen umgeben war, und lehnte sich auf die Mauer, um ihnen bei der Arbeit zuzuschauen.

»Ich will natürlich gar nichts gesagt haben, aber meine Frau fängt an, sich zu beklagen«, Michael ahmte Ryan nach, und die Mädchen lachten leise vor sich hin, aber Sheila musterte ihn zunächst scharf, weil sie dachte, daß er sich über Sean lustig machen wollte. Michael war so begeistert über ihre Reaktion, daß er, als er die nächste Gabel Heu aufstakte, schallend lachte, was die Heiterkeit noch steigerte. Als Moran alle flachen Stellen gekehrt hatte, stellte er den Traktor aus und kam herüber. Sie machten alle eine Pause, um etwas zu trinken, eine Mischung aus Milch und Wasser aus der Kanne.

»Ihr legt ja los wie ein brennendes Haus«, sagte Moran beinahe dankbar. »Der leichtere Teil ist getan«, seine Stimme klang ängstlich. »Vom Hang da komme ich ja anscheinend nie ohne irgendein Pech wieder runter.«

»Wenn du's nicht kannst, Daddy, dann kann's keiner«, sagte Rose, aber für ihre Ermunterung erntete sie nur einen gereizten Blick.

»Guckt euch den alten Ryan an, wie er schon wieder über die Mauer glotzt«, sagte Moran. »Der wär' bestimmt begeistert, wenn er sehen könnte, daß etwas kaputtgeht. Das ist offenbar alles, was man in diesem Land zustande bringt – *glotzen.*«

»Ich will ja nichts gesagt haben, aber meine Frau fängt an, sich zu beklagen«, Michael machte ihn wieder nach, aber Moran lachte nicht. Er sah seinen Sohn kalt an und ging wieder zu seinem Traktor.

Zweimal fuhr er sicher den Hang ab, aber dann hörten sie dicht bei einer Buche das harte Klirren der Zinken, die gegen eine Wurzel oder einen Stein schlugen. Der Traktor blieb stehen. Moran kletterte herunter, um den Heuwender zu inspizieren. Sie alle rammten ihre Heugabeln in den Boden und kamen zu der Buche herüber.

»Es sind wieder diese verdammten Buchenwurzeln«, sagte Moran, als er die verbogenen Zinken untersuchte.

»Wie viele sind zerbrochen?« fragte Mona.

»Nur zwei. Ich hab' gerade noch rechtzeitig den Gang herausgenommen.«

»Man könnte die Zinken auswechseln«, schlug Michael vor.

»Die Wiese kann man nicht auswechseln.«

In gewisser Weise war er erleichtert, daß die Zinken schließlich gebrochen waren. Er hatte einfach keine Zuversicht, daß er das Heu wirklich auf dem unebenen Boden kehren könnte. Jetzt war wenigstens seine Fron zu Ende.

Rose beobachtete ihn aufmerksam. »Wenn Daddy das nicht hinkriegt, kriegt es keiner hin.«

Er sah sie wütend an, als ob diese Bemerkung ihn tief kompromittierte; widersprechen konnte er ihr allerdings nicht. »Dann müssen wir eben auf die alten Harken und Heugabeln zurückgreifen. Gott sei Dank sieht es nicht nach Regen aus. Wenn wir noch länger um diesen Traktor herumstehen, dann steigt der alte Ryan vor lauter Neugier noch über die Mauer.«

Sie waren fast mit den Reihen fertig, als der alte Mr. Rodden mit seinem Hütehund auf dem Feld auftauchte. Er kletterte unauffällig unter dem Stacheldraht zwischen den Bäumen in der äußeren Ecke hindurch. Er trug einen Strohhut, eine Flanellhose und weite, rote Hosenträger über dem adretten, weißen Hemd. Der Kragen war zugeknöpft. Er trug trotz der Hitze eine Krawatte und eine Krawattennadel. Rose und Moran gingen beide sofort lächelnd und mit ausgestreckter Hand auf ihn zu. Moran betrachtete es als eine Ehre, daß er auf seine Wiese kam. Rodden war Protestant. Sein Hof lag neben dem von Moran, aber er war mindestens sechs- oder siebenmal so groß, und er hatte ihn erst kürzlich seinem Sohn übergeben. Obwohl Moran als Guerilla gekämpft hatte, seit er fast noch ein Junge gewesen war, hatte er immer darauf bestanden, daß es dabei nie um einen Streit mit den Protestanten gegangen sei. Inzwischen identifizierte er sich wesentlich mehr mit dieser heimgesuchten Klasse als mit seinen katholischen Nachbarn. Ganz gleich, wie günstig die Umstände auch für ihn waren, er brachte es immer wieder fertig, in dauernder Opposition zu stehen.

»Ich bin gekommen«, sagte Rodden, »um dem frisch vermählten Paar zu gratulieren. Ich habe gehört, daß sie zu Hause sind. Und weil die Maschine nicht läuft.« Er wünschte Sheila und Sean viele glückliche Jahre und brachte ihnen eine Einladung von seiner Frau zum Tee um vier Uhr, bevor sie fuhren. Er lobte ihre Arbeit und das Wetter und fragte dann: »Warum benutzen Sie den Heuwender nicht? Das spart unendlich viel Zeit.«

»Mir sind gerade die Zinken gebrochen. Ich komme damit auf dem Hang offenbar nie klar.«

»Haben Sie noch Ersatzzinken?«

»Jede Menge.«

Er ließ Moran die gebrochenen Stifte auswechseln, während er sie an mehreren Stellen nachstellte. Dann instruierte er Moran, die Stifte langsam zu drehen, und nachdem er sie eine Weile beobachtet hatte, stellte er sie noch einmal nach, bis er schließlich zufrieden feststellen konnte, daß sie auf gleicher Höhe waren. »Jetzt müßte das auf jedem Boden klappen, denke ich«, sagte Rodden. Moran begann dann, absichtlich das rauheste Gelände zu kehren, während sich Rodden auf seinen Stock lehnte und zuguckte. Auch wenn Moran es nicht glauben wollte, arbeitete der Heuwender auf dem rauhen Gelände, als wäre es glatt wie ein Tisch. Nachdem er eine Weile zugeschaut hatte, winkte Rodden mit seinem Stock zum Zeichen, daß er gehen wollte. Moran machte den Traktor aus und ging mit Rodden in einer Geste der Höflichkeit unter Nachbarn bis zu der Stelle, wo er die Wiese verlassen wollte. Die Mädchen, Rose und Sean winkten, während Michael den wunderschönen schwarzweißen Collie fing, um ihn ein letztes Mal zu streicheln.

»Der Heuwender hat auf diesem Boden noch nie so gut funktioniert. Wie haben Sie das bloß hingekriegt?« fragte Moran, als er ihn am Zaun verließ.

»Ach, das war gar nichts. Es war alles nur ein bißchen zu fest.« Rodden hatte schon als Kind gelernt, daß Selbstlob ein Zeichen von Unterlegenheit sei. »Ich hab' nur hier und da ein bißchen was neu eingestellt.«

Rose und Sheila kamen mit einer Kanne heißen Tee und Sandwichs mit Schinken, Salat und Huhn, die sie schon morgens gemacht hatten, aus dem Haus. Sie saßen alle um einen halbfertigen Heuhaufen herum, tauchten ihre Becher in die Kanne und holten die Sandwichs aus dem Pappkarton. Alle waren schon so müde, daß sie weder viel reden noch richtig herzhaft zugreifen mochten. Die Sonne brannte unangenehm heiß. Keiner sprach von dem Heuwender oder Mr. Rodden.

Als Moran wieder auf dem Traktor saß, fuhr er damit sehr schnell zwischen den Buchen hindurch und um sie herum. Es war, als wäre er entschlossen, Roddens Handgriffe einem Härtetest auszusetzen, aber sie hielten. Ganz gleich, wie er fuhr, die Zinken kehrten das Heu sauber und ordentlich in Reihen.

»Henry Ford fährt ja jetzt wie der Teufel«, neckte Michael Rose, als sie dicht nebeneinander das Heu aufgabelten. Sie sah ihn vorwurfsvoll an und wandte sich ab. Keines der Mädchen sagte irgend etwas.

Nach einer Stunde hatte Moran alle Felder gekehrt. Sie hatten sich stundenlanges, hartes und mühseliges Harken mit der Hand erspart. Nachdem er vom Traktor heruntergeklettert war, um sich zu den anderen zu gesellen, die die Reihen zusammenlasen, untersuchte er eine Weile die Änderungen, die Rodden vorgenommen hatte. Sie sagten ihm wenig. Insgeheim wußte er, daß er diese Einstellung selbst nie wieder hinkriegen würde, und wenn, dann nur durch Zufall. Als er seinen Platz unter den anderen einnahm, die die Reihen zusammenlasen und aufgabelten, sah er, daß Sheila und Sean nicht mehr da waren. »Wo ist denn das Paar hin?« fragte Moran scharf.

»Sie sind ins Haus gegangen«, wurde ihm ausweichend mitgeteilt.

»Weshalb?«

»Das haben sie nicht gesagt. Sie sind einfach gegangen.«

Nach nur einer Stunde waren Seans Hände voller Blasen und wund. Auch die Hände der Mädchen waren voller Blasen, aber sie wußten, wie sie mit den Geräten umzugehen hatten. Als Sean mittags nach der Brotzeit wieder aufstand, war er so steif, daß er sich kaum bewegen konnte. Er erzählte es Sheila – von allen Mädchen hatte sie als Kind diese Arbeit am meisten gehaßt –, und sie führte ihn zu einer anderen Reihe, wo sie das Heu in ihrem eigenen Tempo zusammenlesen konnten. Allein waren sie glücklich. Sie waren so voneinander in Anspruch genommen, daß sie die anderen kaum wahrzunehmen schienen, die nur ein paar Meter entfernt wie verrückt das Heu aufgabelten und zusammenlasen. Sie flüsterten und lachten, während sie sich mit der Stirn aneinanderlehnten, und dann schubste Sean listig Sheila seitwärts in den kleinen Heuhaufen, den sie gesetzt hatten. Sie stand errötend und völlig verwirrt wieder auf, wobei sie die anderen nach wie vor kaum wahrnahm, und bald lachten sie wieder zusammen wie zuvor. Um sich gegen das Paar zu schützen, versuchten die anderen, sie aus ihren Gedanken zu verdrängen, indem sie sich noch mehr antrieben, aber in der brütenden Mittagshitze ermüdeten sie bereits. Sheila und ihr Mann kletterten schon über den Zaun am Rand des Feldes, bevor die anderen überhaupt merkten, daß sie weggingen. Sie gingen Hand in Hand. Als sie meinten, daß die Rotbuche sie vor den Blicken der anderen auf der Wiese schützen würde, zog Sean Sheila an der Schulter an sich und küßte sie lange auf den Mund. Alle auf der Wiese bis auf Moran sahen, wie sie sich bei der Rotbuche küßten und dann Arm in Arm auf das Haus zugingen. Keiner sagte ein Wort, während alle heftiges Unbehagen verspürten, aber sie waren gezwungen, ihnen in Gedanken ins Haus zu folgen, sich vorzustellen, wie sie wohl ihre Kleider abstreiften und nackt aufeinander zugingen..., während die Gabeln das trocknende Heu rascheln ließen. Sie fanden es schrecklich, daß sie sich auf diese Weise alles vorstellen mußten. Es drängte sich ihnen störender auf, als wenn es genau vor ihren Augen auf der Wiese geschehen wäre. Es war auch dann noch da, als sie versuchten, es zu verdrängen. »Sie hätten ja vielleicht warten können«, sagte Michael leise und im Einklang mit der Verärgerung, die er ringsumher verspürte. Es war, als ob das Paar zusammen, so egoistisch mit sich selbst beschäftigt, die Unverletzlichkeit des Hauses, seine wahre Jungfräulichkeit mißachtete.

»Mark hat Freunde in London, die Creegans. Wir waren bei ihrer Hochzeit«, sagte Maggie. »Einmal, als Mark weg war, habe ich sie besucht und den letzten Zug verpaßt. Sie hatten ein Zimmer und ein großes Bett. Ich wollte auf dem Fußboden schlafen, aber Rita wollte nichts davon hören. Sie bestand darauf, daß ich neben ihr am Bettrand schlafe und Creggie auf der anderen Seite an der Wand. Nach einer ganzen Weile hörte ich, wie Creggie sagte: ›Schläft sie?‹ und Rita: ›Kannst du nicht warten?‹ Ich wagte gar nicht mehr zu atmen. Das Schaukeln war unerträglich. Einer von ihnen berührte mich mit dem Bein, und ich mußte mir das Bettzeug in den Mund stopfen. Ich bin fast gestorben.«

»Arme Maggie«, sagte Rose mit ebensoviel Humor wie Verständnis. »Was du alles aushalten mußt, seit du von zu Hause weg bist.«

Als Moran den Traktor ausstellte, verteilten sich die Heumacher in verschiedene Gruppen. Rose und Moran arbeiteten zusammen. Mona und Maggie lasen das Heu für Michael zusammen, damit er eine eigene Reihe in Angriff nehmen konnte. Sie alle gabelten das Heu ungefähr mit der gleichen Geschwindigkeit auf. Michael war jetzt stärker bei der Arbeit auf der Wiese als Moran. In den Reihen schossen die Heuhaufen so schnell wie noch nie an diesem Tag aus dem Boden.

»Das Paar hat offenbar vor, den Rest des Tages im Haus zu verbringen«, sagte Moran nach längerer Zeit gereizt.

»Seans Hände waren voller Blasen. Ich fürchte, die Wiese war ein Schock für ihn«, Rose versuchte, die Abwesenheit der beiden herunterzuspielen.

»Er hat sowieso nicht sehr viel getaugt, obwohl der arme Kerl sein Bestes getan hat. Der sollte so 'n richtiger Pfaffe werden.«

Als die beiden zur Wiese zurückkamen, waren sie gewaschen, gekämmt und trugen frische Sachen. Sheila brachte eine Kanne mit gezuckertem Tee mit. Alle tranken aus der Kanne, und bis auf Moran vermieden sie es, sie anzusehen oder ihrem Blick zu begegnen.

»Seans Hände sind voller Blasen von den Gabeln. Wir gehen zum Tee zu Mrs. Rodden hinüber.« Sheilas Stimme zitterte, als sie ihnen das erklärte.

»Mrs. Rodden wird eine Menge zu erzählen haben«, Rose war die einzige, die etwas zu ihnen sagte, als sie gingen.

Sheila war trotzig und entschlossen, sich nicht unter Druck setzen zu lassen. Auf simple Art steckte sie bereits ihre Position innerhalb der Familie ab. Sie würde weiterhin dazugehören, sich aber keinen Bedingungen unterwerfen. Sie wußte instinktiv, daß sie nicht ohne sie leben konnte. Sie würde sie brauchen, sie würde sie auch benutzen, aber sie würde sich auf gar keinen Fall benutzen lassen, wenn es ihr nicht paßte.

»Hat sie euch von den Badepartys im Mondschein in Kilronan erzählt, als sie jung war?« fragte Rose, als sie vom Tee zurückkamen.

»Das hat sie«, sagte Sheila. »Und daß sie damals auch schon alles gemacht haben, wovon die ganz Schlauen glauben, daß sie es jetzt zum ersten Mal tun.«

Auf der Wiese war es kühler geworden. Die beiden versuchten zu helfen, aber die anderen wollten ihre Hilfe nicht. Alle waren zu müde zum Reden. Damit sie sich nicht ausgeschlossen fühlten, bat Rose sie, noch etwas Tee und Sandwichs aus dem Haus herüberzubringen.

Die Schatten der Buchen, die über die Reihen fielen, wurden länger, und sie arbeiteten weiter, merkten aber nicht mehr, was sie taten, stakten und lasen das Heu mechanisch zusammen. Manchmal waren sie so erschöpft, daß sie nur noch wie abwesend auf der Wiese standen und in einer Art Trance auf die Reihen starrten. Sie waren ruhig und erleichtert, als das Licht zu schwinden begann, und als sie merkten, daß ihre Sachen feucht wurden, hörten sie auf. Der Himmel sah zuverlässig aus. Am nächsten Morgen, wenn sie wieder frisch waren, konnten sie den Rest in ein paar Stunden aufgabeln; dann konnten sie sich einen gemütlichen Tag machen, mußten die Heuhaufen nur noch zurechtstutzen und binden. Michael und Moran verließen als letzte die Wiese.

»Gott segne dich, mein Sohn. Das war ein großartiger Tag.«

Die Autos draußen auf der Straße hatten inzwischen die Scheinwerfer angestellt. Auf der anderen Straßenseite, irgendwo auf dem Landgut, gurrte eine einzelne Taube immer noch ihren heiseren, kehligen Ruf, als sie sich durch den Obstgarten zum erleuchteten Haus schleppten.

Am Morgen taten ihnen allen die Glieder weh, aber sie hatten auch keine Eile, wieder an die Arbeit zu gehen. Um Mittag herum gabelten sie langsam und gemächlich den Rest aus den Reihen auf die Heuhaufen. Das Wetter blieb beständig. Dann harkten sie und machten Ordnung, glätteten die Heuhaufen, die sie bereits gesetzt hatten, stutzten sie zurecht und banden sie mit Schnur. Am Wochenende schlug das Wetter um. Als der warme Regen über die Felder fegte und an die Fenster schlug, hatten sie gerade noch Zeit, zufrieden festzustellen, daß das Heu auf der Wiese in Sicherheit war, denn der Regen glitt an den glatten Seiten der Haufen ab. Sie brauchten kein gutes Wetter mehr. In ein oder zwei Wochen konnten die Heuhaufen an irgendeinem windigen Tag zwischen zwei Schauern in die Scheunen eingefahren werden. Rose und Moran würden das allein tun müssen.

Als der Regen kam, begann die Familie, allmählich wieder auseinanderzugehen. Aus London kam ein Telegramm für Maggie, daß sie zurückkommen solle. Ihrem Sohn ging es nicht gut, und sie reiste sofort ab. Solange sie Heu gabelte, war es, als hätte sie fast vergessen, daß sie Great Meadow je verlassen und geheiratet hatte. Alle anderen bis auf Michael fuhren mit ihr zum Flughafen. Er blieb fast noch eine Woche allein da, half Moran bei allen möglichen kleinen Arbeiten im Haus, wenn er nicht im Bett lag, und sie kamen gut miteinander aus. An dem Abend, an dem er abreiste, sagte Rose, bevor sie zum Rosenkranz hinknieten, nachdenklich zu Moran: »Ich glaube, es wird lange dauern, bis das Haus wieder so voll ist.«

Moran sah sie an, als wäre es verkehrt oder brächte Unglück, wenn man so etwas sagte. Das Haus sollte nur ein einziges Mal noch so voll werden.

Nur die Jahre wechselten in Great Meadow. Draußen fiel manchmal tagelang Regen, und Rose lief dann drinnen vorsichtig herum. Wenn der aufgeweichte Boden von stürmischen Winden wieder trocknete und Moran draußen langsam umherging, konnte sie wieder durchatmen.

An Wochenenden herrschte Aufregung im Haus, denn Mona kam nun fast jedesmal aus Dublin nach Hause. Das schönste der Mädchen heiratete nie. Sie hatte viele Verehrer und war mit einer Anzahl von Männern zusammen, wovon sie einige an den Wochenenden mit nach Hause brachte – stille, respektvolle, im allgemeinen ältere Männer, die zufrieden damit waren, sich dem Anspruch ihrer Schönheit zu beugen, ohne irgendwelche ernsthafte Forderungen zu stellen; und wenn sie es taten, wurden sie sofort abgesetzt. Da keiner der Männer eine Bedrohung für Moran darstellte, war er immer liebenswürdig, manchmal charmant, denn er hatte selten Umgang mit Fremden, und er schien ihre gelegentliche Gesellschaft zu genießen. Obwohl Monas Besuche zu Hause am wenigsten beachtet oder kommentiert wurden, waren sie mit der Zeit auch von ihnen vollständig abhängig. Sie wurde zur verläßlichsten Verbindung mit der Außenwelt, die zunehmend ihr Leben verdüsterte.

Maggie bekam in London ihr zweites Kind zur gleichen Zeit, als Mark O'Donoghue seinen Job verlor, und sie kam mit den beiden Kindern nach Hause nach Great Meadow und wollte sechs Monate bleiben. Mark blieb in London, um sich einen besseren Job zu suchen und für eine Anzahlung auf ein Haus zu sparen. Moran begrüßte diese Regelung nicht. Während sie im Haus war, verbrachte er ganze Tage auf den Feldern oder im Schuppen, und die Atmosphäre war angespannt, wenn er und die kleinen Kinder im Haus zusammen waren. Sie reiste nach zwei Monaten wieder ab, zu stolz und abhängig, um irgend etwas, das mit Great Meadow zu tun haben könnte, für ihre verfrühte Abreise verantwortlich zu machen. Sie hatte vor, für die üblichen drei Wochen im Sommer zurückzukommen. Wieder in London entdeckte Maggie, daß Mark, während sie fort gewesen war, seinen ganzen Lohn vertrunken und keinen Pfennig gespart hatte. Sie gab die Kinder in eine Kindertagesstätte und arbeitete wieder ganztags als Krankenschwester. Von da an hatte sie immer ihr eigenes Geld.

»Maggie und ihre Kinder sind wieder nach London gefahren. Sie konnten selbstverständlich solange, wie es nötig war, hier bei Rose und mir bleiben«, schrieb Moran in einem Brief. »Aber ich bin sehr froh, daß sie wieder bei Mark ist. Der Platz einer Frau ist an der Seite ihres Mannes.«

Auch Sheila kam regelmäßig nach Hause, aber ihre Besuche waren immer mit Bedacht geplant. Sie kam mit Mona am Wochenende, mit Sean oder wenn Maggie aus London nach Hause kam. Sie hatte drei Kinder in drei Jahren bekommen und damit die perfekteste Entschuldigung, wenn Moran sich beklagte, daß sie nicht so häufig kam wie die anderen. Ihre alte Wut auf Moran zeigte sich sofort, wenn er sich durchsetzen wollte. Sie konnte es überhaupt nicht ertragen, wenn er eins ihrer Kinder anschrie.

»Diese Kinder benehmen sich ja, als wären sie im Busch aufgewachsen«, brüllte er sie während eines Besuchs an, als ihm deren ungebremste Spielfreude auf die Nerven ging.

»Nun, dann gehen sie eben wieder zurück in den Busch«, entgegnete sie wütend, trommelte ihre Kinder zusammen und fuhr ab.

»Es war wirklich nicht nötig, das bißchen Geschrei so ernst zu nehmen«, sagte Moran, aber sie brachte ihre Kinder, bis auf kurze Stippvisiten, nie wieder mit nach Hause. Sie waren intelligent und zutraulich. Sie wollte nicht, daß diese Zutraulichkeit durch irgend etwas Schaden litt, so wie es ihrem Empfinden nach bei ihr geschehen war. Sie wußte, daß ihre Loyalität wahrscheinlich zweideutig war, daß sie im Grunde ihres Herzens an ihre Schwestern, an diesen Mann und dieses Haus gebunden war. Das war nicht mehr zu ändern; aber sie wollte nicht, daß das auch ihre Kinder betraf: Türen, die ihr verschlossen geblieben waren, sollten ihnen offenstehen, ihr Leben sollte anders sein.

Etwas sporadischer kam auch Michael nach Hause. Gewöhnlich kam er ohne Vorankündigung. Moran versuchte nicht mehr, ihn seinem Willen zu unterwerfen, und überließ ihn, froh, daß er überhaupt kam, gern sich selbst. Einige seiner Gesten und Eigenheiten hatte er deutlich vom Vater, aber in seinem Wesen lag nichts Dunkles. Manchmal kam er und stürzte sich willig auf die Arbeit auf dem Hof, wobei er an einem Tag so viel schaffte wie Moran in einer Woche, und dann verschwand er wieder so plötzlich, wie er gekommen war. »Er hat mir im Torfmoor geholfen. Er hat Rose und mich eine Woche lang aufgeheitert. Michael war wunderbar«, schrieb Moran an Maggie nach einem dieser plötzlichen Besuche.

Ähnlich unvermittelt, wie er die Schule und dann Great Meadow verlassen hatte, heiratete er auch. In Dublin hatte er sich an seine Schwestern gehalten, in London hielt er sich an seinen Bruder.

»Was will sie?« fragte Luke, als Michael ihm erzählte, daß er eine Engländerin kennengelernt hatte, eine Lehrerin, und daß sie schwanger war.

»Sie möchte mich heiraten, natürlich.«

»Was willst du machen?«

»Ich weiß es nicht. Sie ist achtundzwanzig.«

»Das macht überhaupt nichts, wenn du sie magst. Ihr könnt zusammenleben, bis das Kind geboren ist, wenn du nicht sicher bist. Dann könnt ihr euch beide überlegen, was ihr machen wollt.«

»Das würde sie nie akzeptieren. Sie ist Engländerin, aber katholisch. In mancher Hinsicht sind die noch viel strenger als wir.«

»So streng kann sie auch wieder nicht sein«, sagte Luke trocken, änderte aber seinen Ton, als er das Unbehagen seines Bruders sah. »Was magst du denn an diesem Mädchen?«

»Sie ist die erste, bei der ich mich wichtig fühle«, sagte Michael gefühlvoll, und jetzt war es der ältere Bruder, dem das peinlich war.

»Glaubst du, daß es in Ordnung geht, wenn wir heiraten?« fragte Michael.

»Aber natürlich glaube ich das. Wenn ihr beide das wollt.«

»Sollte ich unsern Vater fragen?«

»Nur, wenn du willst. Ich würde es einfach machen, wenn ich du wäre. Wie heißt sie denn?«

»Ann Smith. Die Schwestern werden das nicht mögen, das ist schon mal sicher«, er kicherte glücklich.

Sie war eine dunkle, hübsche Frau, sehr entschieden auf ihre Art und sichtlich in Michael vernarrt. Ihre ganze englische Familie kam geschlossen zur Hochzeit, und an jenem Tag bekamen alle Morans in unterschiedlicher Form zu spüren, was sie waren – nämlich Einwanderer. Mona und Sheila kamen zur Hochzeit nach London. Alle Mädchen waren gegen Ann Smith. Sie suchten nach Fehlern, aber der eigentliche Makel war, daß sie sie als Eindringling betrachteten, den sie nie in ihren kleinen Kreis hineinlassen würden. Sie war die Einwanderin in der Familie. Michael nahm sie direkt von der Hochzeit mit nach Great Meadow.

Wegen seiner Jugend, seiner Vergangenheit und seiner allgemeinen Sprunghaftigkeit wurde die Nachricht, daß Michael eine englische Lehrerin heiratete, mit heiterem Unglauben aufgenommen.

»Armer Michael«, lachte Rose liebevoll. »Ich kann ihn mir schwerlich als Familienoberhaupt vorstellen.«

»Solche wie er sind oft die besten«, meinte Moran. Sie beide mochten Ann Smith und wollten auf die kritischen Kommentare der Mädchen nicht hören.

»Sie ist in einem guten, vernünftigen Alter. Es würde doch nichts bringen, wenn Michael – Gott verzeih mir – sich noch so einen Spaßvogel wie sich selbst zulegen würde. Sie war bis jetzt halt mit ihrem Examen und mit Diplomen beschäftigt. Sie wird sie beide durchbringen können, während er seine Prüfungen ablegt. Wenn man es recht bedenkt, ist der arme Kerl doch auf die Füße gefallen, oder?« meinte Rose launig und voller Zuneigung.

»Wenn sie Michael gefällt, dann gefällt sie mir ganz gewiß auch«, erklärte Moran. »Und für mich ist sie einfach eine Tochter mehr.« Die Mädchen hörten schweigend an, was sie niemals akzeptieren könnten. Sie waren dazu erzogen worden, die Außenwelt eisern auf Distanz zu halten, und jetzt lud ihr Vater sie in sein Haus ein.

Moran war mit seiner Kleidung merklich nachlässig geworden, er, der sich immer mit soviel Sorgfalt für die Stadt oder die Kirche gekleidet hatte, als ginge er hinaus, um es mit der ganzen Welt aufzunehmen, und nun bedurfte es Roses ganzer Aufmerksamkeit, damit er präsentabel blieb. Sie hatten jetzt zwei Renten, die Altersrente und die Militärpension. Ob das Heu geerntet wurde oder nicht, verlor zunehmend an Bedeutung. Der Großteil des Viehs wurde verkauft, bevor das Gras welkte, und die wenigen Tiere, die sie noch behielten, ernährten sich von dem, was sie unter Hecken auf den Feldern finden konnten. Ein Schneefall, bei dem ihre Nachbarn sich um Schuppen und Futter sorgen mußten, wurde zur willkommenen Unterbrechung, die ihnen die Zeit vertrieb. In dieser gedämpften Welt, während die weißen Plains über ihnen glitzerten, fällten sie kleine Bäume, die mit Efeu bewachsen waren, und sie standen ganz erhitzt von der Anstrengung in der trockenen Luft und schauten zu, wie das Vieh hungrig an den dunklen Efeublättern zupfte. Sie hatten jetzt reichlich Geld – Rose erinnerte ihn immer wieder daran –, und sie mußten nicht länger auf ihrem Land schuften. Sie hatten mehr Geld, als sie brauchten, mehr Geld, als sie ausgeben konnten, mehr Geld, als sie noch Leben hatten, aber das konnte Moran nicht beruhigen. Er verbrachte an den Abenden oft Stunden damit, zusammenzurechnen, was er besaß, wie hoch seine Ausgaben waren und welche Verluste sie hatten.

Er begann wieder Briefe zu schreiben. Es verstrich nicht eine Woche, in der er nicht an Maggie in London oder an Michael schrieb. Er ging immer noch zum Postamt, um Briefe abzuschicken und seine Post abzuholen, aber Rose fuhr ihn hin und wartete draußen im Wagen. Annie und Lizzie führten nach wie vor das Postamt, und es glänzte noch immer vor Sauberkeit. Ihre Abneigung gegen Schmutz hatte inzwischen Gesetzeskraft erlangt, und alle, die schmutzige Stiefel oder Gummistiefel trugen, versuchten inzwischen gar nicht mehr, das Postamt zu betreten, sondern wickelten ihre Geschäfte von draußen ab, wobei die Tür für ihre Aufträge und das Geld, das sie bezahlen mußten, geöffnet wurde und wieder geöffnet wurde für die Lebensmittel oder Briefe oder das Kleingeld, das ihnen die Kunden mit sauberen Schuhen, die drinnen warteten, hinausreichten. Der Fußboden war unglaublich abgetragen, aber er hatte den sanften, weißen Glanz von Kiefernholz angenommen, das unzählige Male geschrubbt worden ist. Annie und Moran achteten in Gegenwart des anderen auf sorgfältige Neutralität. Inzwischen kannten sie sich zu gut, aber sobald er den kleinen Raum verlassen hatte, konnte man nicht mehr für ihn garantieren. Das konnte man nur für sehr wenige.

»Wie geht's denn Mr. Moran im Augenblick?« fragte ein Kunde hinterlistig, sobald er gegangen war.

»Nicht gut. Es ist ihm nie gutgegangen, aber er hat sich immer gut gehalten, Gott segne ihn«,

Annie hielt ihren Kopf dicht über das Briefmarkenheftchen gebeugt, bis das leise, zustimmende Lachen verstummt war. »Man sagt, es war alles in Ordnung mit ihm, als ihr Hof letzte Woche überflutet wurde, nur daß er *ganze zwei Tage* nicht über sich nachdenken konnte.«

Die Lachsalve kam so unbekümmert und wegwerfend, daß sie mit einem Schlag eine Idee zu zerstören schien, die Moran ihnen sein ganzes Leben lang mit wütender Entschlossenheit hatte aufzwingen wollen.

Damit das Gelächter nicht auch ihre eigene Autorität untergraben konnte, würgte Annie es auch schnell wieder ab. »Vielleicht geht es ihm ja wirklich nicht mehr gut. Ich fürchte, daß er nun den Weg alles Irdischen geht, Gott sei mit uns allen.«

»Weißt du noch, wie wir uns das erste Mal bei Annie getroffen haben?« sagte Rose in Erinnerungen versunken und voller Zuneigung an einem verregneten Abend, als sie vom Postamt wegfuhren.

Er antwortete nicht. Sie schaltete ungeschickt herunter, während sie die schmale Brücke überquerte. »Gott, o Gott, Frau, kannst du dich nicht auf das, was du machst, konzentrieren? Habe ich dir nicht tagaus, tagein gesagt, daß du das Pedal ganz durchdrücken sollst, wenn du nicht das ganze Getriebe kaputtmachen willst?« Seine Abneigung gegen die Vergangenheit war so groß wie eh und je, und der Beginn ihres Zusammenlebens war jetzt Vergangenheit.

»Es tut mir leid. Ich hab' nicht nachgedacht.«

»Na, dann fang jetzt mal damit an. Hast du *überhaupt* schon mal nachgedacht, möchte ich mal wissen. Gelobt sei der Tag, an dem du zu denken anfängst.« Er steigerte sich immer mehr in seine Erbitterung hinein, und sie forderte ihn nicht noch weiter heraus. Sie fuhr im Regen langsam weiter und wünschte sich, daß der Wagen Cox's Hill nie erreichte, wo sie wieder schalten müßte.

An einem verregneten Tag war sie es, die vorschlug, einen Tagesausflug nach Strandhill zu machen. Sie hoffte, das würde seine Rastlosigkeit mildern. Zunächst äußerte er sich abfällig über diesen Vorschlag, aber dann wollte er doch plötzlich fahren. Sie nahmen eine Thermoskanne Tee und Sandwichs mit. Sie liefen einen Teil des Golfplatzes ab. Sie sahen sich Geschäfte an. Sie saßen im Auto, tranken Tee und sahen zu, wie das Meer zurückging. Bevor sie wieder zurückfuhren, bestand er spaßhaft darauf, hinunter ans Wasser zu gehen. Dort bückte er sich, um seine Hand in eine ausrollende Welle zu tauchen, führte sie an die Lippen, um das Salz zu schmecken, und hielt sie dann Rose hin, damit sie es ebenfalls schmeckte.

»Also, das war wirklich ein schöner Ausflug.« Ein Unterton der Erleichterung lag in Roses Stimme, als sie nach Hause kamen.

»Das war besser, als sich den ganzen Tag ohne Grund im Haus einzusperren.«

Bei ihrem nächsten Ausflug fuhren sie nach Norden über die Grenze nach Enniskillen. Immer häufiger griffen sie auf solche Ausflüge zurück, um der Klaustrophobie nicht enden wollender Tage zu entrinnen. Sie waren in ihre Tage eingesperrt. Nach und nach besuchten sie alle Orte und Stellen, an denen Nell Morahan und Michael vor Jahren ihre müßigen Tage verbracht hatten.

Das Bild unveränderlicher Dauer, an das sich die Familie so heftig klammerte, wurde inzwischen teilweise in Frage gestellt durch die Realität, die die unbelehrbare und gleichgültige Außenwelt sah. Statt den Tag in Strandhill und Enniskillen zu verbringen, beschloß Moran, zu seiner Bank zu gehen, um den Rat des Geschäftsführers darüber einzuholen, ob er bestimmte Staatsanleihen, die er besaß, verkaufen oder behalten sollte.

Als Rose und Moran an den Schalter traten, um nach dem Geschäftsführer zu fragen, wußte keiner der Bankangestellten, wer sie waren. Sie wurden gebeten, sich hinzusetzen und vorm Büro des Geschäftsführers zu warten.

»Das ist ja, als wollten wir am Heiligen Abend unbedingt noch die Beichte ablegen«, beklagte sich Moran bei Rose, nachdem bereits lange Zeit vergangen war. »Es kann jetzt nicht mehr lange dauern. Er hat sicher noch etwas anderes zu tun.«

Als der Geschäftsführer herauskam, war er in ein freundliches Gespräch mit einem Kunden vertieft, während er ihn höflich zum Haupteingang führte. Einer der Angestellten am Schalter deutete auf das alte Ehepaar, das wartend auf den Stühlen saß. Als er wiederkam, bat er sie in sein Büro. Er war groß und grauhaarig und kannte sie nicht. Während er nach Morans Akte suchte, klopfte ein Mädchen an und kam mit einer Tasse und Untertasse herein. Sie konnten den Kaffee riechen. Zwei Feigenrollen lagen auf dem Rand der Untertasse. Dann klingelte das Telefon. Als der Geschäftsführer merkte, wer der Anrufer war, hörte er auf, nach der Akte zu suchen, und zog seinen Stuhl an den Tisch heran. Ein langes Gespräch über eine Golfclub-Wahl setzte ein, währenddessen der Geschäftsführer beide Feigenrollen aß und die Tasse Kaffee trank. Mehrere Male blickte Rose ängstlich Moran an. Wenn so etwas, als sie sich kennenlernten, geschehen wäre, hätte er sich schon längst erhoben und hätte das Büro und die Bank auf der Stelle verlassen. Statt dessen blieb er niedergeschlagen und ein wenig müde sitzen und sah sich nicht um. Er war immer noch da, als der Geschäftsführer den Hörer auflegte und sich entschuldigte. Irgendwie schien er anzunehmen, daß ihre Angelegenheit damit erledigt sei und stand auf, um sie recht gnädig aus dem Büro herauszukomplimentieren. Sie gingen, ohne ein Wort zu sagen. Als sie auf dem Bürgersteig standen, war es Rose, die außer sich vor Wut war.

»Solch ein Benehmen habe ich meinem ganzen Leben noch nicht gesehen.«

»Wen kümmert das denn noch?« sagte Moran. »Niemanden.«

»Doch, mich«, sagte sie voller Leidenschaft.

»Das zählt doch nicht. Heutzutage macht sich doch keiner mehr die Mühe.«

Am Wochenende beklagte sich Rose vor Mona so sehr über den Vorfall, daß Mona in Wut geriet. Sie war entschlossen, sich den Montag frei zu nehmen und zur Bank zu gehen, um sich den Geschäftsführer vorzuknöpfen.

»Ich sag' dir, es hat Zeiten gegeben, da hätte er nicht gewagt, so etwas mit Daddy zu machen. Wenn ich mit dem fertig bin, dann weiß er aber Bescheid. Und ich werd' dem was erzählen.«

»Verschwende doch nicht den ganzen Tag an den«, jetzt erteilte Rose schon wieder Ratschläge. »Laß ihn doch. Wenn er so dumm ist, dann bringst du ihm ja nur kostenlos was bei«, und sie verfiel wieder in ihr altes Lachen.

»Es hat Zeiten gegeben, da hätte Daddy ihn aber ziemlich schnell abgewürgt.«

»Ich werde ihm was erzählen«, sagte Mona. Aber sie tat es nie.

Während der langen Abende, an denen er wieder einmal ausrechnete, wieviel Geld er hatte, oder an Michael schrieb oder an Michaels Frau oder eins der Mädchen, sagte er immer wieder zu Rose, daß er das Gefühl hätte, nur bei einem seiner Kinder wirklich versagt zu haben, und daß ihn das mehr als alles, was er sonst in seinem Leben getan hätte, belastete.

»Ich glaube, er denkt, daß ich ihm etwas angetan oder ihm geschadet habe.«

»Du weißt, daß das nicht stimmt. Luke hat diese Dinge immer zu persönlich genommen. Differenzen gibt es in jeder Familie, aber niemand schenkt ihnen soviel Beachtung wie er«, sagte Rose.

»Ich würde ihn gern sehen, aber ich weiß, daß er nicht kommen würde. Ich habe nichts gegen ihn. Ich für meinen Teil verzeihe ihm alles. Wenn ich ihm das schreibe, dann hätte ich wenigstens das Gefühl, daß der Fehler nicht bei mir liegt. Ich hätte ihn nicht mehr auf dem Gewissen.«

Er verbrachte mehrere Abende damit, den Brief zu schreiben. Etwas von seinem alten Feuer und Zorn kehrte wieder, als er ihn schrieb. Der fertige Brief war kurz. Er zeigte ihn Rose nicht. »Es gab Zeiten in meinem Leben, da habe ich an meinem Verstand gezweifelt«, begann er. »Sie sind alle verrückt außer mir und dir, und ich zweifle an mir. Rose meint, daß wir so gut oder schlecht wie alle anderen sind, und mein Leben ist jetzt nicht mehr lang genug, um noch irgendeinen Groll zu hegen, echten oder bloß eingebildeten. Meine Fähigkeiten zählen jetzt nicht mehr. Ich will es mal so sagen, ich wollte dir in der Vergangenheit nicht schaden und möchte es auch in Zukunft nicht, und wenn ich dir doch in Gedanken, Worten oder Taten geschadet habe, so tut mir das leid. Die Narzissen sind fast aufgeblüht und auch Sträucher, Blumen, Obst und so weiter. Es wird bald Zeit zum Pflanzen sein. Müde jetzt und auch von diesem Gedanken, wen das alles überhaupt kümmert. Daddy.«

Er stirbt wohl bald, dachte Luke, nachdem er den Brief gelesen hatte. Er legte ihn zunächst beiseite, aber nachdem er ihn noch einmal gelesen hatte, fühlte er für Moran, was er für jeden Sterblichen empfunden hätte, und antwortete ihm voller Güte. Er empfand keine Bitterkeit, keinen Vorwurf. Es gab nichts zu vergeben. Es tat ihm leid, und er bat darum, daß er ihm verzieh, sollte er ihn verletzt haben. Das ist zwar nicht das, was er möchte, aber es muß genügen, dachte er.

Maggie rief ihn an und sagte, daß sie nach Hause führe, und wollte, daß Luke mitkäme. Sie fuhren alle zum Monaghan Day nach Great Meadow. »Daddy geht es nicht gut. Weißt du noch, wie McQuaid vor langer Zeit immer am Monaghan Day zu uns kam? Wir haben das Gefühl, es könnte Daddy wieder aufrichten, wenn wir alle kommen. Rose sagte, daß es ihm viel besser ging, nachdem wir Weihnachten dagewesen waren.«

»Das würde nichts bringen«, sagte Luke. »Ich kann nicht hinfahren.«

»Er möchte dich sehen.«

»Er hat mir einen Brief geschrieben.«

»Ich weiß.«

»Ich habe ihm geantwortet.«

»Er hat den Brief noch nicht bekommen.«

»Ich habe ihm so geschrieben, wie er mir geschrieben hat. Ich bin nicht verbittert. Ich habe nichts gegen ihn.«

»Warum kannst du dann nicht mit uns nach Hause fahren?«

»Das würde nichts bringen. Wir kommen nicht miteinander aus.«

»Du hast es nie richtig versucht.«

»Jetzt ist es zu spät.«

»Du bist keine Hilfe. Du bist uns allen überhaupt keine Hilfe.«

Moran konnte sich nicht über mangelnde Aufmerksamkeit beklagen. Alle Mädchen kamen nach Hause und kamen wieder und wieder. Sie richteten sich den ganzen Sommer so ein, daß Rose so wenig wie möglich allein war. Michael, seine Frau und ihre zwei Kinder kamen im August. Als der Sommer vorüber war, kam Mona jedes Wochenende aus Dublin. Sheila kam ebenfalls, wann immer sie konnte. Moran wurde schwächer. Er hatte eine Reihe kleinerer Schlaganfälle. Sie hatten allmählich das Gefühl, daß dieser einst so mächtige Mann, der so sehr Teil ihres Lebens war, ihnen jeden Moment entgleiten und sich in Luft auflösen könnte. Sie kamen alle zu Weihnachten, und dann beschlossen sie, Ende Februar wiederzukommen, um den Monaghan Day wieder aufleben zu lassen. Sie erklärten Rose, wie McQuaid immer zu einem prächtigen Abendbrot gekommen war, erinnerten an die Nervosität, die Aufregung, den Glanz der Geschichten, den Whiskey, den McQuaid trank.

Rose hatte von Anfang an ihre Bedenken bei dieser Idee. Sie konnte nicht einsehen, wie durch das bloße Wiederaufleben eines Tages, von dem sie selbst bis dahin noch nie gehört hatte, ein Wunder geschehen sollte, aber die Mädchen klammerten sich so sehr an diese Idee, daß Rose das Gefühl hatte, ihnen nicht im Wege stehen zu dürfen. Sie wollten, daß es eine Überraschung sei. Wider alle Vernunft glaubten sie, daß sie seinen langsamen

Verfall ungeschehen machen und seine alte Energie mit einem Schlag zurückbringen könnten.

Sie kamen zum Monaghan Day. Sie brachten ihm Handschuhe für seine kalten Hände mit. Als Anerkennung dafür, daß sie so weit für ihn gereist waren, brach er sein Embargo über die Vergangenheit und sprach über den Krieg, McQuaid und die vergangenen Monaghan Days. Am Schluß des Rosenkranzes, der den Tag abrundete, betete er für die Seele von James McQuaid; aber der Versuch, mit dem Tag auch Moran aufleben zu lassen, war vergeblich gewesen.

Daß es ihnen mißlungen war, irgend etwas zu ändern, steigerte nur ihre Entschlossenheit, ihn nicht entgleiten zu lassen. Sie waren allmählich häufiger in Great Meadow als bei sich zu Hause. Sie mußten gedämpfte Klagen über vernachlässigte Kinder und die steigenden Kosten von Maggies Flugtickets über sich ergehen lassen; aber wenn sie sich mit irgend etwas konfrontiert sahen, das ihre Sorge um Moran störte, wurden sie so wütend, daß die Vorwürfe jedesmal fallengelassen wurden, denn angesichts ihrer tiefen Unruhe war es leichter, Einwände von der Art des gesunden Menschenverstandes gänzlich zu mißachten: Flugtickets konnte man auch später noch bezahlen, Arbeitsstunden konnte man später noch abgelten. Sie waren durch seine Krankheit so verbunden, daß sie das Gefühl hatten, zusammen fast mächtig zu sein. Der Instinkt war so stark, daß sie glaubten, sie könnten ihren geliebten Vater zwingen, am

Leben zu bleiben, wenn es ihnen bloß gelänge, gemeinsam seinen Willen umzudrehen. Da sie über die Macht zu gebären verfügten, war es nicht einzusehen, warum sie dieses Leben nicht auch vom Tode befreien konnten. Zum ersten Mal in seinem Leben begann Moran sich vor ihnen zu fürchten.

»Du mußt ein bißchen mehr auf dich achten, Daddy. Du mußt dich einfach zusammenreißen und gesund werden.«

»Wen kümmert das denn? Wen kümmert das denn überhaupt?«

Sie hatten das Gefühl, daß er sein Leben nur ihnen überantworten müßte und sie ihn dann schon wieder gesund machen würden. Das widersprach völlig der Art, wie er sein Leben geführt hatte. Er hatte sich nie in seinem ganzen Leben in irgendeiner Weise einem anderen gebeugt. Jetzt wollte er fliehen, dem Haus entfliehen, dem Zimmer, ihrem Drängen, daß es ihm besser gehen solle, seiner Krankheit. Als er das erste Mal verschwand, brach Panik aus. Sie suchten im Badezimmer, in allen anderen Zimmern, und als sie die steinerne Diele erreichten, sahen sie, daß die Haustür offenstand.

Sie fanden ihn, wie er sich völlig erschöpft auf einen Holzpfahl hinterm Haus stützte und auf die leere Wiese hinausstarrte. Er sagte nichts, als sie ihn zurück zum Haus führten. Sie hielten es für eine launenhafte Ungezogenheit, mit der er ihre Wachsamkeit testen wollte. Sie paßten danach noch besser auf ihn auf, aber trotz ihrer Aufmerksamkeit entwischte er ihnen manchmal auf die Felder, immer in die gleiche Richtung. Vorbei an dem alten Birnbaum, dessen strahlend weiße Blüten sich von der Mauer abzeichneten, an den verwelkten und verfilzten Brennesseln vom letzten Jahr in der verlassenen Mähmaschine unter dem Baum, dem Wellblechdach des Schuppens, den er als Werkstatt für verregnete Tage gebaut hatte, und hinaus auf die Wiese. Sie war nicht länger kahl, sondern füllte sich mit frischem Bewuchs, einem zarten blauen Schimmer im saftigen Grün des jungen Grases. Zu sterben hieß, dies alles nie wieder sehen zu können. Es würde in den Augen der anderen weiterleben, aber nicht in seinen. Er hatte, solange er selbstsicher mitten im Leben gestanden hatte, die erstaunliche Pracht gar nicht bemerkt, von der er ein Teil war. Er hörte, wie sein Name verzweifelt gerufen wurde. Dann wurde er ausgeschimpft und zurück ins Haus gebracht. Er blieb trotzig vor der Tür stehen. »Ich wußte gar nicht, wie schwer es ist, zu sterben«, sagte er nur.

Einen Tag später kam der Priester ins Haus, um ihm die Beichte abzunehmen, ihm die Kommunion und die Letzte Ölung zu erteilen. »Ich habe noch nie einen Priester getroffen, der keine Angst vor dem Tod hatte. Was bedeutet das deiner Meinung nach?« sagte er zu Rose.

»Vielleicht werden sie deshalb Priester.«

»Was soll ihnen das denn bringen?«

»Auf die Art sichern sie sich ihren Platz im Himmel.«

»Dann sollten sie keine Angst vorm Tod haben.«

»Ich nehme an, alle haben Angst.«

»Wenn sie glauben würden, was sie predigen, dann sollten sie keine Angst haben. Aber wer weiß das schon? Und wen kümmert es?«

Eines Abends, als Mona an seinem Bett saß und dachte, daß er schlief, überraschte er sie mit der Frage: »Glaubst du, daß es mit mir zu Ende geht, Mona?«

»Natürlich nicht«, rügte sie ihn überrascht. »Du mußt dir aber ein bißchen Mühe geben, wenn du möchtest, daß wir dich wieder auf die Beine bringen. Auf die Wiese gehen und gucken wollen, ist aber überhaupt keine Hilfe.«

Eines Abends, es war schon spät, sagte Mona zu Rose: »Ich frage mich, warum Daddy unbedingt auf die Wiese möchte. Er hält immer an der gleichen Stelle Ausschau. Irgend etwas muß er dort sehen.« Und ohne es zu wollen, fingen beide Frauen plötzlich an zu weinen.

Die Mädchen mußten zu ihren eigenen Familien zurückkehren. Es ging ihm immer schlechter. Das braune Habit wurde gekauft, ins Haus gebracht und versteckt. Als die Mädchen wiederkamen und sahen, in welchem Zustand er war, gaben sie den Gedanken vollkommen auf, solange er noch lebte, wieder abzureisen. Sie baten Michael, zu kommen, und er kam mit seinem Sohn.

Es gibt Menschen, die sich, wenn es ans Sterben geht, wehren und delirieren, andere, die daraus eine große Anstrengung machen wie bei einer schweren Geburt, aber Moran glitt ganz allmählich aus dem Leben. Er verging einfach vor ihren Augen. Sie hatten sich alle um ihn versammelt.

»Warum betet ihr denn nicht?« fragte er, als ob er wüßte, daß er nun dahinschwand.

Sie fielen sofort um das Bett herum auf die Knie.

»Herr, öffne mir die Lippen«, begann Rose.

Tränen liefen ihnen über die Gesichter, als sie die »Vaterunser« und »Ave Maria« wiederholten. Maggie hatte ihre Geheimnisse begonnen, als sie merkten, daß Moran zu sprechen versuchte. Sie hielt inne, und im Zimmer wurde es still. Das leise Flüstern war unmißverständlich: *›Halt den Mund!‹* Sie sahen sich ängstlich und verwirrt an, aber Rose nickte Maggie heftig zu, den geflüsterten Befehl zu ignorieren und weiterzumachen. Es gelang ihr, sich zurück in den Rhythmus der Gebete zu kämpfen, als Mona ausrief: »Daddy ist tot!« Sie standen auf und beugten sich über das Bett. Laut weinend umarmten sich Maggie und Sheila, und Mona rannte wütend aus dem Zimmer, knallte dabei mit den Türen und schrie: »Wir hätten diesem Arzt heute morgen nicht erlauben dürfen, ihm die Spritze zu geben.« Rose wandte sich an Maggie: »Kannst du vielleicht hinter Mona herlaufen und gucken, ob mit ihr alles in Ordnung ist. Das müßte Michaels Wagen am Tor sein, glaube ich.«

Etwas von diesem Zorn über seinen Tod schlug Michael sogleich entgegen, als er in die Diele kam. Weil er bei allem, was geschah, außen vor gelassen wurde, hatte er sich zunehmend gelangweilt und war mit seinem Sohn in die Stadt gefahren. »Das sind ja nette Manieren. Du konntest nicht mal im Haus sein, als Papa uns verlassen hat.« Er verstand zunächst nicht, was geschehen war, und hob in einer scherzhaften Geste der Kapitulation vor diesen wilden und unmöglichen Frauen die Hände, wurde aber sehr blaß und still, als er begriff, daß sein Vater gerade gestorben war. Sanft öffnete Rose die Tür zu dem Zimmer, und er nickte ihr schweigend zu und ging hinein. Dann nahm sie seinen Sohn bei der Hand. Das Kind und die Frau gingen von Zimmer zu Zimmer, bis sie jede Uhr im Haus angehalten und jeden Spiegel verhängt hatten.

Es war ein Segen, daß so viele praktische Dinge schnell erledigt werden mußten. Woods mußte herbestellt werden, um die Leiche aufzubahren. Für Besucher mußten Whiskey, Sherry und Stout gekauft und Sandwichs gemacht, der Priester und der Arzt mußten verständigt werden. Rose bestand darauf, selbst zum Beerdigungsinstitut zu gehen. Sie schaute sich all die Särge im Ausstellungsraum an und wählte den teuersten aus, einen wunderschönen Eichensarg. Ein Grab mußte ausgehoben werden. Unter den Mädchen gab es einen Streit darüber, ob Luke benachrichtigt werden sollte oder nicht. Sie schickten ihm ein Telegramm, aber er antwortete nicht und kam auch nicht.

Als Woods ins Haus kam, wurde das Franziskanerhabit aus dem Versteck geholt. Die Tür zu dem Zimmer war geschlossen, während er die Leiche aufbahrte. Sein Rosenkranz wurde aus dem kleinen schwarzen Täschchen geholt und ihm durch die Finger geflochten, die auf der Brust über dem braunen Habit gefaltet waren.

Einzeln und zu zweit kamen den ganzen Abend über Besucher in das still gewordene Haus. Sie murmelten »Mein Beileid«, als sie Rose, Michael und den drei Mädchen die Hände schüttelten, bekreuzigten sich, als sie das Zimmer betraten, knieten am Fuß des Bettes nieder und berührten, wenn sie sich erhoben, in einer Geste des Abschiednehmens die Hände oder die Stirn des Toten. Dann saßen sie auf Sesseln am Bett und bekamen Whiskey, Bier, Wein oder Tee angeboten. Nur wenige der Besucher waren vorher schon mal im Haus gewesen, und sie schauten sich nun mit unverhohlener Neugierde um.

Die ganze Nacht über hielten sie an seiner Seite die Totenwache. Die Zeit hätte wie die Uhren eigentlich stillstehen sollen, aber statt dessen rückte sie auch ohne ihr aufdringliches Ticken in einem glasigen Traum der Müdigkeit weiter. Der Morgen breitete sich allmählich auf den Feldern aus. Auch den ganzen Tag über kamen Besucher ins Haus. Um sechs würde die Leiche zur Kirche gebracht werden. Je näher sechs Uhr rückte, desto mehr schien die Zeit zu rasen.

Der Leichenwagen kam und bog ins Holztor ein. Draußen auf der Straße hatte sich eine Autoschlange gebildet. Der leere Sarg wurde hereingetragen. Das Haus war geschlossen.

Sie mußten alle ins Zimmer gehen, um einen letzten Blick auf ihn zu werfen. Sie würden ihn in dieser Welt nie wiedersehen, aber er war auch schon von ihnen gegangen. Dann wurde der Sarg ins Zimmer getragen und neben dem Bett auf Stühle gestellt. Die Tür zum Zimmer wurde zugemacht. Jemand begann mit Gebeten aus dem Rosenkranz, und sie wurden von denen aufgegriffen, die draußen auf dem kleinen Rasen zwischen den Blumenbeeten direkt vor der Tür standen. Im Haus ertönte ein Schrei, als der schwere, geschlossene Sarg langsam aus dem Zimmer transportiert wurde. Die Haustür wurde geöffnet. Man trug den Sarg zur offenen Tür des Leichenwagens. Der Leichenwagen bewegte sich im Schneckentempo zum Eisentor und bog unterhalb der Eibe nach rechts ab. Die ganze Nacht lang würde der Sarg vor dem Hochaltar stehen, nur ein paar Meter von der Stelle entfernt, wo er an dem Tag, an dem er Rose geheiratet hatte, so ungeduldig auf seinen Trauzeugen gewartet hatte.

Es war ein herzzerreißend lieblicher Maiabend, als sie von der Kirche zurückkamen, aber sie konnten es nicht ertragen, in diesem Licht zwischen den Bäumen herumzulaufen. Sie gingen im Haus herum, um nacheinander die Rolläden hochzulassen, und dann machten sie Tee.

»Meine Hand fühlt sich an, als wäre sie durch die Mangel gedreht worden«, sagte Mona.

»Meine fühlte sich auch nicht besser an. Ich dachte, die Schlange hört nie auf. Ein paar von den Händen waren wie Schaufeln«, sagte Sheila.

»Die wollen einem so einen richtig schönen, freundlich-kräftigen Händedruck verpassen«, Rose hatte sich am meisten im Griff, lachte jetzt sogar ihr leises, heiteres Lachen. »Sie denken wahrscheinlich, daß man glaubt, sie meinten es nicht so, wenn sie einem nicht schön hart und freundlich die Hand schütteln.«

»Die armen Teufel meinen es doch nur gut«, sagte Michael aggressiv, aber sie gingen nicht darauf ein.

Es gab noch mehr zu regeln. Seans und Sheilas Kinder wollten am nächsten Morgen zur Beerdigung kommen. Eine Diskussion darüber, wo sie schlafen sollten, falls sie über Nacht bleiben wollten, entspann sich. Bevor das Gespräch richtig in Gang kam, sagte Sheila, daß sie alle auf jeden Fall nach der Beerdigung zurückführen. Sie waren alle benommen vor Müdigkeit, aber niemand wollte ins Bett gehen. Sie redeten immer weiter und machten sich einen Becher Tee nach dem anderen, als hätten sie Angst, den Tag entschwinden zu lassen.

Nach dem morgendlichen Hochamt begruben sie ihn in einer frischen Grabstelle unter einer Eibe. Die Vögel sangen in ihren Revieren hoch auf den Ästen der Eichen, Eschen und Nadelbäume, und kleine Zaunkönige und Rotkehlchen flatterten an der niedrigen Friedhofsmauer hin und her. Die Plains waren in Sonnenlicht getaucht, und auf allen Wiesen zwischen den Steinmauern weidete das freilaufende Vieh gierig das erste Gras ab.

Während des ganzen Hochamtes und der langsamen Beerdigung bedeckte eine verblichene Trikolore den Sarg, und als der Sarg am Grabesrand stand, kam ein kleiner Mann mit einem braunen Filzhut, so alt und steif, daß er schon mit Fionn und Oisin gekämpft haben könnte, aus der Menge hervor. Mit tiefem Respekt nahm er den Hut ab, bevor er die zerschlissene Fahne zusammenfaltete, und mit ihr trat er wieder in die Menge zurück. Es gab keine Ehrenkompanie.

Als der glänzende, verzierte Eichensarg an Seilen ins Grab gesenkt wurde, hörte man jemanden so laut flüstern, daß einige in der Menge sich umsahen: »Der Mann wäre glatt gestorben, wenn er gesehen hätte, daß soviel Geld mit ihm in die Grube fährt.«

Zwei Politiker aus dem Ort, die während des ganzen Begräbnisses darum gewetteifert hatten, wer sich besser in den Vordergrund rücken konnte, ließen jetzt, als die Gebete begannen, wieder von der Menge ab. Sie gingen zur Friedhofsmauer und lehnten sich in freundlicher und verschwörerischer Kumpanei zusammen über die Steine, wobei sie sich manchmal umdrehten und auf die Menge, die sich um das Grab versammelt hatte, mit unverhohlener Verachtung zurückschauten.

Rose, umgeben von den Mädchen, trat vom Grab weg. Michael stand etwas abseits mit seinem Sohn neben Sean Flynn und Mark O'Donoghue, der den ganzen Weg aus London gekommen war. Das Alter hatte Mark den Elvis-Look genommen, und bis auf sein verwittertes Gesicht hätte er genauso ein Beamter sein können wie Sean. Die Männer folgten den leidtragenden Frauen unschlüssig, in respektvoller Entfernung, zum Ausgang des Friedhofs, unsicher darüber, wo in dieser Trauer ihr Platz war.

Aber als die kleine, dichte Gruppe schmerzerfüllter Frauen langsam den Friedhof verließ, schienen sie mit jedem Schritt neue Kraft zu gewinnen. Es war, als hätten sie ihre Liebe und Treue zuerst und ohne Einschränkung dieser einen Familie und diesem einen Mann versprochen und als wüßten sie, daß er immer und in jeder Phase ihres Lebens ganz im Mittelpunkt gestanden hatte. Sie hatten diesen Schwur nicht nur nie gebrochen, sondern sie erneuerten ihn jetzt ein zweites Mal mit dieser anderen Frau, die zu ihnen gestoßen war und ihn geheiratet hatte. Ihre regelmäßigen Besuche zu Hause hatten diesen Schwur immer wieder bekräftigt, und nun, als sie ihn unter der Eibe verließen, war es, als wäre jede von ihnen auf unterschiedliche Weise selbst zu Daddy geworden.

»Er ist vielleicht heimgegangen, aber er wird immer bei uns sein«, Maggie sprach für sie alle. »Er wird uns jetzt nie mehr verlassen.«

»Armer Daddy«, sagte Rose geistesabwesend vor sich hin, bevor sie sich wieder aufrüttelte und strahlend den Mädchen zuwandte.

Am Tor hielten sie entschlossen inne, um auf die Männer zu warten, die auf dem Weg ziemlich weit hinter ihnen zurückgeblieben waren und, umgeben von ihren Kindern, schwatzten und vergnügt miteinander lachten.

»Nun guckt euch mal die Männer an. Die wirken ja eher wie eine Horde Frauen«, bemerkte Sheila angesichts der frivolen Langsamkeit ihrer Schritte. »So wie Michael, dieser Spaßvogel, Sean und Mark zum Lachen bringt, denkt man doch, die kommen gerade vom Tanzen.«

HENRY GREEN

Blindsein

Roman. Aus dem Englischen
von Walter Schürenberg.
304 Seiten, Leinen, DM 38,00

*

John Haye will Schriftsteller werden. Er ist seinen Altersgenossen im Gymnasium weit voraus, und das stempelt ihn zum Außenseiter. Ein fast absurder Unfall läßt den jungen Mann für immer erblinden. Er kehrt in den Schoß der Familie zurück, wo er dem hilflosen Mitleid seiner Angehörigen ausgesetzt ist. Die Mutter verschweigt ihm zunächst den Ernst der Lage, die Krankenschwester geht so weit, ihn tragen zu wollen, aus Angst, daß sich ihr Patient verletzen könnte, und die alte Kinderfrau läßt sich nur schwer daran hindern, John zu füttern wie ein kleines Kind. Der Umzug vom Land in die Stadt weckt in ihm die Hoffnung, diese Entmündigung zu überwinden. Aber es bleibt offen, ob er seine alte Durchsetzungskraft wiedererlangt und wirklich in London mit dem Schreiben beginnt. Greens erster Roman überzeugt durch die scharfsichtige Schilderung einer menschlichen Grenzerfahrung.

GEORGE TABORI

Ein guter Mord

Roman
Herausgegeben und mit einem
Nachwort von Wend Kässens.
Aus dem Englischen von
Ursula Grützmacher-Tabori.
256 Seiten, Leinen, DM 38,00

*

Tristan Manasse, Pensionsbesitzer in Kairo, beklagt den Tod seiner Frau Adela, die er eines Morgens leblos in der Badewanne auffindet. In seinem Monolog versucht er die Gründe für diesen Selbstmord ausfindig zu machen, doch der unschuldige Ton des Rechenschaftsberichts schlägt plötzlich um: »Man schreibt, um zu gestehen ... Warum habe ich Adela umgebracht?« Wie in einer Tiefenanalyse werden immer neue Motive aufgefächert, bröckelt die Fassade einer einträchtig-symbiotischen Ehe und des liebevollen Gatten. Der Romancier George Tabori ist im deutschsprachigen Raum noch zu entdecken. In den vierziger Jahren schrieb er vier hierzulande unbekannte Romane; »Ein guter Mord« besticht durch seine atmosphärische Dichte und psychologische Raffinesse.

SARAH KIRSCH

Spreu

Prosa mit Illustrationen
von Sarah Kirsch.
Reihe Ränder · Band 9,
88 Seiten, Leinen, DM 24,00

*

»Spreu« nennt Sarah Kirsch ihre tagebuchartigen Notizen von Lesereisen, die sie durch die Bundesrepublik unternommen hat. Es sind dies Alltagsbeobachtungen in subtil poetischem Ton, zugleich epische und lyrische Texte, deren Reiz nicht in Strophen oder Reimen liegt, sondern in ausgewogenen Bildern und Klängen. Sarah Kirsch hat diese stimmungsvollen Schilderungen selbst illustriert, mit spielerischen und liebenswerten Zeichnungen, Aquarellen und Collagen.

so tun, als hörten sie jemandem zu, und bloß auf die erste Atempause warten, um sich mit den wachsenden Sorgen und dem wachsenden Ruhm ihrer eigenen Familie ins Gespräch zu drängeln, und denen, solange sie warten müssen, die Ungeduld ins Gesicht geschrieben steht. Mullingar lag hinter ihnen, und sie hatten noch immer das Gefühl, kaum etwas zueinander gesagt zu haben. Im Hotel in Longford unterbrachen sie die Fahrt, um Tee zu trinken und Sandwichs zu essen, und gerade, als das Winterlicht zu schwinden begann, bogen sie in das offene Tor unter der giftigen Eibe.

Obwohl sie ihn mit ihrem Besuch überraschen wollten, hatte Rose Moran erzählt, daß sie kämen.

»Sie glauben wohl, es geht zu Ende mit mir.«

»Im Gegenteil«, versicherte sie. »Aber sie finden, daß es dir viel besser gehen sollte.«

»Wieso können sie denn alle gleichzeitig wegkommen?«

»Das hat sich wohl so ergeben. Aber dafür kannst du dich doch wenigstens einmal schön anziehen, oder?«

»Was soll denn das jetzt noch?« sagte er automatisch, zog dann aber doch seinen braunen Anzug an. Sein Gesicht war vor Aufregung gerötet, als sie ankamen.

In ihrer Nervosität überreichten sie gleich alle Geschenke, die sie mitgebracht hatten, auf einmal: Tee, Obst, zollfreien Whiskey – »ist vielleicht ganz gut, wenn was im Hause ist, auch wenn am Ende keiner was davon trinkt, und vielleicht brauchen wir ja mal ein Glas« –, ein bedrucktes seidenes Kopftuch, dicke Fellhandschuhe.

»Wieso habt ihr mir denn was mitgebracht?« Er hatte noch nie gern Geschenke bekommen.

»Weihnachten hast du dich darüber beklagt, daß deine Hände immer so kalt sind, Daddy.«

Als ob er von der dauernden Kälte seiner Hände ablenken wollte, zog er sich zum Spaß die Handschuhe an und tat so, als taste er damit wie ein Blinder im Zimmer herum.

»Die Handschuhe sind nur zum Ausgehen. Ich glaube, die ganze Aufregung steigt dir zu Kopf, Daddy.« Rose nahm ihm lachend die Handschuhe weg, während er so tat, als müßte er sie im Haus tragen.

»Ich hab' immer noch nicht kapiert, was dieser ganze Aufmarsch soll«, sagte er, als das Gelächter aufgehört hatte.

»Weißt du denn nicht, was heute für ein Tag ist? Monaghan Day! Der Tag, an dem McQuaid immer vom Jahrmarkt in Mohill rüberkam und wir ein großes Essen auffahren mußten.«

»Und was soll das Ganze jetzt?« Genauso, wie er etwas gegen Geschenke hatte, hatte er auch etwas dagegen, daß man die Vergangenheit heraufzerrte. Er verlangte, daß die dauernde Gegenwart, als die er sein Leben sah, nicht verdüstert oder in Frage gestellt wurde.

»Wir dachten, es wär' ein guter Grund, und wir konnten alle gleichzeitig wegkommen. Und da sind wir nun.«

»Ein ziemlich elender Grund. McQuaid war ein versoffener Spitzbube, mit dem ich zusammen im Krieg war. Er tat mir leid. Wenn ich ihm am Monaghan Day nicht eine anständige Mahlzeit aufgetischt hätte, hätte er sich in Mohill um den Verstand gesoffen.«

»Sie haben den weiten Weg auf sich genommen, um dich zu besuchen, und ist das jetzt deine ganze Begrüßung?« schalt ihn Rose sanft. »Was kümmert uns der arme McQuaid, Gott hab' ihn selig, er ist schon lange tot.«

»Wen interessiert denn überhaupt noch was?« fragte er.

»Uns. Wir sorgen uns sehr. Wir lieben dich.«

»Dann helf' euch Gott. Und achtet nicht auf mich. Eurem älteren Bruder habe ich geschrieben: ›Meine Fähigkeiten zählen jetzt nicht mehr‹, aber da kann ich mir wohl auch gleich selber schreiben, so wie die Antwort wohl aussehen wird.«

Er verstummte, sein Gesicht verdunkelte sich, und er verkroch sich in sich selbst, ließ die Daumen umeinander kreisen, während er im Autositz am Kamin saß. Ein flüchtiger Blick zwischen Rose und den Mädchen genügte, um sie wissen zu lassen, daß sie ihren älteren Bruder besser nicht erwähnten. Sie begannen, sich fröhlich auf die Vorbereitungen für das Essen zu stürzen, wobei immer wieder die eine oder andere von ihnen versuchte, Moran mit irgendeiner Kleinigkeit zu beschäftigen, bis er von ihrem ungewöhnlichen Feingefühl in die allgemeine Fröhlichkeit hineingezogen wurde. Als sie sich schließlich zum Essen niederließen, war es Moran selbst, der das Gespräch wieder auf McQuaid brachte.

»McQuaid war kein schlechter Kerl, nur mit dem Trinken hatte er Pech. Das Interessante an ihm ist, daß er einer dieser Menschen war, die immer Glück haben, ganz egal, was sie machen. Als er anfing, Vieh zu kaufen, hatte er keine Ahnung davon. Trotzdem hat er ein Vermögen gemacht. Solche Leute bringen es im Leben immer weiter als anständige Menschen.«

»Seine große Stunde hatte er, als er sich als Zeitungsjunge verkleidete und auf den Zug lossteuerte«, sagte Sheila vorsichtig. Sie hatte es jahrelang immer wieder am Monaghan Day gehört, aber sie war sich nicht sicher, ob Moran irgendein Wort über den Krieg dulden würde. Normalerweise versank er in tiefes Schweigen, wann immer die Rede darauf kam.

»Auch da hatte er Glück, und er war ein Mensch ohne Nerven.«

»Er sagte immer, daß du der Kopf der ganzen Einheit warst. Daß alles, was sie je angestellt haben, von dir geplant worden ist, bis ins letzte Detail«, fühlte Mona sich ermutigt hinzuzufügen.

»Ich bin bloß länger auf der Schule gewesen als die andern. Auf der Lateinschule in Moyne. Ich konnte Karten lesen, Entfernungen berechnen. Man glaubt es kaum, aber McQuaid war, wie die meisten anderen, fast ein Analphabet, obwohl er ziemlich schnell addieren und subtrahieren konnte, wenn's um sein Portemonnaie ging. Damals war's leicht, als Intelligenzbestie zu gelten.«

Und als ob er plötzlich das Wohlwollen der Mädchen an diesem Monaghan Day erwidern wollte, sprach er zum ersten Mal in ihrem Leben offen über den Krieg. »Die Engländer schienen einfach nicht genau zu wissen, was sie da taten. Ich glaube, die machten bloß mechanisch weiter, was schon einmal funktioniert hatte. Schaut euch doch die Sache mit dem Zug an. Stellt euch mal vor, ein Oberst empfängt 'ne Blaskapelle mitten im Torfmoor, während auf dem Land alles unter Waffen steht. Nicht mal 'n Kind würde das tun.

Laßt euch nichts vormachen. Es war ein schlimmer Job. Wir haben nicht auf Frauen und Kinder geschossen wie die Tans*, aber wir waren ein Haufen Killer. Wir wurden sehr gut, aber es verging kaum eine Woche, in der nicht einer von uns getötet wurde. Von den ursprünglich zweiundzwanzig Männern aus der Einheit waren beim Waffenstillstand nur noch sieben am Leben. Wir wußten nie, ob wir den nächsten Tag noch erleben würden. Laßt euch nicht Sand in die Augen streuen. Der Krieg, das war Kälte, Nässe, das hieß, die ganze Nacht bis zum Hals in einem Graben zu stehen, während dir die Bluthunde auf den Fersen sind

---

* Englische Hilfstruppen im Englisch-Irischen Unabhängigkeitskrieg, die für ihre Brutalität bekannt waren (eigentlich »Black-and-Tans«). [A. d. Ü.]

und du nicht weißt, wie du den nächsten Schritt machen sollst, um das Ziel des langen Marsches zu erreichen. Das war der Krieg: und nicht eine Blaskapelle, die spielt, während so ein verdammter Politiker vortritt, um einen Kranz niederzulegen.

Und was haben wir dafür gekriegt? Ein Land, wenn ihr denen Glauben schenkt. Ein paar von unseren eigenen Leuten auf den Top-Posten statt ein paar Engländern. Mehr als die Hälfte meiner eigenen Familie arbeitet in England. Wofür war das denn alles? Das Ganze war doch ein einziger Schwindel.«

»Man sagt, daß du nach dem Krieg einen Posten ganz oben in der Armee kriegen solltest, aber daß man dich gebremst hat. McQuaid sagte immer, daß sie sich vorgenommen hatten, dich zu bremsen«, sagte Sheila mit gespielter Heftigkeit.

»Ich wurde gebremst, gut, aber das war nicht so einfach, wie der arme McQuaid sich das gedacht hat. In Friedenszeiten muß man in einer Armee arschkriechen und die richtigen Leute kennen, wenn man weiterkommen will. Ich bin noch nie besonders gut mit Menschen zurechtgekommen. Das solltet ihr doch inzwischen wissen«, sagte er halb im Scherz.

In den Augen der Mädchen standen Tränen, während sie versuchten, sein Lächeln zu erwidern. Rose war still und wachsam.

»Für Leute wie McQuaid und mich war der Krieg die beste Zeit unseres Lebens. Nie wieder war alles so einfach und klar. Ich glaube, wir haben das danach nie wieder so in den Griff gekriegt. Es wäre besser, wenn das alles nie geschehen wäre. Bin jetzt müde. Es war wirklich großartig von euch Mädels, so weit zu fahren, um einen kranken, alten Mann zu besuchen.«

Er holte seinen Rosenkranz aus dem kleinen Täschchen. Er baumelte von seiner Hand. »Jetzt ist es für euch oder mich sowieso nicht mehr wichtig, aber wer auch immer bei dieser Geschichte zuletzt lacht, wird verdammt lange lachen müssen. *Wir* müssen nur versuchen, unsere Arbeit so gut wie möglich zu tun, und *beten.*«

Er sah so erschöpft und müde aus, daß sie ihm anboten, den Rosenkranz in seinem Zimmer zu beten, aber er tat diesen Vorschlag einfach ab. Er kniete so aufrecht wie immer am Tisch.

»Herr, öffne mir die Lippen«, rief er aus. Als er bei der Fürbitte angelangt war, hielt er wie suchend inne. Dann, in einem plötzlichen Gefühlsausbruch, zu dem er manchmal fähig war, dankte er für die anhaltende Gutherzigkeit und Liebe seiner Töchter, eine Liebe, die zu erwidern er gewöhnlich von Natur aus unfähig zu sein schien. »Heute abend bringen wir diesen Heiligen Rosenkranz für den Seelenfrieden von James McQuaid dar.«

Als die Gebete vorüber waren, gaben ihm die drei Mädchen der Reihe nach einen Gutenachtkuß, und Rose ging mit ihm in ihr Zimmer. Die Mädchen begannen abzuwaschen und aufzuräumen; sehr bald schon war die Unordnung des

Abends beseitigt, das Zimmer für das Frühstück vorbereitet.

Als Rose sah, daß der Tisch schon für den nächsten Morgen gedeckt war, sagte sie: »Wenn ihr noch länger dableibt, dann wär' ich bald völlig verdorben. Ich weiß ja nicht, was ihr noch wollt, aber ich werde heute abend mal sündigen und mir eine Zigarette und einen heißen Whiskey gönnen. Ihr habt Daddy heute abend wirklich auf andere Gedanken gebracht. Daß ihr es geschafft habt, alle zu kommen, bedeutet ihm alles.«

Am nächsten Morgen trödelten sie bei einem luxuriös langen Frühstück und genossen das Schwatzen im warmen Zimmer, die Grasbüschel im weißen Feld draußen vor dem Fenster waren steif vom Frost, grünes Gras wuchs nur in riesigen dunklen Kreisen unter den Zypressen, da knallte ein einzelner Gewehrschuß im vorderen Zimmer. Sie sahen sich voller Angst an und eilten dann alle auf einmal in das Zimmer. Er stand in seinem Pyjama am offenen Fenster, das Gewehr in der Hand und starrte hinaus auf das vordere Feld, wo der schwarze Fleck einer Dohle auf dem weißen Erdboden unter der Esche lag.

»Alles in Ordnung, Daddy?« riefen sie.

Als klar war, daß ihm nichts fehlte, schrie Rose: »Du hast uns zu Tode erschreckt, Daddy.«

»Dieser Scheißvogel hat mich schon seit Tagen geärgert.«

»Du wirst dir den Tod holen, wenn du da noch weiter am offenen Fenster stehst«, klagte Maggie, und Rose zog das Fenster zu.

»Jedenfalls hast du nicht danebengeschossen.« Rose war entschlossen, das Unpassende der Situation in Lachen aufzulösen.

»Ich glaube, Daddy hat noch nie danebengeschossen«, sagte Mona.

»Am nahesten bin ich einem Menschen immer dann gekommen, wenn ich ihn im Visier hatte, und ich hab' nie mein Ziel verfehlt.« Die Stimme war so abwesend und müde, daß sie den Worten etwas von ihrem Schauder nahm.

Er gestattete Rose, ihm die Waffe abzunehmen, aber erst, nachdem er die leere Patronenhülse entfernt hatte. Er kleidete sich an und frühstückte mit ihnen am Tisch. Das Gewehr wurde an seinen üblichen Platz in der Zimmerecke zurückgestellt, und über die tote Dohle wurde nicht mehr gesprochen.

»Schon wieder müde«, sagte er nach einer Stunde einfach und ging in sein Zimmer zurück.

Maggie wollte an diesem Abend nach London fliegen, und Sheila und Mona fuhren sie zum Flughafen. Die beiden Mädchen würden erst am nächsten Wochenende wiederkommen. Moran stand mit Rose in der Tür und schaute zu, wie der Wagen sich entfernte. Er winkte dem Wagen schwach nach, sagte aber kein Wort, als Rose die Tür schloß und sie wieder ins Haus gingen.

Monaghan Day hatte nur ein schwächliches, abstruses Gespenst dessen, was er einmal gewesen war, wieder zum Leben erweckt. Nach Ostern und vielen anderen Aufregungen, als keines der Mädchen nach Great Meadow kommen konnte, ließ Rose von ihrer Schwester in der Stadt ein braunes Franziskanerhabit kaufen. Trotz der Stille und der Leere im Haus schmuggelten die beiden Frauen das Habit wie Diebe hinein, und später an jenem Abend versteckte Rose es unter ihren intimsten Kleidungsstücken in einem Teil des Kleiderschrankes, den Moran nie öffnete.

Der Versuch, den Monaghan Day wieder aufleben zu lassen, war genauso schwächlich wie der Versuch eines Paares, seine verlorene Beziehung dadurch wieder herzustellen, daß man heiratet, nachdem der Verstand die harten Tatsachen in etwas verwandelt hat, das bequemer zu empfinden ist.

Am letzten Monaghan Day, an dem McQuaid zu Besuch kam, war Moran nervös, während er auf ihn wartete, so wie an jedem Monaghan Day, dem einzigen Tag im Jahr, an dem McQuaid nach Great Meadow kam. Seit dem Morgen war er in der Küche aus- und eingegangen, wo Maggie und Mona abwuschen, aufräumten und das große Essen vorbereiteten. Obwohl Maggie achtzehn war, groß und attraktiv, empfand sie immer noch genausoviel Ehrfurcht vor Moran, wie sie als Kind empfunden hatte. Mona, zwei Jahre jünger, neigte schon eher dazu, sich mit ihm anzulegen, aber an diesem Tag wollte sie sich von Maggies Fügsamkeit leiten lassen. Sheila, noch ein Jahr jünger, war zu sehr auf sich selbst bezogen und zu klug, um jemals ohne besonderen Grund seine Autorität herauszufordern, und tat so, als wäre sie krank, um der Anspannung, die an diesem Tag herrschte, aus dem Wege zu gehen. Solange sie allein waren, waren die beiden Mädchen verspielt, während sie ihre Arbeit erledigten, manchmal schelmisch, sogar vorsichtig ausgelassen; aber sobald ihr Vater hereinkam, versanken sie in einer flehentlichen Tristheit und machten sich so unsichtbar, wie sie nur konnten.

»Wie sehen denn die Lammkoteletts aus?« fragte er wieder. »Sind das auch die besten Lammkoteletts, die ihr bekommen konntet? Hab' ich euch nicht wieder und wieder gesagt, nie – niemals – woanders als bei Kavanagh Lammkoteletts zu kaufen? Muß man euch denn alles hundertmal einbleuen? Herrgott, warum kann man in diesem Haus nichts ein für allemal klarstellen? Jedem muß man alles mühsam aus der Nase ziehen.«

»Kavanagh sagte, das Steak wäre nicht so besonders, aber das Lamm wäre gut«, fügte Maggie hinzu, aber Moran war schon wieder auf dem Weg nach draußen und murmelte, daß nicht mal die einfachsten Sachen in diesem Haus klargestellt würden und daß, wenn man einem Menschen schon die einfachsten Dinge nicht klarmachen könnte, man sich fragen müßte, wie der in dieser Welt überhaupt von einem Tag zum nächsten kommen wollte.

Die zwei Mädchen waren noch lange, nachdem sich die Tür geschlossen hatte, still; dann, plötzlich und unvorhersehbar, fingen sie an, sich herumzuschubsen und ausgelassen Moran nachzumachen: »Herrgott noch mal, womit hab' ich so eine Bande verdient? Herrgott, Herrgott noch mal, nicht mal die einfachsten Sachen kapieren die«, und ließen sich lachend auf die Stühle fallen.

Mitten in ihr entlastendes Toben hinein ertönte an der gezapften Täfelung der Zimmerdecke ein lautes, gebieterisches Klopfen. Sie hielten inne, um zu horchen, und sobald sie das taten, hörte das Klopfen auf.

»Sie ist nicht kranker als mein großer Zeh. Sobald auch nur ein Anflug von Ärger droht, haut sie sich mit Asthma ins Bett. Sie hat da oben Bücher und Süßigkeiten versteckt«, sagte Mona. Sie warteten schweigend, bis das Klopfen wieder anfing, nachdrücklich und wütend.

»Huuhuu!« antworteten sie. »Huuhuu! Huuhuu! Huuhuu!« Das Klopfen ließ die Deckentäfelung erzittern. Sie benutzte einen Stiefel oder Schuh. »Huuhuu!« gaben sie zurück. »Huuhuu! Huuhuu! ... «

Die Treppe knarrte. Einen Augenblick später stand Sheila wütend in der Tür. »Ich klopfe mir die Seele aus dem Leib, und ihr könnt nichts anderes tun, als mich auszulachen.«

»Wir haben nichts gehört. Wir haben über niemanden gelacht.«

»Ihr habt mich sehr wohl gehört. Ich werde Daddy was von euch beiden erzählen.«

»Huuhuu!« wiederholten sie.

»Ihr glaubt wohl, ich mache Spaß. Dafür werdet ihr noch büßen, und zwar bald.«

»Was willst du?«

»Ich bin krank, und ihr wollt mir nicht mal was zu trinken bringen.«

Sie gaben ihr eine Kanne Zitronensaft und ein sauberes Glas.

»Du weißt, welcher Tag heute ist und daß McQuaid vom Markt kommt. Er rennt wie der Teufel rein und raus. Du kannst nicht erwarten, daß wir auch noch die Treppe rauf und runter springen und dich bedienen. Wenn er reinkommt und dich so in der Tür stehen sieht, wird er dir sicher was erzählen«, sagte Maggie, aber Sheila schlüpfte schon wieder die Treppe hoch, noch bevor sie zu Ende gesprochen hatte.

Sie breiteten die gestärkte, weiße Tischdecke über den großen Kiefernholztisch. Das Zimmer war wunderbar warm, und die Kochplatte des Ofens glühte in einem schwachen Orange. Sie begannen den Tisch zu decken, wurden immer entspannter und gelassener und genossen die Gediegenheit des Zimmers, als Moran wieder von den Feldern hereinkam. Dieses Mal stand er mitten im Zimmer, eindeutig unsicher darüber, was ihn hierher geführt hatte, und wie jemand, der mitten im Satz vergessen hat, was er eigentlich sagen wollte, suchten seine Augen nach irgend etwas, an das sie sich heften konnten.

»Ist alles in Ordnung?«

»Alles in Ordnung, Daddy.«

»Daß mir die Koteletts auch wirklich gut durch sind!« sagte er und ging wieder nach draußen. Kaum war die Tür zu, ließ Mona, erlöst von der Anspannung, die seine Gegenwart erzeugt hatte, einen Teller fallen. Als er zerschellt war, standen sie wie betäubt da und lauschten wie unter einem schrecklichen Bann. Schnell fegten sie die Scherben zusammen und versteckten sie, wobei sie sich fragten, wie sie den Teller ersetzen sollten, ohne daß es herauskäme.

»Mach dir keine Sorgen«, beruhigte Maggie Mona, die immer noch blaß vor Schreck war. »Wir finden schon einen Ausweg.« Sie waren zu bekümmert, um diese Stimmung durch Nachäffen oder Spötteln wieder zu verscheuchen. Wann immer irgend etwas in Scherben ging, mußte es versteckt werden, bis es ersetzt oder vergessen werden konnte.

Draußen war es kalt, aber es regnete nicht. Es war immer kalt am Monaghan Day, dem Tag, an dem die armen Bauern traditionell ihr Wintervieh verkauften und die reichen Bauern es zum Mästen aufkauften. Moran war weder reich noch arm, aber sein Haß und seine Furcht vor Armut waren so heftig wie seine Angst vor Krankheiten, was bedeutete, daß er nie in Armut geriet, daß er und alle um ihn herum aber lebten, als wären sie Bettler. Moran hatte auf den Feldern nichts zu tun, blieb aber trotzdem draußen in der Kälte, besah sich die Hekken, prüfte Mauern und zählte das Vieh. Er war zu aufgeregt, um im Haus bleiben zu können. Als das

Tageslicht schwächer wurde, zog er sich in den Schutz der Tannenschonung zurück, um auf der Straße Ausschau nach McQuaids Auto zu halten. Wenn McQuaid einen großen Auftrag auszuführen hatte, kam er vielleicht erst nach Einbruch der Dunkelheit.

Das Tageslicht war fast geschwunden, als der weiße Mercedes langsam die Straße hochkam und in das offene Tor unter der Eibe bog. Moran rührte sich auch nicht, als der Wagen bereits gehalten hatte. Er ging sogar, als die Fahrertür aufgestoßen wurde, instinktiv noch ein paar Schritte in die Schonung hinein. Ohne sich zu rühren, beobachtete er, wie McQuaid sich aus dem Wagen herausquälte und dann auf die offene Tür gestützt dastand, als wartete er darauf, daß jemand käme. Er hätte von der Stelle, an der er stand, rufen können, aber er tat es nicht. McQuaid schlug die Fahrertür zu und ging auf das Haus zu. Erst nachdem er schon ein paar Minuten im Haus war, verließ Moran die Schonung. Er ging langsam und bedächtig über die Felder zur Hintertür. Obwohl er wochenlang auf diesen Augenblick hingelebt hatte, spürte er jetzt, wie eine Welle heftigen Grolls auf McQuaid in ihm aufstieg, als er sein eigenes Haus betrat.

McQuaid saß im Sessel beim Feuer. Sein mächtiger Rumpf und sein riesiger Bauch füllten den Sessel, und die gelben Viehhändlerstiefel waren bis zur Mitte seiner stämmigen Beine zugeschnürt. Er erhob sich nicht aus dem Sessel und nahm Morans Eintreten nur insofern zur Kenntnis, als er sein neckisches Geplänkel, das er mit den Mädchen führte, nun auf Moran lenkte.

»Diese Mädchen sind ja richtig aufgeblüht. Du solltest deine Obstgärten gut einzäunen, oder du hast im Oktober keine Äpfel mehr.«

Diese Worte wurden so gutgelaunt und mit soviel ungestümer Selbstsicherheit vorgebracht, daß man unmöglich an ihnen Anstoß nehmen konnte. Moran hörte sie kaum; aller Ärger war so schnell verflogen, wie er gekommen war: McQuaid war da, und es war Monaghan Day.

»Michael.« McQuaid erhob sich aus dem Sessel und drückte Morans Hand.

»Jimmy.« Moran antwortete mit derselben Schlichtheit. »Bist du schon lange hier?«

»Nein, noch nicht lange. Ich hab' mich sehr nett mit diesen Mädchen unterhalten. Es sind großartige Mädchen.«

Moran ging zu dem verhängten Wandschrank hinüber, in dem er seine Medikamente aufbewahrte, und holte ein Glas und eine volle Flasche Redbreast heraus. Er goß einen guten Schluck Whiskey ein und brachte McQuaid das Glas. »Sag stopp«, Moran goß das Wasser in das Glas. McQuaid hielt ihm das Glas hin, bis es dreiviertel voll war.

»Den wirst du nach dem Markt brauchen«, sagte Moran.

»Ich brauch' ihn nicht, ich hab' was viel Besseres damit vor. Ich werd' ihn genießen. Ich wünsch' allen viel Glück.«

»Wie ist es gelaufen?« fragte Moran mit einer Herzlichkeit, die gar nicht zu ihm paßte.

»Genauso wie an jedem Monaghan Day«, sagte McQuaid.

»Lief es gut oder schlecht?« fragte Moran weiter.

»Weder gut noch schlecht. Es brachte Geld. Die Bauern glauben alle, daß ihr Vieh was Besonderes ist, aber ich schau' immer nur aufs Geld. Wenn ein Tier etwa eine bestimmte Summe oder weniger kostet, kaufe ich es. Wenn es darüber liegt, bin ich aus dem Geschäft.«

»Ich hab' dich in der Vergangenheit schon oft beobachtet und mich gefragt, woher du so genau weißt, wann du mitbieten oder wann du wieder aussteigen mußt«, lobte ihn Moran. Seine Begeisterung für die Art, wie McQuaid sein Leben und seine Welt meisterte, war jungenhaft. Er war nie dazu in der Lage gewesen, mit der Außenwelt zurechtzukommen. Er hatte immer nur mit sich und seinem größeren Selbst, der Familie, zu tun gehabt, die durch Heirat oder durch den Zufall zusammengewürfelt worden war: Er war nie dazu in der Lage gewesen, aus dem Schneckengehäuse seines Selbst herauszukommen.

»Ich weiß nicht, woher ich das weiß«, sagte McQuaid. »Ich weiß nur, daß es mich eine Menge Geld gekostet hat, es zu lernen.«

Die Mädchen stellten das frisch geschnittene Brot, Butter und Milch auf den Tisch. Die Lammkoteletts zischten, als sie in die große Bratpfanne gelegt wurden. Die Würstchen, die Blutwurst, der

Schinkenspeck und Tomatenhälften kamen kurz danach hinzu und wurden an den Pfannenrand gelegt. Die Eier brieten in einer kleineren Pfanne. Mona goß in der großen Teekanne Wasser auf und ließ den Tee ziehen. Die beiden Mädchen schwiegen beim Kochen, und wenn sie etwas zueinander zu sagen hatten, flüsterten sie schnell und eindringlich.

»Das sieht ja aus wie eine Königsmahlzeit. Da muß ich mir doch glatt die Ärmel aufkrempeln«, sagte McQuaid voller Lob und ungebrochener Vorfreude, während die Teller auf den Tisch gestellt wurden. Er trank sein Glas Whiskey schwungvoll aus, bevor er sich aus dem Sessel erhob.

Die beiden Männer aßen schweigend und mit Genuß, wobei sie von den beiden Mädchen bedient wurden. Sobald McQuaid seinen leeren Teller zufrieden beiseite geschoben hatte, sagte er: »Das sind großartige Mädchen, aber wo ist der Rest der Truppe?«

»Sheila liegt oben mit einer Erkältung«, Maggie zeigte zur Decke hoch. »Und Michael ist für eine Woche bei unserer Tante in den Bergen.«

»Und wo ist Luke?«

Die Mädchen blickten von McQuaid zu Moran und wieder zu McQuaid, sagten aber nichts.

»Wir wissen nicht, wo er ist«, sagte Moran widerwillig. Er gab höchst ungern irgendwelche Einzelheiten über die Familie preis. »Bevor er gegangen ist, konnte man in diesem Haus nicht den Mund aufmachen, ohne daß er einem gleich an die Gurgel ging.«

»So wie ich dich kenne, hat er mit Sicherheit auch sein Fett abgekriegt«, lachte McQuaid freundlich, und als Moran keine Antwort gab, fügte er hinzu: »Die jungen Leute wollen ihre eigenen Wege gehen, Michael. Aber ich habe Luke immer gemocht. Er ist sehr aufrichtig und männlich.«

»Ich respektiere alle meine Kinder gleichermaßen«, sagte Moran. »Wie geht's deinen Jungs?«

»Du weißt ja, daß sie jetzt alle verheiratet sind. Ich sehe sie nur, wenn sie etwas von mir wollen, und mich kriegen sie auch nicht oft zu Gesicht. Aber es sind gute Jungs. Sie arbeiten hart.«

»Und die Frau Gemahlin?«

»Oh, der alten Kuh geht's gut. Man muß sie ordentlich anbrüllen, weil sie sonst im Stehen einschläft.«

Sie hatten früh geheiratet, und auch ihre drei Söhne heirateten früh. Jetzt lebten sie allein in ihrer großen Viehhändlervilla mit dem weißen Zaun mitten in den Feldern. Er war selten zu Hause, nur um zu essen und zu schlafen, und wenn er zu Hause war, brüllte er immer bloß herum: »Bring mir Tee. Putz mir die Stiefel. Schmeiß die Scheißkatze raus. Hol mir einen Kragenknopf. Wo ist der verdammte Kragen?« »Gleich, Jimmy. Kommt schon. Ist schon auf dem Weg. Ich hab' ihn hier in der Hand«, schrie seine Frau und rannte hektisch herum. Dann war er wieder tagelang fort. Sie verwöhnte ihre Katzen, las Bücher aus der Leihbibliothek, pflegte ihren Garten und den wilden Steingarten mit Blumen an der Südwand des

Hauses, während er das Vieh manchmal dazu verleitete, die Blumen abzufressen. Nach Tagen friedlicher Ruhe ging die Tür krachend auf: »Da sind sechs Männer mit Lastwagen. Setz den Kessel auf. Deck den Tisch. Los, los, los. Schnall dir 'n paar Räder unter. Wir haben 'nen Mordskohldampf!« Es gab nie auch nur die Andeutung von Schlägen. Seine Wortwahl war so beharrlich, daß sie inzwischen nicht auffallender wirkte als irgendeine andere etwas eigenwillige Ausdrucksweise, und ihre Söhne achteten so wenig darauf, daß sie genausogut auch eine der vielen Privatsprachen der Liebe hätte sein können.

Das Geschirr war abgewaschen und weggeräumt. Mona ging hoch, um Sheila Gesellschaft zu leisten. Maggie machte einen Besuch. An jedem anderen Abend hätte Moran ihr Fragen gestellt, aber nicht an diesem.

Vor Jahren hatte Moran McQuaid Geld geliehen, als er in den Viehhandel eingestiegen war, aber jetzt war McQuaid der Reichere und Mächtigere, und sie sahen sich nur noch selten. Sie kamen einmal im Jahr zusammen, um wieder in das einzutauchen, was McQuaid ihre glorreichen Zeiten nannte. Moran war zu kompliziert, um jemandem mitzuteilen, was er von einer Sache hielt. Moran hatte im Krieg eine Einheit kommandiert. McQuaid war sein Leutnant gewesen. Jahr für Jahr benutzten sie die gleichen Aufhänger, um in die Vergangenheit zurückzutauchen: wie sie an den Kreuzungen das Wagenrad anhoben, wie sie am

Fluß gedrillt wurden, der erste Überfall, die nächtlichen Märsche von einem sicheren Haus zum nächsten, die verschiedenen Menschen in den Häusern, das Essen, die Mädchen... Das Verhör des Spions William Taylor und seine Hinrichtung beim Licht einer Paraffinlampe zwischen seinem eigenen Vieh im Kuhstall. Die Black-and-Tans waren in das ganze Land ausgeschwärmt, um nach der Hinrichtung nach ihnen zu suchen. Sie hatten eine Weile in Löchern gehaust, die sie in die Torfbänke gehauen hatten. Die Stelle wurde Tag und Nacht überwacht. Einmal stießen die britischen Soldaten auf Mary Duignan, als sie ihnen Tee und Sandwichs brachte. Die Duignans waren von Natur aus so blaß, daß Mary nicht anzusehen war, ob irgend etwas nicht stimmte, und sie ging weiter und brachte den Tee und die Sandwichs Männern, die auf einer anderen, weiter entfernten Torfbank arbeiteten. Als sie die britischen Soldaten sahen, setzten sich die erschrockenen Männer hin und aßen, obwohl sie sich gerade erst von einer kompletten Mahlzeit erhoben hatten.

»Mary war phantastisch«, sagte McQuaid gefühlvoll. »Nur wegen Mary wurde an dem Tag unsere Gans gebraten. Es war verdammt genial von ihr, daß ihr einfiel, das Essen den Männern auf der Torfbank zu geben. Sie ist jetzt mit einem Zimmermann in Dublin verheiratet. Sie hat mehrere Kinder.«

Moran goß ihm noch etwas Whiskey in das leere Glas.

»Bist du sicher, daß du nicht auch mal 'nen Schluck riskieren willst?« McQuaid hob sein Glas. »Es macht keinen Spaß, wenn man alleine trinkt.«

»Ich käme nicht klar damit«, sagte Moran. »Das weißt du doch. Ich mußte damit aufhören. Ich kann kaum hingucken.«

»Dann hätte ich dich wohl nicht fragen sollen.«

»Das macht nichts. Das macht überhaupt nichts.«

Sie ergingen sich weiter in ihren Erinnerungen – der Tod von Freunden, wie es war, allein durch die Nacht zu marschieren, was für eine schrecklich harte Arbeit das Sterben für manchen von ihnen war, die Nachtmärsche von einem sicheren Haus zum nächsten, der Regen, die Nässe, die Feuchtigkeit, die Kälte, wenn sie stundenlang an einer Stelle auf einen Überfall warteten.

»Da hatten wir sie schon in die Flucht geschlagen. Sie hatten Angst vorm Ausschwärmen, wenn sie nicht im Verband waren.«

»Leute, die uns noch drei Jahre zuvor ins Gesicht gespuckt hätten, klopften uns jetzt auf die Schultern. Sie sind übereinander gestolpert, so eilig hatten sie's, auf die Siegerseite zu kommen.«

»Viele von denen, die dann Renten und Orden und Jobs bekamen, wußten doch nicht einmal, was bei einem Gewehr vorn und hinten ist. Und viele der Männer, die wirklich gekämpft haben, sind leer ausgegangen. Ein frühes Grab oder das Emigrantenschiff. Manchmal wird mir schlecht, wenn ich sehe, wofür ich gekämpft habe«, sagte Moran.

»Es ist mir völlig unverständlich, daß du die IRA-Rente nicht annimmst. Du hast sie verdient. Du kannst sie immer noch haben, schon morgen früh«, sagte McQuaid.

»Ich würd' sie ihnen um die Ohren hauen«, Moran ballte beim Reden die Hände zur Faust und löste sie wieder.

»Ich frage nie danach, wo das Geld von irgend jemand herkommt. Wenn mir jemand was anbietet, dann nehme ich's«, aber Moran war zu sehr in Anspruch genommen, um zu antworten, und McQuaid sprach weiter. »Dann wurde es allmählich leichter. Wir mußten uns nicht länger verstekken. Ich erinnere mich, wie ich an einem heißen Tag die Waffen und meine Kleider am Flußufer gelassen hab' und splitternackt geschwommen bin. Einmal sonntags sind wir losgepaddelt und haben einen Otter hinter unserm Boot hergezogen. Dann versuchten sie es mit dem General.«

»Er war kein General. Er war ein aufgemotzter Oberst.«

»Egal, was er war, wir haben ihm jedenfalls 'ne Abreibung verpaßt«, prahlte McQuaid. »Du warst wirklich begnadet, wie du dir diesen Plan von Anfang bis Ende ausgedacht hast. Seitdem liegen deine Fähigkeiten vollkommen brach.«

»Ohne dich hätte es nie funktioniert. Du warst so kaltblütig, als würdest du 'nen Spaziergang machen«, sagte Moran.

»Du konntest planen. Du hast es von Anfang bis Ende ausgearbeitet. Keiner von uns anderen hatte soviel Grips.«

»Wir hatten Spione. Seit Wochen waren einige Männer von uns in der Stadt. Sie wollten ihren Oberboß mit dem Dreiuhrzug ranschaffen. Sie wollten 'ne große Show abziehen. Sie hatten eine Kapelle und eine Ehrengarde vor dem Bahnhof postiert, mit dem Rücken zu einer Reihe von Bahnarbeiterhütten. Sie haben diese Hütten überhaupt nicht durchsucht.«

»Sie hätten uns sowieso nicht gefunden.«

»Nibs McGovern ist mit seinem Karren jeden Tag an den Zug gegangen, um die Zeitungen und die Boland-Brote, die die Läden für besondere Kunden bekamen, abzuholen. Er war so sehr zum Inventar geworden, daß ihn keiner mehr zur Kenntnis nahm. Es ist uns einfach zugefallen.«

»Wenn man es jetzt in der Rückschau betrachtet, hätte der Plan gar nicht einfacher sein können, aber wir müssen das Ganze an die vierzigmal geprobt haben. Nach Einbruch der Dunkelheit sind wir alle in die Stadt eingesickert. Nur Tommy Flood, der Rechtsanwaltsgehilfe, hat Schwierigkeiten gemacht.«

»Dann haben wir uns Nibs geschnappt«, lachte McQuaid. »Gerade als er sich fertig machte, um in die Stadt zu gehen. Dabei hatten wir auch Glück. Nibs war nämlich nicht Stammgast in irgendeinem bestimmten Pub. Nibs machte keine Probleme. Er konnte schnell genug denken, wenn es nötig war. Wir haben ihm Whiskey gegeben und mußten ihn nicht bis zum nächsten Morgen fesseln, und das war nur gut für ihn.«

»Dann kam das Warten«, sagte Moran wild.

»Ich werde das nie vergessen«, sagte McQuaid. »Die Kleider standen ja schon von alleine, so steif waren die vor Staub und Schmutz. Das Warten war schrecklich. Das ist wie Älterwerden. Nichts passiert, und dann geht die ganze verdammte Kiste los, noch bevor man überhaupt was gemerkt hat. Die Tommys marschierten zum Bahnhof. Die Kapelle. Das Geräusch des näherkommenden Zuges, und bevor ich's richtig kapiert hatte, war ich schon auf der Straße und schob den Karren vor mir her. Die Räder waren so locker, daß ich Angst hatte, daß sie abfallen würden. Das einzige, woran wir nicht gedacht hatten, war, die Räder zu überprüfen. Den Mantel hatte ich über dem Gewehr und der Handgranate zugeknöpft. Sogar mitten im Sommer trug Nibs diesen Mantel.«

»Ich hab' dich mit der Stoppuhr hinter einem der Fenster kontrolliert. Ich hab' jeden Schritt verfolgt. Ich hatte Angst, daß du zu früh an der Böschung wärst. Ich hatte Angst, daß du in unsere Schußlinie geraten würdest, wenn du die Böschung zu weit hochkämst.«

»Die Bahnschranken waren geschlossen. Der Zug fuhr schnaufend ein. Die Scheißkapelle stimmte ›God save the King‹ an. Neben dem Bahnsteig standen drei Tannen. Es hieß, daß die wegen dem Rauch und dem Dampf nie richtig gewachsen sind. Der Oberfeldwebel brüllte herum. Sie waren alle in Habachtstellung. Der Oberst oder General oder was immer er nun war, kam den Bahnsteig herunter. Er hatte noch einen weiteren Offizier bei sich, der ein Schwert präsentierte. Ich hab' den Karren immer weitergeschoben und zu Gott gebetet, daß die verdammten Räder nicht abfallen. Niemand hat mich oder den Karren überhaupt nur angesehen. Die beiden kamen näher und inspizierten die Truppen. Der, der das Schwert hielt, war noch jung. Der Oberst war ein großer, gedrungener Mann mit roten Augenbrauen. Alles, woran ich mich erinnern kann, als ich den Karren näherschob und sein rotes Gesicht und die Augenbrauen musterte, war, daß ich dachte: ›Mein Freund, du wirst gleich die längste Reise antreten, die ein Mensch in seinem Leben machen kann.‹ Er hat die volle Ladung abgekriegt. Der andere Mann hielt immer noch das Schwert hoch, als er stürzte. Ich zog den Zünder aus der Granate. Die Reihe der Soldaten war immer noch zur Hälfte in Habachtstellung, als ich zwischen ihnen hindurchlief. Ich brauchte meinen Revolver nicht zu benutzen. Sobald ich auf der anderen Seite der Böschung war, hab' ich mich hingeworfen und mich hinunterrollen lassen.«

»Genau darauf hatte ich gewartet. Als ich sah, daß du abtauchtest, hab' ich den Befehl zum Schießen gegeben«, sagte Moran. »Einige von denen waren immer noch in Habachtstellung, als sie fielen. Sie hatten überhaupt keine Ahnung, wo die Schüsse herkamen. Dann haben ein paar Soldaten oben bei der Güterhalle auf ihre eigenen Leute geschossen.«

»Als ich die Böschung hinuntergerollt war, konnte ich das regelmäßige Gewehrfeuer aus den Fenstern sehen. Ich hab' gewartet, bis ich wieder Luft kriegte, bevor ich über die Straße rannte. Ich glaube nicht, daß auch nur einmal auf mich geschossen worden ist. Als ich hinter den Häusern war, hab' ich als erstes Nibs Sachen ausgezogen.«

»Sie fingen an, hinterm Bahnhof hervor das Feuer zu erwidern. Michael Sweeney wurde in der Schulter getroffen. Ich gab den Befehl, einzeln abzuziehen. Myles Reilly und McDermott blieben an den Fenstern. Sie waren unsere zwei besten Gewehrschützen. Als wir Donoghue's Cross erreicht hatten, war die Straße aufgerissen und die Bäume abgeholzt. Wir warteten auf Reilly und McDermott an der Kreuzung. Dann haben wir uns getrennt, die eine Hälfte machte sich auf zu den sicheren Häusern an den Seen, und der Rest von uns ging in die Berge. Das wär' vielleicht gar nicht nötig gewesen.«

»Sie hatten Angst, ihre Köpfe aus den Löchern zu stecken, und als sie's schließlich taten, kamen sie gleich in einem ganzen Verband und schossen auf Frauen und Kinder.«

»Danach waren sie wie verwandelt«, sagte Moran. »Die Nachricht verbreitete sich im ganzen Land.«

»Du warst wirklich ein kluger Kopf, Michael.«

»Nur wegen dir konnte gar nichts passieren.«

»Ich kann mich noch so genau an seine Augenbrauen erinnern, als wär' es gestern gewesen. Man sieht nicht oft einen Engländer mit roten Augenbrauen. Ich hatte soviel Zeit, ihn mir anzuschauen, ich kann's immer noch kaum glauben, wie ich den Karren vor mir herschob, mit Nibs' Sachen an. Ich hatte schon den Mantel gelockert, und während ich ihn mir ansah, dachte ich: ›In dieser Minute wirst du die längste Reise antreten, die ein Mensch überhaupt antreten kann, und du hast nicht die geringste Scheißahnung.‹ Dann hab' ich geschossen.«

»Ich hab' dich mit der Stoppuhr beobachtet.«

»Wir mußten uns an dem Tag gar nicht trennen. Sie hatten die Hosen so gestrichen voll, daß sie nicht aus den Städten herauskamen. Das Land gehörte wieder uns. Als nächstes hatten wir den Waffenstillstand. Danach haben wir uns gegenseitig bekämpft.«

»Guck dir an, wie weit wir damit gekommen sind. Guck dir das Land jetzt an. Es wird von einer Bande hohlköpfiger Gangster regiert, die bloß ihre eigenen Vorteile im Kopf haben. Es wäre besser gewesen, wenn das alles nie geschehen wäre.«

»Da bin ich anderer Meinung«, sagte McQuaid. »Das Land gehört doch trotzdem jetzt uns. Vielleicht ist die nächste Bande besser als diese Mischung aus Druiden und Gaunern, mit denen wir zur Zeit geschlagen sind.«

»Laß die Priester aus dem Spiel«, sagte Moran scharf.

»Ich lasse niemanden da raus. Sie sitzen uns alle im Nacken.«

Moran antwortete nicht. Ein drückendes, wütendes Schweigen breitete sich im Zimmer aus. McQuaid erprobte seine Autorität, die er über die Jahre allmählich erlangt hatte, eine Autorität, die die Morans inzwischen übertraf. Er rührte sich nicht. Moran erhob sich und ging nach draußen. McQuaid beachtete ihn überhaupt nicht, als er wieder hereinkam.

Als Maggie zurückkehrte, fand sie beide so vor, eingesperrt in lastendes Schweigen. Zuvor hatte sie sich beim Licht der Taschenlampe die Haare gekämmt, ihre Kleider geglättet und wieder in Ordnung gebracht, aber selbst wenn sie das nicht getan hätte, hätte es Moran an diesem Abend nicht bemerkt. In dieser Stille begann sie sofort, Tee und Sandwichs zuzubereiten. Mona kam die Treppe herunter, und nachdem sie mit Maggie geflüstert hatte, verschwand sie wieder mit einer kleinen Kanne Milch und ein paar Sandwichs nach oben. Schließlich, sie schwiegen noch immer, bemerkte Moran, daß McQuaids Glas leer war, und machte Anstalten, ihm noch etwas Whiskey einzugießen.

»Mach sie zu«, sagte McQuaid und bedeckte sein Glas mit der Hand.

»Es hat Zeiten gegeben, da hast du die Flasche fast leer gemacht.«

»Diese Zeiten sind vorbei. Wir trinken gleich Maggies Tee.«

Widerwillig schraubte Moran den Verschluß wieder auf die Flasche und stellte sie hinter die Vorhänge des Medizinschränkchens zurück. Der Ton, in dem er *Mach sie zu* gesagt hatte, schmerzte wie ein Messerstich.

»Erinnerst du dich an Eddie McIniff, wie er in Maguires Garten Nachtwache schob?« fragte McQuaid. »Er konnte von Maguires Garten aus alle Straßen überblicken. Wir hielten Ausschau für den Fall, daß die Tans versuchten, nachts in das Gebiet der Seen einzusickern. Eddie ging immer auf Entenjagd und konnte unbeweglich wie ein Stein dastehen. Eins der Maguire-Mädchen – Ellie oder Molly, ich glaub', es war Molly, sie waren alle gutaussehende, große Frauen – kam heraus, um ihr morgendliches Geschäft zu machen und hockte sich unter einen Apfelbaum, einen Meter oder so von Eddie entfernt. Eddie hat bloß ein bißchen gewartet, sich dann geräuschlos vorgebeugt und ihr den Gewehrlauf auf den blanken Hintern gelegt. Ich hätte zu gern ihr Gesicht gesehen, als sie aufgesprungen ist.« McQuaid lachte laut auf. »Ich glaube, es gibt nichts Kälteres auf einem nackten Arsch als einen Gewehrlauf, der die ganze Nacht draußen war.«

Moran lachte nicht. Er wirkte hilflos unter der Last seines eigenen Mißfallens. Seine beiden Daumen kreisten umeinander, wie immer, wenn er aufgewühlt war und nach einem Weg suchte, zurückzuschlagen.

»Es war schon lumpig genug von McIniff, so etwas zu tun, aber dann sollte er sich doch wenigstens schämen, es auch noch weiterzuerzählen.«

»Aber es war doch bloß Spaß!« wischte McQuaid die Kritik vom Tisch. »Hattest du nicht was mit einem der Maguire-Mädchen? Alle anderen mußten die Mädchen anbetteln und anflehen,

Michael, aber was es auch immer war, sie fielen dir jedenfalls immer wie reife Früchte in den Schoß.«

»Das war alles Geschwätz«, sagte Moran, der wie immer wütend war, wenn die unantastbare Verschwiegenheit, die er instinktiv über seine Person wahrte, gefährdet wurde.

»Euer Vater hat zu seiner Zeit den Frauen ordentlich zugesetzt«, wandte sich McQuaid an die beiden Mädchen.

»Ich glaube, dieses Gerede gereicht Mr. McQuaid nicht gerade zur Ehre«, sagte Moran mit stiller Würde.

»Es gibt sogar Gerüchte, daß du wieder auf Freiersfüßen gehst. Denkst du daran, den Schritt zu wagen, Michael?«

Moran schwieg betont. Die Mädchen brachten Tee und Sandwichs.

»Ach, diese Mädchen werden mal einen Mann glücklich machen«, sagte McQuaid. »Aber du bist ein mutiger Mann, Michael. Wenn meiner alten Schnepfe was zustoßen würde, dann würde ich wohl meine Tage in Frieden beschließen.«

Die Mädchen konnten endlich freimütig und gefahrlos lachen. Der Gedanke, daß der fette alte Viehhändler sich als möglicher Romantiker entpuppte, war so grotesk, daß sogar Moran lächelte.

»Ich würde die Rente annehmen, Michael. Du hast sie verdient. Nimm, was dir zusteht. Frag nie, wo das Geld herkommt.« Das Gespräch verlagerte sich, als sie Tee tranken, wieder auf weniger verfängliche Themen.

»Ich bin lange genug ohne das Geld ausgekommen. Warum sollte ich es dann jetzt noch von ihnen annehmen.« Aus dem lautstarken Ton, in dem er das sagte, ging klar hervor, daß er sich selbst gar nicht so sicher war.

»Mir hat es nicht geschadet. Es gab Zeiten, als ich mit dem Viehhandel gerade angefangen hatte, in denen mich allein dieses Geld vor der Straße bewahrt hat. Jetzt kommt es nicht mehr so darauf an, aber an jedem Monatsende flattern mir Sachen in den Briefkasten, die verdammt noch mal unangenehmer sind.«

»Ich hab' schon daran gedacht, es zu nehmen«, gab Moran zu.

»Könntest du damit nicht etwas für die Mädchen hier kaufen oder jemanden damit durch die Schule bringen, wenn du es schon nicht für dich selbst willst? Du hättest es schon vor Jahren nehmen sollen. In dieser Welt kann man ohne Geld nun mal nicht existieren. Und eine andere Welt gibt's vielleicht nicht.« McQuaid konnte sich diesen Seitenhieb auf Morans Religiosität nicht verkneifen.

»Der Mensch denkt ...«, sagte Moran dunkel.

»Und Gott hält sich raus«, verdrehte McQuaid den alten Spruch.

Die Mädchen hatten abgewaschen, die Teller und Tassen weggeräumt und die wenigen restlichen Schnittchen mit einem feuchten Tuch bedeckt. »Mr. McQuaids Zimmer ist fertig«, sagte Maggie, als sie sich anschickten, ins Bett zu gehen. »Das Bett ist gelüftet.«

»Oh, ich hab's vergessen«, sagte McQuaid hastig. »Ich muß mich gleich auf den Weg machen. Ich hätte es euch eher sagen sollen, aber mein Verstand ist wohl schon ein bißchen eingerostet.«

Moran protestierte nicht. Verstohlen, tief in seinen Sessel zurückgelehnt, beobachtete er McQuaid unter seinen schweren Lidern hervor: In all den Jahren, in denen sie am Monaghan Day zusammengekommen waren, hatte McQuaid immer die Nacht in seinem Hause verbracht.

»Ich hab' meiner Alten gesagt, daß ich nach Hause komme«, log McQuaid, als er sich erhob. »Sonst wär' sie zu einem der Jungs rübergegangen. Sie kriegt Angst, wenn sie nachts allein zu Haus ist.«

Nachdem sie lange genug gewartet hatten, um zu sehen, ob sie noch gebraucht wurden, gingen die beiden Mädchen zu Moran und gaben ihm einen Kuß auf den Mund, wie sie es jeden Abend taten.

»Gute Nacht, Mr. McQuaid«, sie streckten ihre Hände aus.

»Das war ein tolles Essen. Und ihr seid zwei tolle Mädchen. Solltet ihr mal in unserer Nähe sein, dann kommt rein und sagt meinem alten Mädchen guten Tag«, er ergriff und hielt ihre Hände.

»Gute Nacht, Mr. McQuaid«, wiederholten sie verlegen, bevor sie die beiden Männer verließen.

McQuaid setzte sich hin, stand aber beinahe sofort wieder auf. Wie an allen anderen Monaghan

Days, die weit in die Vergangenheit zurückreichten, war er mit der Absicht gekommen, bei Moran zu übernachten. Heute abend hatte sich sein wachsendes Unbehagen über Morans Drang zu dominieren und entweder alles nach seiner Fasson haben zu wollen oder aber es ganz zu verwerfen, zu der plötzlichen Entscheidung verhärtet, all die Jahre über Bord zu werfen und sofort zu gehen. Als Moran sah, daß McQuaid wieder aufgestanden war, wußte er, daß der Abend nun zu Ende ging, und damit alle Abende, und er zog sich wieder in sich selbst zurück. Er würde ihn weder anflehen zu bleiben noch ihm seinen Abschied erleichtern.

Seit McQuaid Morans dominierendem Verhalten an diesem Abend mit dieser plötzlichen Gewalt begegnet war, war er bemüht, konziliant zu sein. »Also, danke für das Essen und den Abend, Michael. Es war ein wunderbarer Abend.«

Eine Zeitlang schien es, als wollte Moran sitzen bleiben und McQuaid zwingen, allein den Weg aus dem Haus zu finden. Als er sich dann doch aus dem Sessel erhob, tat er es langsam und widerwillig, und er folgte McQuaid hinaus in die Steindiele, als bereite es ihm Schwierigkeiten, zu gehen oder sich zu bewegen. Im Dunkel der Diele behielt er die Hand an der Türkante.

»Viel Glück, Michael«, sagte der alte Viehhändler ein letztes Mal, aber Moran gab im Dunkeln keine Antwort.

Der Mond, der draußen kurz zwischen Wolken auftauchte, ließ die Umrisse des Buchsbaums schärfer hervortreten, der den Weg zum Holztor wies. McQuaid ging schwer und fest zum Tor. Er machte sich nicht die Mühe, es wieder zu schließen, ließ es hinter sich offenstehen. Nachdem er seinen Mercedes geöffnet hatte, lehnte er sich auf die Fahrertür und spuckte auf den gelben Fußweg.

»Manche Leute können's einfach nicht ertragen, zweiter zu werden«, sagte er so laut, daß es gut zu hören war, bevor er sich in den Wagen setzte, drehte und davonfuhr. Moran stand da, die Hand an der Türkante, bis die Scheinwerfer verschwunden waren, und er schloß die Tür, ohne das Eisentor an der Straße oder das kleine Holztor, das am Buchsbaum lehnte, wieder zuzumachen.

In kalter Wut stand und saß er dann lange Zeit drinnen, wobei er sich zweimal umsetzte. Nach Jahren hatte er seine ältesten und besten Freunde verloren, aber in gewisser Weise hatte er Freundschaften immer verachtet; nur die Familien zählten, oder besser gesagt: diese größere Version seiner selbst – *seine* Familie; und während er noch immer in der gleichen Wut, die überall Unheil wittert, verharrte, sah er vor sich, wie jedes einzelne Mitglied seiner Familie ihm allmählich entglitt. Ja, schließlich gingen sie alle. Er bliebe allein. Das konnte er nicht ertragen. Mit bitterer Hellsichtigkeit sah er, daß er nun Rose Brady heiraten würde. Und wie so oft begann er, diese Vorstellung, kaum hatte er sich mit ihr vertraut gemacht, auch schon leidenschaftlich zu hassen.

McQuaid hatte entweder auf gut Glück das Richtige getroffen oder einigermaßen verläßlichen Klatsch beim Jahrmarkt in Mohill aufgeschnappt.

Rose Brady war aus Glasgow nach Hause zurückgekehrt, um ihren Vater zu pflegen, und war nach seinem Tod unschlüssig dageblieben, und aus einem Tag wurden viele Tage. Sie konnte zu den Rosenblooms zurückgehen, in das große Haus außerhalb von Glasgow, wo sie als Teil der Familie zwölf Jahre lang gelebt hatte. Mrs. Rosenbloom hatte geschrieben, daß sie alle sie wiederhaben wollten, aber sie blieb bei ihrer Mutter und ihrem Bruder in dem Bauernhaus oberhalb des kleinen Sees, an den kargen, felsübersäten, niedrigen Hängen des Berges, der nach Arigna hin anstieg.

An den Abenden hatte sie manchmal das Gefühl, zu sehr in das Leben im Bauernhaus eingesperrt zu sein, auch wenn die Tür zur Sommerwiese immer offenstand, ihr Bruder auf den Feldern war und ihre Mutter überall mit Eimern herumstolperte und sich auf den Tisch oder den Stuhlrücken lehnte, wann immer sie stehenblieb, um zu reden. Eines Abends ging sie mit einem Brief zum Postamt, nur um eine Entschuldigung dafür zu haben, daß sie aus dem Haus ging.

Zu ihrer Überraschung war der kleine Raum des Postamtes voller Menschen, die auf die abendliche Post warteten. Sie drehten sich alle nach ihr um, als sie eintrat, und machten ihr Platz, damit sie an den Schalter herankam. Leute, an deren Namen sie sich nicht mehr genau erinnern konnte, riefen sie bei ihrem Namen, und sie lächelte und nickte zur Antwort. Das Postamt gehörte zwei weißhaarigen Schwestern, Annie und Lizzie, entfernte Kusinen von ihr, und Annie stempelte ihr den Umschlag, frankierte ihn und warf ihn in den Kattunsack auf dem Schalter.

»Du bist immer noch da, Rose?«

»Immer noch da, Annie. Heute abend sind aber viele hier.«

»Das kommt wegen dem Postwagen. Du kannst auch gleich dableiben, um zu sehen, ob irgendwas für euch dabei ist.«

Nun machte sie Platz für jemand anderen, der an den Schalter wollte, und befand sich auf einmal neben Moran. Sie kannte ihn gut vom Sehen, hatte aber noch nie mit ihm gesprochen.

»Das mit Ihrem Vater tat mir sehr leid«, sagte er.

»Ich weiß«, entgegnete sie förmlich.

Sie wußte, daß er seit vielen Jahren Witwer war. Er war früher Offizier in der Armee gewesen, und dann hatte es Ärger gegeben, woraufhin er die Armee verlassen hatte. Sie war oft an dem Steinhaus vorbeigegangen, in dem er mit seinen Kindern wohnte, von denen einige nun schon groß sein mußten. Sie hatte dunkle Gerüchte über ihn gehört, aber nachdem sie einige Minuten mit ihm gesprochen hatte, war sie geneigt, sie dem üblichen Neid zuzuschreiben. Sie fand ihn aufmerksam, intelligent, sogar charmant, aber mit einem starken Sinn für Unabhängigkeit und Stolz, womit er sich auf erfrischende Weise, wie sie fand, von all den anderen Männern aus dem Ort, die sie gekannt hatte, unterschied. Als der Postwagen draußen vorfuhr, verstummte das Gesumm der Gespräche um sie herum. Der Fahrer warf den Postsack auf den Schalter und griff, ohne ein Wort zu sagen, nach dem versiegelten Sack. Annie öffnete den Sack. Sobald sie begonnen hatte, das Bündel Briefe durchzugehen, richtete sich Morans ganze Aufmerksamkeit auf das Sortieren. Er ignorierte Rose völlig. Nachdem sie im Mittelpunkt seiner Aufmerksamkeit gestanden hatte, hörte sie von einem Augenblick auf den anderen plötzlich ganz auf zu existieren. Sein ganzes Leben schien an jedem einzelnen Brief in Annies Hand zu hängen, seine Augen folgten ihm jeweils, bis sie ihn jemandem in der Menge gab oder ihn auf einen Stapel neben sich legte, und dann hefteten sich seine Augen auf den nächsten Brief und den übernächsten. Die Spannung war so stark, daß sie geradezu erleichtert war, als sie aus dem kleinen Raum wieder an die frische Luft kamen.

»Haben Sie einen wichtigen Brief erwartet?«

»Nein«, lachte er. »Wie kommen Sie darauf?«

»Oh, ich dachte nur.«

»Ich komme fast jeden Abend wegen der Post vorbei. Man kommt mal raus. Und man erspart sich die Frage, ob Jimmy Lynch am nächsten Tag was für einen hat oder nicht.«

Das Fahrrad, mit dem sie fuhr, hinterließ dünne Spuren in dem fahlen Staub, der die Straße bedeckte. An der Kreuzung neben der Brücke trennten sie sich.

»Ich nehme an, wir werden Sie in Kürze wieder verlieren«, sagte er.

»Ich weiß noch nicht, wann ich wieder zurückgehe«, antwortete sie.

Sie war Ende dreißig, schlank und kräftig, zu gepflegt und zu unauffällig, um jemals schön gewesen zu sein, aber ihre großen, grauen Augen waren intelligent und voller Eigensinn und Energie. Als sie zu Hause war, konnte sie nicht umhin, gleich Morans Namen ins Gespräch zu bringen.

»Man sagt, daß er nicht gerade eine Zierde ist«, sagte ihre Mutter vorsichtig.

»Ich habe mit ihm im Postamt geredet.«

Sie sah, wie ihre Mutter sie scharf musterte. »Man sagt, wenn er unter Menschen ist, dann ist er so – und er kann sehr liebenswert sein –, aber wenn er in seinen eigenen vier Wänden ist, dann ist er ganz anders.«

»Die Leute hier reden zuviel über andere. Dieses Gerede ist oft nur ignorant und böswillig.«

Ihr eigentlicher Instinkt war es, immer im normalen gesellschaftlichen Rahmen zu agieren: der Familie, den Beziehungen, Positionen, Konventionen, diesen etablierten Formen, die man als Waffe einsetzen kann, wenn man sie beherrscht. Im Schutz dieser Formen konnte sie mit Charme und einer ganz ungewöhnlichen Aufmerksamkeit agieren, die allmählich so geschliffen waren, daß sie schon fast kühl wirkten, wäre da nicht die Freundlichkeit ihrer großen, grauen Augen gewesen. Die Rosenblooms hatten seit langem gewußt, daß sie

sie überall in der Gesellschaft mit hinnehmen konnten. Diese Fähigkeiten konnte sie bei Moran nicht einsetzen. Ihr Interesse war zu groß. Sie hatte zu wenig Zeit. Er hatte zuviel vom Outlaw an sich, was seine eigene Faszination besaß. Zu ihrer eigenen Qual und ganz offen mußte sie ihm hinterherlaufen.

Sie kam am nächsten Abend ins Postamt und am darauffolgenden auch und kaufte bei Lizzie Tee und eine Honigwabe, gab am Freitag an Annies Schalter einen Brief auf, wartete, bis die Post sortiert war, und es gelang ihr jedesmal, das Postamt allein mit Moran zu verlassen. Sie standen lange an der Kreuzung und redeten, bevor sie sich trennten, aber er machte ihr nicht den Vorschlag, sich am Wochenende zu treffen. Es gelang ihr, ihre Unruhe zu verbergen, ihr Herumirren, ihren Traum davon, ein neues und anderes Leben anzufangen, ihre Ungeduld über die alten Formen, in denen sie zu lange verharrt hatte; sie war nicht mehr jung und alt genug, um das Scheitern vorauszusehen. Es gelang ihr, ihre Sehnsucht unter einem undurchsichtigen Schleier zu verstecken, aber am Montag mußte sie doch wieder zur Post gehen. Sobald sie regelmäßig zu erscheinen begann, konnten die anderen sie beobachten. Annie und Lizzie waren freundlich zu Moran. Sie sprachen oft zusammen über seine Familie und darüber, wie schwer es für einen alleinstehenden Mann war, ganz auf sich gestellt Kinder aufzuziehen. Sie begannen bald, Roses abendliche Anwesenheit in ihrem kleinen, säuberlich gescheuerten Raum mit Sarkasmus aufzunehmen. Diese unschickliche Jagd nach Liebe wurde mit einer feindseligen, umfassenden Belustigung registriert, denn die »Liebe« hatte Annie und Lizzie – und viele wesentlich Jüngere – längst verlassen, und sie wurde nun wie eine Gelbsucht gewertet. Dieser Balztanz wirkte auf sie wie eine groteske Parodie.

Als sie die Straße überquerte, um das Beet mit Dahlien, Margeriten und Kapuzinerkresse zu wässern, das sie auf dem Grasstreifen angelegt hatte, der an der ihrer Haustür gegenüberliegenden Straßenseite am Dorfeingang lag, hielt Mrs. Reynolds inne, um zu beobachten, wie Rose an der Brücke vorbei zur Post fuhr, und murmelte gehässig: »Alter schützt vor Torheit nicht«, als meinte sie den schlechtesten ihrer eigenen Charakterzüge. In den beiden Bars, auf der Brücke und dem Fußballfeld, wo sich am Abend die Männer versammelten, ertönten rauhe Schreie: »Hinab mit dem Stamm! Alle landen irgendwann im schmutzigen Loch«, Anfeuerungsrufe folgten, die wie Geschützfeuer nachhallten. Der Lächerlichkeit gänzlich preisgegeben, ging sie Abend für Abend zum Postamt, einer Lächerlichkeit, die sie sich weder zu sehen noch zur Kenntnis zu nehmen zwang.

»Erwartest du einen wichtigen Brief, Rose?« fragte ihre Mutter sie ängstlich.

»Nein, Mutter. Ich komme nur einfach mal für ein, zwei Stunden aus dem Haus.«

Dann erschien ihre verheiratete Schwester im Haus, um zu berichten, was der eigentliche Grund für ihre abendlichen Abstecher zum Postamt war. »Man sollte doch annehmen, daß sie in ihrem Alter etwas vernünftiger wäre. Sie wird sich noch zum Gespött der Leute machen, wenn sie's nicht schon ist.«

»Ich habe gehört, daß du Mr. Moran im Postamt triffst«, wagte ihre Mutter zart anzudeuten.

»Ja. Er kommt jeden Abend dorthin.«

»Ich würde mich nicht zu sehr um ihn scheren. Und außerdem hat er schon eine eigene große Familie.«

»Wir sind bloß Freunde, Mutter«, sie lachte ihr kleines Lachen und lächelte ihr charmantes Lächeln, das ihren ungebrochenen Willen verbarg. »Wir reden immer bloß über seine Kinder. Er macht sich viel Sorgen um sie.«

»Wenn ich du wäre, würde ich auf der Hut sein, Rose. Es braucht nur wenig, um die Leute zum Reden zu bringen.«

»Dann laß sie doch reden.«

Doch Moran machte keinen Schritt auf sie zu, versprach ihr nichts, deutete nicht im geringsten an, daß ihr Interesse auf Gegenseitigkeit beruhte, und gewährte ihr nicht die geringste Unterstützung. Er blieb genau an dem Punkt stehen, den sie schon beim ersten Mal erreicht hatten. Er ging weder auf sie zu, noch zog er sich zurück, und sie sah, daß es nicht so weitergehen konnte. Eines Abends, als sie gezwungen waren, sich vor einem plötzlichen Schauer unter die dichte Reihe von Ahornbäumen zu flüchten, sagte sie: »Du solltest mal einen Abend bei uns reinschauen, Michael. Ich weiß, daß sie dich gern kennenlernen würden.«

»Du weißt doch, wie schwer es ist, wegzukommen, Rose.«

»Wie auch immer, du weißt, du bist willkommen«, lächelte sie und ließ ihn stehen, und er war nicht überrascht, als sie am nächsten und auch am darauffolgenden Abend nicht zum Postamt kam. Er wußte, daß er nun zu ihr gehen mußte, wenn er sie wollte.

Als er jung war, waren ihm viele Frauen nachgelaufen; daß er sie heimlich verachtete, schmälerte nicht seine Attraktivität, aber in späteren Jahren hatten seine große Familie und die zunehmenden Jahre schwer wie eine Behinderung auf ihm gelastet: Er würde aber nie das Risiko eingehen, sich so preiszugeben, wie Rose es getan hatte. Rose Bradys Aufmerksamkeit war genauso unerwartet wie plötzlich gekommen, und sie war ihm willkommen gewesen. Es war, als wäre sie von einem gnädigen Himmel gefallen. Sie war viel jünger als er, stark und nicht unansehnlich. Er hatte Grund anzunehmen, daß sie Geld gespart hatte, und sein Leben konnte angesichts ihrer intensiven Aufmerksamkeit wieder zu leuchten beginnen. Es war unwahrscheinlich, daß ihm ein solcher Glücksfall noch einmal über den Weg laufen würde, ganz egal, wie lange er noch wartete. In derselben Woche sagte er Maggie aus heiterem Himmel, daß er sie allein sprechen wollte. Voller Nervosität und sehr beunruhigt, folgte sie ihm in sein Zimmer.

»Da ist etwas sehr Wichtiges, das die ganze Familie angeht und das ich mit dir ernsthaft besprechen möchte.« Während er sprach, fühlte er die ganze Bürde der Verantwortung und der Konsequenzen auf sich lasten. »Was würdest du sagen, wenn ich jemand Neuen in die Familie brächte?«

Maggie warf ihm einen schnellen Blick zu, begriff aber nichts.

»Wenn den Platz deiner Mutter – der Herr sei ihrer Seele gnädig – jemand Neues einnähme«, fügte er hinzu. »Wenn ich wieder heiraten würde.«

Ob es nun die plötzliche Erwähnung ihrer Mutter war oder das ganze emotionale Gewicht, mit dem er die Situation belastet hatte, jedenfalls brach Maggie in heftiges Schluchzen aus. Es hielt ziemlich lange an, während er betreten mit den Füßen scharrte und seinen unmittelbaren Impuls unterdrückte, sie anzuschreien, daß sie ruhig sein sollte. Nach einer Weile entdeckte sie, daß sie sich ganz gut hinter ihrem Schluchzen verschanzen konnte.

»Eine Frau könnte euch in einer Weise helfen, wie ich es nicht kann«, sagte er. »Ein alleinstehender Mann kann einfach nicht alles machen.«

»Ganz wie du meinst, Daddy.« Sie wußte, daß alles, was sie auch sagte, ohnehin belanglos wäre.

»Dann glaubst du also, daß es das beste wäre?« Er war jetzt ungeduldig bemüht, die ganze Sache hinter sich zu bringen.

»Wenn du glaubst, daß es das beste wäre, Daddy.«

»Ich weiß, daß es das beste wäre. Ich würde nicht eine Sekunde darüber nachdenken, wenn es nicht für alle das beste wäre. Nach all diesen Jahren werden wir wieder ein richtiges Zuhause haben. Es wird ein Zuhause sein, das euch jederzeit offenstehen wird.«

Sie konnte es gar nicht erwarten, Sheila und Mona davon zu erzählen. Beide Mädchen dachten zuerst, daß sie Witze machte, aber als sie das Gespräch, das sie mit Moran geführt hatte, Wort für Wort wiederholte, brachen sie in wildes Gelächter aus. Ihrem jüngeren Bruder erzählten sie es nicht. Obwohl sie ihn liebten, als wäre er ihr eigenes Kind, hielten sie ihn aus allem, was für den Haushalt wirklich von Bedeutung war, heraus.

»Wer ist es?« Sie fragten, nachdem sie sich wieder beruhigt hatten.

»Es muß Miss Brady sein, die aus Glasgow wieder nach Hause zurückgekommen ist.«

»Sie wird ihn nie kriegen.«

»Man sagt, daß sie ganz wild auf ihn ist. Sie geht jeden Abend zur Post«, und sie begannen wieder über das zu lachen, was ihnen wie ein Zerrspiegel ihrer eigenen Blüte erschien.

Am Sonntag nach der Messe holte Moran den kleinen blauen Ford aus dem Schuppen, prüfte den Motor und die Reifen, wusch dann den Wagen, trocknete und wachste ihn, bis er glänzte. Um drei Uhr fuhr er die sechs Kilometer bis zu Rose Bradys Haus. Der Feldweg, der zum Haus führte, war schmal und kurvenreich, und es gab zu viele Tore, so daß er den Wagen auf dem breiten Grasstreifen neben der Rampe für die Molkereikannen parkte. Der Wagen war vom Haus aus nicht zu sehen, weil er von Bäumen verdeckt wurde. Er ging langsam den Feldweg hinunter, wobei er es genoß, seinen gebügelten braunen Anzug, den er so selten trug, zu spüren, diese neue Aufregung in seinem sonst so stumpfsinnigen Leben. Es war, als stünde er wieder am Rande von etwas Frischem und Neuem.

Rose entdeckte ihn am schweren roten Gartentor. Ihre Erleichterung über sein Kommen war so groß, daß sie stocksteif in der Tür stehenblieb. Als sich die Erleichterung in reine Freude verwandelte, winkte sie und kam wie ein junges Mädchen über den Rasen auf ihn zu. Sie war schon an seiner Seite, bevor sie daran dachte, wie ihr Gesicht und ihr Haar wohl aussahen.

Sie hatte schlimme Tage durchlebt. An den Abenden hatte sie mit quälender Deutlichkeit die kleine Versammlung im Postamt vor sich gesehen, den Postwagen, der die Brücke überquerte, Annie, die die Briefe sortierte, und das leere Stück Straße bis zu den Ahornbäumen, wo sie stehengeblieben waren, um zu reden. Ihre ruhelose Sehnsucht danach, wieder hinzugehen, war so groß, daß sie kämpfen mußte, um bei ihrer Entscheidung zu bleiben. Sie konnte nicht mehr dorthin gehen. Sie hatte genügend Signale gegeben, vielleicht zu viele, und sie konnte nur noch warten. Und jetzt war er zu ihr gekommen.

Obwohl ihre Mutter ihn nicht mochte, waren die Gesetze der Gastfreundschaft zu streng, um irgendeinen Kommentar oder gar eine Unhöflichkeit zu gestatten. Ihren Bruder kannte er schon, und die beiden Männer sprachen über die Heuvorräte des Jahres und die Preise, die sie für Schafe und Wolle und Rinder erwarteten. Eine weiße Decke wurde über den Tisch gebreitet, selbstgemachtes Brot und Marmelade und eine frische Apfeltorte kamen auf den Tisch. Tee wurde gekocht. Er lobte das Brot und die schwarze Johannisbeermarmelade.

»Der Garten erstickt jedes Jahr fast unter schwarzen Johannisbeeren. Die meisten davon holen sich die Vögel. Ihre Töchter sollten im nächsten Jahr herkommen und sie pflücken.«

»Das wäre zuviel verlangt«, sagte er.

»Wenn die Mädchen sie nicht pflücken, dann verfaulen sie im Gras, oder die Vögel holen sie sich«, sagte die Mutter so liebenswürdig, wie sie nur konnte.

»Interessieren Sie sich für Fußball?« fragte ihr Bruder.

»Nicht allzusehr, aber ein gutes Match schau' ich mir gern mal an.«

»Würden Sie dann gern den Schluß des Spiels hören?«

»Aber sicher«, und ihr Bruder stellte das Sonntagsspiel wieder an, das er sich angehört hatte, als Moran in den Garten gekommen war. Nach ungefähr zehn Minuten schien es mit einem befriedigenden Ergebnis geendet zu haben. Während der paar Minuten, in denen sie dann das Spiel besprachen, war Moran zurückhaltend und aufmerksam.

»Jetzt hab' ich gegessen und getrunken, und nun wird's allmählich Zeit für mich, aufzubrechen«, sagte er nach ungefähr einer Stunde.

Roses Mutter und Bruder schüttelten ihm höflich die Hand. Sie nahm sich eine Strickjacke und begleitete ihn den ganzen Feldweg hoch. Über ihnen erhoben sich die kargen Felder, voller Steine und Stechginster, die niedrigeren Hänge des Berges. Unterhalb der Zufahrt lag der kleine See, der von Schilfgras umgeben war.

»Gibt es Fische im See?«

»Früher gab es viele – kleine Flußbarsche, Hechte und Aale –, aber sie wurden nie besonders groß.«

Als sie durch das erste Tor am Fuß des Hügels gingen, waren sie zum ersten Mal, seit sie sich kennengelernt hatten, nicht mehr unter den Augen anderer Menschen. Da waren nur noch der Weißdorn und die Dornbüsche der Hecken, die grünen Streifen des Feldweges in den Reifenspuren, die wilden Erdbeeren an der Böschung, die dunkler wurden.

»Hab' ich mich bei euch gut benommen?« fragte er.

»Du warst perfekt. Du hättest es gar nicht besser machen können. Es war sehr lieb, daß du gekommen bist«, und sie nahm seine Hand und hielt ihm willig ihren Mund hin, als er sich zum ersten Mal hinunterbeugte, um sie zu küssen.

»Ich bin's nicht gewohnt, auszugehen«, sagte er. »Jetzt mußt du mal kommen, um meine Bande kennenzulernen.«

»Das fände ich wunderschön.«

»Ich werde es für einen der nächsten Abende arrangieren. Ich hoffe, sie wissen, wie sie sich zu benehmen haben.« Die Verantwortung senkte sich wieder sichtbar auf ihn herab, als er weiterging.

»Ich wußte nicht, daß du ein Auto hast«, sagte sie überrascht, als sie die Straße erreicht hatten.

»Ich hole es nicht sehr oft heraus, aber es ist schön, den Wagen zu haben und zu wissen, daß man jederzeit überall hinfahren kann, wenn einem danach ist.«

Heimlich frohlockte sie, daß er einen Wagen besaß. Es war einfach ein weiteres Zeichen dafür, wie sehr er sich von den Leuten um sie herum unterschied, die bloß eine Kuh oder einige weitere Felder kaufen würden. In dieser Gegend galt ein Auto viel mehr als Blumen, als ein Obst- oder Kräutergarten: Es war das Symbol für reinen Luxus.

Sie ging langsam den Feldweg zurück und kostete den satten Frieden, die Kraft, die sie spürte. Dieser schmale Feldweg war ihr lieb und wert. In ihren schlaflosen Nächten in Schottland war sie ihn in Gedanken viele Male entlangspaziert. Die wilden Erdbeeren, das rauhe Gras, die schwarzen Früchte der Wicken auf der Böschung waren ihr teuer. Sie hatte das Gefühl, daß sie nach den vielen Fehlstarts, die es in ihrem Leben gegeben hatte, nun Zeugen dieses echten Neuanfangs wurden,

den sie in die Hand nehmen und wahr machen würde. Sie mußte nicht länger, bloßgestellt und verwundbar, dem Glück nachjagen und hinterherhetzen. Sie konnte nun von einer festen und sicheren Position aus ihre nächsten Schritte tun.

»Wo ist Tom?« Sie bemerkte die Abwesenheit ihres Bruders, als sie wieder im Haus war.

»Er sagte, er wollte für eine Stunde zu O'Neill gehen.«

»Ich hab' ihn auf dem Weg nicht getroffen.«

»Er muß über die Felder gegangen sein.«

Nach einem langen Schweigen sagte die Mutter: »Der Besuch kam etwas überraschend.«

»Ich hab' ihn gebeten, mal reinzuschauen, wenn er in der Nähe ist. Hat er dir wenigstens ein bißchen gefallen?«

»Wenn er dir recht ist, dann ist er mir sicher auch recht. Er hat eine große Familie.«

»Ich sehe nicht, wieso das gegen ihn sprechen sollte.«

»Du hattest immer eine Menge Verehrer«, wechselte die Mutter das Thema.

»Die Verehrer sind jetzt alle fort.« Beide Frauen waren froh, das Thema fallen lassen zu können. Sie würden ihre Meinung nicht ändern.

Sie ging am nächsten und übernächsten Abend nicht zum Postamt. Sie empfand nicht länger diese quälende Sehnsucht nach jenem weißen Stück Straße, das zu den Ahornbäumen hinführte. Als er am Sonntag zu Besuch gekommen war, hatte Moran aus diesem Stück Straße eine Straße wie alle anderen gemacht. Sie würde an dem Tag gehen, den sie dafür am geeignetsten hielt. Sie wollte weder zu ungeduldig noch zu gleichgültig erscheinen.

Ihre ganze Nervosität stellte sich wieder ein, als sie das Postamt knapp vor dem Postlaster erreichte. Der kleine Raum war voller Menschen. Moran war da und lächelte sie an und sprach mit ihr. Ob Annie und Lizzie nun von dem sonntäglichen Besuch gehört oder ihre Abwesenheit bemerkt hatten, war nicht klar, aber sie wirkten im Vergleich zu den früheren Tagen beinahe entgegenkommend. Sie bemerkte auch, daß Moran weniger sorgfältig gekleidet war, als sie in Erinnerung hatte, und sich seit mindestens einem Tag nicht mehr rasiert hatte. Es war, als wollte er damit trotzig zum Ausdruck bringen, daß er soweit auf sie zugegangen war, wie er zu gehen gedachte. Draußen vorm Postamt entschuldigte er sich auch nicht für sein rauhes Aussehen, aber er war so freundlich und charmant wie immer.

»Am Sonntag gibt es ein Konzert im Festsaal. Es wäre einfacher, wenn ich dir meine Bande das erste Mal beim Konzert vorstelle«, sagte er. »Hinterher kannst du uns dann jederzeit zu Hause besuchen.«

»Ganz wie du es für richtig hältst.« Sie tat gern, was er wünschte.

Am Samstagabend, als der Rosenkranz zu Ende war, sagte Moran: »Ich möchte Gott mit einem letzten Gebet bitten, daß er euren Vater auf den richtigen Weg führt«, und alle, sogar der kleine Michael, wußten, was er damit meinte. »Es gibt da eine ganz besondere Person, die ich euch morgen im Konzert vorstellen möchte. Ich hoffe, daß ihr sie alle mögt. Es ist Miss Brady«, sagte er zu ihnen, sobald sie sich von den Knien erhoben hatten. Sie äußerten mit unbestimmten Lauten, wie gern sie sie kennenlernen würden. »Ich möchte, daß ihr alle eure besten Sachen anzieht«, verlangte Moran.

Am Sonntagabend waren die Mädchen herausgeputzt, und der Junge trug seinen blauen Kommunionsanzug und schwarze Schuhe. Alle waren sie aufgeregt und ein bißchen beschämt. Sie hatten Miss Brady in der Messe aus der Entfernung gesehen, aber sie hatten sie nie kennengelernt. Am Hügel hinter dem Dorf gab er ihnen Geld. »Geht vor bis zur ersten Reihe und haltet zwei Plätze frei«, wies er sie an und ließ sie dann allein. Obwohl der Festsaal fast leer war, hatten sie nicht den Mut, sich wirklich in die allererste Reihe zu setzen, sondern nahmen in der dritten Reihe Platz und besetzten zwei weitere Stühle mit zusammengefalteten Mänteln. Sie kannten alle Leute, die in den Festsaal kamen, und diejenigen, die in ihrer Nähe Platz nahmen, lächelten sie an und sprachen mit ihnen. Sie waren nervös und fühlten sich kompromittiert. Sie fühlten sich sogar noch unwohler, als ihr Vater, gerade als der vollbesetzte Saal darauf wartete, daß sich der Vorhang hob, mit Rose hereinkam. Betont langsam führte Moran Rose zu ihren Plätzen. Die Mädchen standen Qualen der Bloßstellung aus, während sie darauf warteten, daß die beiden ihre Plätze erreichten. Langsam und ernst stellte Moran Rose der Reihe nach jedem Familienmitglied vor. Die kleine Gruppe zog wesentlich mehr Aufmerksamkeit auf sich als die Bühne. Roses Taktgefühl wurde nie so offenkundig wie jetzt. Falls sie nervös war, so blieb das verborgen, und nach ein paar Minuten hatte sie jede der Schwestern vollkommen beruhigt, ihre Beschämung und ihre Befürchtungen waren verflogen.

Das Konzert war eine Darbietung von Amateuren. Eine Gruppe von Mädchen, die mit Medaillen geschmückt waren, tanzte. Ein Mann im blauen Anzug sang. Ein alter Mann spielte mehrere Weisen auf einem Akkordeon. Die Laienbühne zeigte einen kurzen, komischen Sketch. Weil alle Künstler entweder mit jemanden aus dem Publikum verwandt oder den Leuten zumindest bekannt waren, wurde jeder Auftritt mit lautem und gleichmäßigem Beifall bedacht. In den Pausen nickte Rose den Leuten in ihrer Nähe zu und lächelte sie an. Moran rührte sich nicht und blickte sich nicht einmal um.

Als das Konzert zu Ende war, fuhr er die vier Kinder zurück nach Great Meadow. Rose saß vorn auf dem Beifahrersitz. Als sie das Haus erreicht hatten, bat er Rose hinein, aber sie lehnte mit der Entschuldigung ab, daß es zu spät war. Als sie ihnen der Reihe nach gute Nacht sagte, gelang es ihr, durch ihren besonderen Charme oder einfach ihre Persönlichkeit, jedem von ihnen das Gefühl zu vermitteln, daß er ihr auf seine Weise wichtig war. Sie verließen sie mit dem Gefühl, völlig in einer warmen Welle der Aufmerksamkeit zu schwimmen, und auf Morans wiederholte Frage in den nächsten Tagen konnten sie immer nur wieder aufrichtig antworten, wie sehr sie sie mochten. Tatsächlich kam diese Antwort so einheitlich und gleichbleibend, daß sie ihn nach kurzer Zeit zu irritieren begann.

Rose wünschte sich, daß sie schnell heirateten, aber nun, da dem nichts mehr im Wege stand, wurde Moran vorsichtig und ausweichend. Sie sah, wie die Dinge standen, und änderte ihre Taktik. Eine Einladung, die Moran ihnen überbrachte, führte die drei Mädchen und den Jungen für einen langen Sonntag zu ihr. Weil sie von Rose kam, unterstützte Moran diese Einladung genauso stark, wie er die Kinder von Besuchen in jedem anderen der umliegenden Häuser abgehalten hätte.

Sie zeigte ihnen den kleinen See mit seinem Kranz von Schilfgras, nahm sie mit zu den untersten Hängen des Berges, bastelte Michael eine Angel und nahm ihn mit zu dem Teil des Sees, wo sie als Mädchen immer geangelt hatte, und bald schon schrie er vor Vergnügen, wenn er die heißhungrigen, kleinen Flußbarsche nicht erwischte oder wenn er sie über seinen Kopf hinweg auf das Ufer warf. Roses Mutter zeigte den Mädchen das Haus und das Geflügel und die Tiere, einschließlich einer kleinen Ziege, die Rose nur melken konnte, wenn sie sich mit dem Parfüm besprühte, das die Mutter benutzte. Sie bekamen ein üppiges Essen und wurden eingeladen, jederzeit, wann immer sie Lust hatten, wiederzukommen. Schon nach ein paar Wochen kamen sie regelmäßig. Da Moran sie ermutigte, konnten sie ohne Schuldgefühle gehen. Die immer angespannte Atmosphäre von Great Meadow hinter sich zu lassen, war, wie wenn man steife, förmliche Kleidung ablegte oder Schuhe von sich schleuderte, die einen drückten. Die alte Mrs. Brady konnte sich nie dazu durchringen, Moran sympathisch zu finden, aber sie schloß die Kinder sehr ins Herz. Bis sie ihr Vertrauen gewonnen hatte, war ihr Benehmen ehrerbietig und identisch mit den altmodischen Manieren ihrer eigenen Jugend. Sie waren immer sehr willig, zu helfen oder Botendienste zu erledigen, und ihr machte es Spaß, für sie Tee zu kochen und Kuchen zu backen. Mit dem gleichen Takt, mit dem Rose diese Besuche angeregt hatte, achtete sie nun darauf, sich bei diesen Gelegenheiten so weit wie möglich herauszuhalten. Sie schickte sie mit Broten und Getränken allein auf die Felder, wo ihr Bruder arbeitete, und auch er begann, ihre stille Gesellschaft auf den leeren Feldern zu schätzen. Nach ein paar Monaten waren Roses Zuhause und Morans Haus beinahe verflochten. Halb im Scherz, aber auch ein wenig schneidend sagte Moran, daß Great Meadow so verlassen sei, daß er wohl selbst bald zu ihr ziehen müsse. Letztlich konnte keiner erkennen, wie alles genau eingefädelt worden war. Roses Taktgefühl war so meisterhaft, daß sie gewissen Menschen glich, die so belesen sind, daß sie auf alles mögliche anspielen können, ohne je einen Buchtitel zu nennen.

»Was sagst du dazu, wenn Rose euren Vater heiratet?« Die alte Frau hatte soviel Vertrauen entwikkelt, daß sie Maggie eines Tages in ihrer gutherzigen, direkten Weise fragte.

»Wir sind froh.«

»Und ihr habt bestimmt nichts dagegen?«

»Nein, wir sind froh.«

»Die Leute sagen, daß er euch geschlagen hat.«

»Das sagen die Leute nur, weil Daddy nicht wollte, daß wir mit ihnen verkehren.«

»Er hat euch nicht geschlagen?«

»Nein... nur manchmal, wenn wir zu frech waren, aber nicht anders als überall.« Scham genauso wie Stolz brachten sie dazu, zu leugnen.

»Und warum ist euer Bruder fortgegangen und nie wieder nach Hause gekommen?«

»Daddy und Luke sind nie miteinander ausgekommen. Sie waren sich zu ähnlich«, und als Maggie zu weinen anfing, sah Roses Mutter, daß sie zuviel Druck ausgeübt hatte.

»Sie hätte es doch viel besser mit jemandem, der in ihrem Alter ist«, murmelte die alte Frau vor sich hin. »Sie hatte viele Verehrer. Viele Verehrer. Viele Verehrer. Ich verstehe das überhaupt nicht.«

Maggie wischte sich die Tränen weg, während sie zuhörte. Sie fand dieses Gemurmel komisch. In ihren Augen sahen Rose und Moran gleich alt aus. Maggies Antworten konnten Roses Mutter nicht völlig beruhigen, aber sie mochte sie und wollte die Anwesenheit der Kinder in ihrem Haus nicht gefährden.

Michael war ihr Liebling geworden. Er war der Unbefangenste. Er konnte stundenlang und ganz von sich eingenommen mit ihr schwatzen. Manchmal gab sie ihm heimlich Geld, und er half ihr bei den Hausarbeiten. Sie hatten oft Streit, und er blieb eine Zeitlang fort; aber er konnte nie lange wegbleiben. Wenn er dann wiederkam, fühlten sich die beiden sogar noch näher als vor dem Streit, und bald liefen sie wieder zusammen durch den Garten und schwatzten.

Auch wenn Rose sie so ermunterte, sie jederzeit zu besuchen, war sie selbst sehr zurückhaltend, wenn es darum ging, nach Great Meadow zu kommen. Wenn sie es dennoch tat, blieb sie nicht lange. Als Moran sie bedrängte, Weihnachten zum Essen zu kommen, lehnte sie ab. »Es würde nicht gut aussehen, wenn ich am Weihnachtstag nicht zu Hause wäre«, antwortete sie; daß sie noch nicht verheiratet waren, sagte sie nicht. »Ich werde am St. Stephanstag irgendwann in der Frühe vorbeikommen«, sagte sie statt dessen.

Die Mädchen wünschten, Rose hätte mit ihnen am Weihnachtstag zusammen sein können. Es war wie immer ein sehr langer Tag, den man hinter sich bringen mußte. Moran aß allein vor dem großen Büfettspiegel, während die Mädchen ihn ängstlich bedienten. Nachdem er gegessen hatte, aßen sie selbst am Beistelltisch. Es war das erste Weihnachten, an dem jemals einer fehlte, und Moran schien die Abwesenheit von Luke schmerzlich bewußt zu sein.

»Man würde doch annehmen, daß er Weihnachten nach Hause käme oder wenigstens schriebe, aber nicht ein Wort, nicht einen Gedanken an andere, nur an sich selbst«, und alles trübte sich vor ihnen, als sie versuchten, sich vorzustellen, in welcher Umgebung sich Luke zur gleichen Zeit in England befand, sie waren nicht in der Lage dazu. Es war zu sehr, als gerieten sie in ein tiefes Dunkel. Später wurde das Radio angestellt. Der Rosenkranz wurde gebetet. Die Spielkarten wurden herausgeholt. Alle gingen früh zu Bett. Sie waren sehr erleichtert darüber, unter die Bettdecke schlüpfen zu können und zu wissen, daß dieser Tag überstanden war.

Am nächsten Morgen kam Rose und brachte Geschenke. Sie hatte für Moran einen Seidenschlips gekauft, Blusen und Pullover in einem tiefen Pflaumenblau für die Mädchen, ein Paar weißer Fußballschuhe für Michael. Da er Geschenke nicht mochte, beobachteten die Mädchen sorgfältig, wie Moran auf den Seidenschlips reagierte.

»Danke, Rose«, sagte er und legte ihn oben aufs Radio.

»Gefällt er dir nicht?« Sie lächelte ein bißchen, verblüfft von seiner spröden Reaktion.

»Er ist viel zu teuer und viel zu fein für einen alten Kerl wie mich.« Diese Antwort war geradezu überschwenglich.

Gerade als Rose gehen wollte, kamen die Wren-Boys* auf dem Kohlenlaster aus Arigna. Auf der Ladefläche des Lastwagens mußten wohl an die zwanzig Männer in Masken und Karnevalskostümen gewesen sein. Mit dem Geld, das sie in verschiedenen Häusern bekamen, kauften sie Schinken, Brote und Butter, Limonade, Whiskey und halbe Fässer Porter, um am Abend in Kirkwoods Scheune einen großen Tanzball zu veranstalten. Alle in der Umgebung wurden dazu eingeladen.

Sobald sie im Haus waren, begann ein Akkordeon zu spielen, und zwei Geigen fielen perfekt mit sein; dann spielte ein Dudelsack ohne Begleitung. Junge Männer tanzten mit Rose Brady und den Mädchen durch die Küche. Es gab Geschrei und Radau, spaßhafte Kußversuche, herausfordernde neckische Namen für die Maskierten und dann ein Lied.

»Ihr beiden müßt heute abend zu Major kommen«, sagte der Mann, der das Geld einsammelte.

»Vielleicht machen wir das«, antwortete Moran. »Vielleicht machen wir das.«

Moran gab ihnen ein Pfund, Rose holte einen roten Zehn-Schilling-Schein aus ihrer Handtasche, und sie verließen sie in dem gleichen Tumult, in dem sie hereingekommen waren, den ganzen Weg zum Lastwagen tanzten und sangen sie. Eine unheimliche Stille senkte sich auf das Haus herab, als

* Weihnachtlicher Brauch in Irland, bei dem die Männer von Haus zu Haus ziehen und das Lied vom Zaunkönig (wren) singen. [A. d. Ü.]

sich der Laster zum nächsten Haus in Bewegung setzte.

»Gehen wir tanzen?« fragte Rose Moran, als sie wieder ging.

»Was ist da schon zu sehen, außer demselben alten Haufen, der sich zum Narren macht?«

»Es ist Weihnachten.«

»Möchtest du hingehen?«

»Ja, sehr gern.«

Er ging widerwillig mit. Beim Tanzball der Wren-Boys in Kirkwoods Scheune herrschte eine Stimmung von großer Ausgelassenheit und Freiheit, ja sogar ausgesprochener Zügellosigkeit. Moran fühlte sich nicht wohl. Diese allgemeine Freundlichkeit war das, was ihm am meisten mißfiel. Die Wren-Boys, die den ganzen Tag auf dem Lastwagen von Haus zu Haus gezogen waren, waren jetzt gewaschen und gekämmt und spielten auf einer zusammengezimmerten Bühne fröhlich ihre Lieder herunter. Obwohl draußen strenger Frost herrschte, konnte man Pärchen sehen, die sich vom Tanz fortstahlen und ungefähr eine halbe Stunde später wieder zurückkehrten, immer ein wenig niedergeschlagen, bis sie wieder getanzt hatten, sich erneut in die alte Fröhlichkeit hineingetanzt hatten. Moran sprach mit kaum jemandem und reagierte ungehalten auf jede Rempelei, während er mit Rose auf dem verzogenen Holzboden tanzte. Rose war ängstlich, weil sie spürte, daß er zu lange mit einer zu großen Verantwortung in seinem steinernen Haus gelebt hatte. Er hatte nicht die Möglichkeit gehabt, auszugehen und zwanglos mit Leuten zusammen zu sein. Was sie nicht wußte, war, daß Moran mit seinem guten Aussehen und seinem militärischen Ruhm einst der König dieser Scheunentänze gewesen war und daß er nun, wo er weder Jugend noch Ruhm besaß, nicht einen geringeren Rang einnehmen wollte. Lieber nahm er erst gar nicht teil.

Rose war zu dem Tanz gekommen, um ihren Platz als Paar unter den Leuten in diesem lockeren Weihnachtskarneval zu behaupten. Sie war entschlossen dazubleiben. Sie lächelte und schwatzte mit jedem in ihrer Nähe. Sie trank Tee. Sie tanzte mit Nachbarn und Männern, mit denen sie zur Schule gegangen war. Sie zwang Moran zu tanzen, und am Ende der Nacht war sie von dieser Anstrengung vollkommen erschöpft. Er hatte sie die ganze Nacht lang nicht unterstützt, aber das minderte ihre Liebe nicht.

Im Wagen sagte sie, während sie ihren Kopf an seine willige, aber müde Schulter lehnte: »Wir müssen nicht so sein wie alle anderen hier. Wir müssen nicht jahrelang miteinander ausgehen. Einer Heirat steht nun wirklich nichts mehr im Wege, und ich liebe dich, Michael.«

»Wann möchtest du heiraten?«

»Dieses Jahr. Bevor der Sommer kommt. Wenn irgend etwas dagegen spräche, wäre es anders.«

»Wir müssen an die Kinder denken.«

»Ich werde den Kindern nicht im Wege sein. Ich kann ihnen doch nur eine Hilfe sein.«

»Wann möchtest du dann also heiraten?«

»Was soll uns vor der Fastenzeit noch hindern?«

»Das wäre übereilt«, sagte er. »Es muß nach der Fastenzeit sein.«

»Dann also die Woche nach Ostern.« Sie legte den Zeitpunkt fest und war zu glücklich, um zu bemerken, daß er eher wie jemand wirkte, der zuhört, wie die Tür zuschlägt, als jemand, der auf sein Glück zugeht.

»Wir werden das Hochzeitsfrühstück im Royal halten. Wir müssen ja nicht viele einladen«, schlug sie vorsichtig einige Tage später vor.

»Ich will nicht in ein Hotel.«

»Wir müssen etwas Platz für einen Empfang haben«, hielt sie dagegen.

»Haben wir nicht zwei eigene Häuser?«

»Ich glaube nicht, daß es ihnen zu Hause gefallen würde. Als ich von einer Hochzeit an Ostern redete, haben sie gleich das Royal genannt.«

»Die Bradys haben nicht so viel Geld, als daß sie es im Royal aus dem Fenster werfen können.«

»Das ist ihnen egal. Es ist doch nur für einen Tag.«

»Ich will nicht ins Hotel. Wir sind zu alt und zu arm für so was.«

»Sie werden das merkwürdig finden. Alle machen es doch so.«

»Bloß weil alle losrennen und in den Fluß springen, gibt es doch keinen Grund, auch loszurennen und in den gleichen Fluß zu springen.«

»Ich weiß, daß es vernünftig ist, was du sagst, Liebling«, sie legte ihm die Hand auf den Arm. »Aber es wird ihnen zu Hause nicht passen. Sie werden das nicht begreifen. Können wir nicht ihretwegen ins Royal gehen?«

»Dann sollen sie anfangen zu begreifen«, sagte er, als er ihre Hand mit einer gespielten Drohung ergriff. »Bei uns zu Hause können wir jederzeit Schinken und Tee und Whiskey für alle, die es möchten, anbieten. Und hinterher müssen wir dann nicht mehr so weit fahren.«

Ein nahezu perfektes Spiel. Die Ehre des Empfangs entfiel immer auf die Familie der Braut. Es ging nicht, daß er in Morans Haus stattfand, und Moran wollte nicht in ein Hotel gehen. Die Bradys mußten schon zustimmen, daß der Empfang in ihrem Haus stattfand, oder er fand gar nicht statt.

Schließlich konnte Rose sie überreden, den Empfang bei ihnen abzuhalten. Es paßte ihnen nicht, sie machten Einwände dagegen – gegen die ganze Beziehung –, aber sie blieb hart. Auf diese Weise müßten sie weniger Gäste versorgen, und sie war nicht mehr jung.

In der Nacht vor der Hochzeit schliefen die Mädchen fast gar nicht, und sie schwatzten auch nicht miteinander, wie sie es sonst immer taten, bis sie einschlafen konnten. Am Morgen würde ihr Vater wieder heiraten. Eine andere Frau käme mit ihm zurück ins Haus. Es war egal, daß es Rose war, die sie inzwischen liebgewonnen hatten. Das Leben, an das sie sich seit langem so gut gewöhnt hatten, weil es unverändert dahinfloß, würde sich unwiderruflich ändern: Es war wie der Tod oder eine Verwundung und brachte all die Fragen und Ängste und Befürchtungen angesichts von Veränderungen mit sich. Das Leben jedes einzelnen würde einen neuen, ungewissen Anfang nehmen müssen.

Moran selbst schlief unruhig neben ihrem Bruder. Ab und zu streckte er eine Hand nach dem Jungen aus, aber der schlief die ganze Nacht tief und fest. Es war die letzte Nacht, die er in diesem Zimmer schlief. Der kleine Abstellraum mit einem Einzelbett war schon vorbereitet. Morgen nacht würde Rose an der Stelle des Jungen liegen. Als er erwachte, streckte Moran seine Hand aus, legte sie auf sein grobes Hemd an der Schulter und begann sanft, seine Muskeln zu kneten. »Das ist das letzte Mal, daß wir morgens zusammen aufwachen.«

»Das letzte Mal«, wiederholte der Junge unsicher.

»Du weißt, welcher Tag heute ist?«

»Dein Hochzeitstag.«

»Es ist das Ende eines Lebens. Und der Anfang eines anderen Lebens. Ich glaube, es ist das beste für die ganze Familie. Wir können nur beten und hoffen, daß es sich zum Besten wendet.«

Der Junge fand diese Versuche, zärtlich zu sein, immer unangenehmer als jede plötzliche Härte. Er setzte sich sofort im Bett auf, um zu lauschen.

»Sie sind auf«, verkündete er. »Alle sind auf. Möchtest du, daß ich den Vorhang aufziehe, Daddy?«

»Nein. Noch nicht«, sagte Moran, aber der Junge hatte sich schon seiner knetenden Hand entwunden und mühte sich in seine Kleider. Leise schloß er die Tür hinter sich und war ohne ein weiteres Wort verschwunden. Moran blieb auf dem Bett liegen, bis es schon sehr spät war. Eines der Mädchen mußte an die Tür kommen, um ihn zu rufen.

»Deine Sachen sind gelüftet und bereit, Daddy. Es ist Zeit zum Aufstehen.«

Er kam in seinen alten Hosen und dem Nachthemd herein. Sie waren schon für die Hochzeit angekleidet und trugen kleine geliehene Accessoires, und sie fürchteten, daß ihm das auffallen würde. Der Junge trug seinen blauen Anzug, glänzende schwarze Schuhe, ein weißes Hemd und einen blauen Schlips, und sein blondes Haar war geölt. Das Wasser kochte im Kessel, und Maggie goß es in das Becken vor dem Rasierspiegel. Die geliehenen Sachen, die die Mädchen trugen, fielen ihm nicht auf, statt dessen sah er sich mit dumpfer Verwirrung um: Es war ein Hochzeitstag, ein strahlender Augenblick in seinem Leben, und bis auf die herausgeputzten Kinder konnte es auch ein ganz gewöhnlicher Tag sein. Seine Kleider hingen über einem Stuhlrücken vor dem Feuer. Das Trockengestell für die Wäsche war aufgestellt. Das kochende Wasser wartete im Becken vor dem Spiegel. Er spürte, wie sich ein matter Schrei der Frustration über die Unangemessenheit des Lebens still in ihm brach und verebbte: »Wie spät ist es?« fragte er heftig.

»Es ist gerade zehn, Daddy. Bis zur Messe ist es nur noch eine Stunde Zeit.«

»Ich glaube, ich weiß, daß es von zehn bis elf eine Stunde ist.« Sarkastisch zu sein schien ihn ein wenig zu erleichtern, und er nahm den schwarzen ledernen Abzieher von seinem Nagel und klappte das Rasiermesser auf. Die Klinge blitzte auf, als sie über das Leder gezogen wurde. Er schäumte sich ein und begann, sich zu rasieren. Sie erstarrten alle und sahen ihm angespannt zu, wie er sich rasierte, aber er schnitt sich nicht. Er wusch sich und trocknete sich ab. »Euer Onkel ist noch nicht aufgetaucht?«

»Nein, von dem ist noch nichts zu sehen.«

Als er begann, sich vor dem Feuer anzuziehen, drehten sich die beiden älteren Mädchen weg, und als er nach einem Kragenknopf suchte, lief der Junge los, um ihm einen zu bringen. Einmal erhaschte Maggie einen Blick auf ihn im Rasierspiegel, ohne Hose, aber in Hemd und Socken, und trotz ihrer Angst war sie versucht zu lachen. Männer ohne Hosen und in Socken sahen absurd aus. Er zog sich sorgfältig an. Er hatte sich geweigert, sich irgendwelche neuen Sachen für die Hochzeit zu kaufen, aber der braune Anzug war gebürstet und gebügelt worden. Das weiße Hemd war gestärkt, und die Schuhe glänzten. Er ging wieder zum Rasierspiegel, um sein Haar zu kämmen, und als er fertig war, schob er sich mit stiller Befriedigung ein gefaltetes Taschentuch in den Ärmel.

»Natürlich ist euer Onkel nicht gut genug erzogen, um zu schreiben, geschweige denn anständig genug, zu kommen; aber ich habe schon vor langer Zeit gelernt, von einem Esel nichts anderes als einen Tritt zu erwarten.« Die wachsende Nervosität zeigte sich in seiner Stimme. »Ich weiß nicht, warum manche Leute nicht ein paar Zeilen schikken können.«

Sie waren alle angezogen. Sie konnten jetzt nur noch auf ihren Onkel warten. Moran hatte beschlossen, daß sie in dem großen alten Wagen ihres Onkels zur Kirche fahren würden. Sie hatten ihn seit Monaten nicht mehr gesehen. Moran hatte ihm geschrieben und angenommen, daß er käme. Mehrere Male ging Moran zur Haustür, um auf die Straße hinauszusehen. Er schob das Taschentuch vom rechten Ärmel in den linken.

»Inzwischen sollte ich doch gelernt haben, mich niemals auf andere zu verlassen.«

»Er muß eine Reifenpanne gehabt haben«, schlug Michael vor.

»So etwas plant man doch an einem Tag wie diesem ein.«

»Er hat aber sicher nicht daran gedacht ... «

»Da kannst du allerdings Gift drauf nehmen. Wir haben einen Kopf, damit unsere Ohren nicht zusammenwachsen. In jedem Fall können wir jetzt nicht mehr länger warten.«

Er ging nach draußen und ließ den kleinen blauen Ford an, fuhr ihn rückwärts aus dem Schuppen und ließ den Motor laufen.

»Wir sollten jetzt besser losfahren. Wir können hier nicht länger herumsitzen und warten. Herr des Himmels, hast du schon mal solche Leute gesehen!« Sie quetschten sich alle in das Auto. »Man sollte doch meinen, daß die Leute Rücksicht nehmen, sie scheren sich nie um andere«, schimpfte er beim Fahren; aber vor der Brücke erschreckte er sie damit, daß er den Wagen auf den Platz vor den McCabes fuhr und verkündete, daß sie den Rest des Weges durch das Dorf zu Fuß gehen würden.

»Wir sind früh dran. Auf diese Weise werden wir dem Mann über den verdammten Weg laufen, falls er kommen sollte.«

Michael kicherte hinter Moran her, als sie alle auf der Straße waren, aber dafür erhielt er einen so vernichtenden Blick von Maggie, daß er verstummte. Alle Mädchen waren tief beschämt. Noch nie hatte man eine Braut oder einen Bräutigam zu Fuß zu ihrer Hochzeit gehen sehen; sogar die Allerärmsten fanden für diesen Tag ein Auto, und früher war man mit der Kutsche oder dem Karren gefahren. Glücklicherweise war die Brücke leer, ebenso wie die lange Straße mit den Ahornbäumen, die zur Kirche mit ihrem dunklen Immergrün führte. Nachdem sie die Brücke überquert hatten, schaute Moran auf seine Uhr und begann zu ihrer unendlichen Erleichterung schnell zu gehen. Sie wünschten, daß ihr Onkel käme und sie in dem riesigen Wagen verschwinden könnten, aber aus der Richtung, aus der er kommen würde, war kein Motorgeräusch zu hören. Sie gingen schweigend weiter. Es hatte seit einer Woche nicht mehr geregnet, und der weiße Staub der Straße begann, den Glanz auf ihren Schuhen stumpf zu machen. Das Haus der Reynolds war das erste, an dem sie am Ende der langen Straße vorbei mußten, und schon bevor sie die kleine Ligusterhecke über den weißgekalkten Steinen erreicht hatten, begannen sie, sich hinter Moran in sich zu verkriechen. Mrs. Reynolds stand in der Tür und war fast fertig, ihrerseits zur Hochzeit zu gehen – sie verpaßte nie eine Hochzeit oder ein Begräbnis –, aber als sie diese Prozession sah, die sich näherte, zog sie sich in das Dunkel des Zimmers zurück, um den alten Gockel, dem seine bestürzten Hühnchen folgten, besser beobachten zu können.

»Und dieser verdammte Idiot geht mit all seinen Kindern zu Fuß zu seiner eigenen Hochzeit«, sagte sie, aber mehr aus Mitgefühl mit den Kindern, als aus Schadenfreude ihm gegenüber.

Jeder Schritt schien eine Ewigkeit zu dauern, als sie an der Schmiede vorbeigingen. Nur der Junge schaute auf die beiden Männer, die ein Eisenstück auf dem Amboß draußen schmiedeten. Dann mußten sie sich darauf gefaßt machen, an den paar Leuten vorbeizugehen, die vor der Kirchenmauer standen. Niemand sah auf, als sie vorbeigingen. Neugierige Dorfbewohner saßen in den hinteren Sitzreihen der Kirche und warteten darauf, daß die

Hochzeit begann, aber sie sahen weder nach rechts noch nach links. Alle Kinder segneten sich mit Weihwasser und gingen direkt bis zum Altar vor. Es war wie der Beginn einer Genesung, sich auf ihre Plätze setzen und neben Moran knien zu können und nicht länger den Blicken preisgegeben zu sein. Niemand von den Angehörigen der Braut war bislang erschienen. In Soutane und Chorrock kam der Priester durch die Sakristeitür, und Moran ging zur Kommunionbank.

»Der Trauzeuge ist noch nicht gekommen. Könnte es auch der Junge machen?« fragte Moran. Sie blickten beide auf Michael.

»Er ist ein bißchen jung«, sagte der Priester. »Wir können einen der Brüder der Braut als Ersatz nehmen.«

Dann war ein Wagen zu hören, der vorm Eingangstor vorfuhr; entweder der Wagen der Braut oder ihr Onkel war angekommen. Alle drehten sich um, um zur Tür zurückzuschauen, während sich die Schritte auf den Steinplatten näherten. Die Erleichterung zeigte sich sofort auf ihren Gesichtern, als die kleine runde Gestalt ihres Onkels im Eingang erschien. Er eilte durch den Mittelgang der Kirche und zeigte, als er seinen Platz erreichte, entschuldigend seine Handflächen. Auf beiden waren Dreck und grasverschmierte Ölflecken.

»Ich dachte, du kämst gar nicht mehr«, sagte Moran.

»Ich hatte eine Panne«, flüsterte er entschuldigend, während er auf den Platz neben Moran schlüpfte, wobei er seine ölige Hand auf den Kopf eines der beiden Mädchen legte. Vom Altar aus nickte der Priester dem Trauzeugen ein bestätigendes Lächeln zu. Schließlich ließ sich Roses Familie in der Kirchenbank auf der anderen Seite des Mittelganges nieder, und dahinter kam Rose am Arm ihres Bruders. Es gab keine Musik. Der Priester winkte Moran nach vorn. Er gab ihnen zu verstehen, wann sie knien, stehen, sich setzen, wann sie den Ring, den goldenen und silbernen, nehmen, wann sie »mir diese Worte nachsprechen« sollten. Eine Schwester von Rose schluchzte kurz. Die Augen der Mädchen füllten sich mit Tränen. Ein Mann in der Seitenkapelle machte Fotos. Die Braut und der Bräutigam kehrten zur Hochzeitsmesse gemeinsam auf die vorderen Plätze zurück. Alle bis auf den Trauzeugen gingen für die Heilige Kommunion zur Kommunionbank. Draußen, bei klarem Wetter, wurde aus einer kleinen Schachtel Konfetti gestreut, während das Paar unter dem Glockenstrang stand. Sie posierten zusammen, einzeln und dann in Gruppen für Fotos, die eine von Roses Schwestern machte, wobei sich die Grabsteine und Immergrünbüsche vorm dichten Lorbeer im Hintergrund abhoben. Der Wagen des Onkels war ein alter Ford V8 mit enormen Kühlrippen, und es gab reichliche Platz für alle auf dem Rücksitz. Die Braut und der Bräutigam saßen vorn.

»Sie haben uns alle erschreckt«, sagte Rose glücklich. »Einige Minuten lang schlug uns allen das Herz bis zum Halse. Wir dachten, Sie kämen nicht mehr, aber es ist wunderbar, daß Sie hier sind.«

»Ich hatte eine Reifenpanne. Er war einfach platt«, er drehte im Fahren die ölbefleckten Hände am Steuerrad wieder nach oben.

»Sobald wir zu Hause sind, bekommen Sie heißes Wasser.«

»Du mußt aber sehr knapp kalkuliert haben, daß du erst so spät hier warst«, sagte Moran.

»Man denkt ja nicht daran, daß einem so was passieren könnte.«

»Natürlich denkt nie einer an irgendwas. Das versteht sich von selbst.«

»Jetzt ist doch alles gut. Ihr Onkel ist da, und das ist doch das einzige, was zählt«, sagte Rose beschwichtigend und drehte sich um, um mit den Mädchen auf der Rückbank zu plaudern.

Der Wagen war zu groß für den Feldweg, und so gingen sie zu Fuß. Der April-Samstag war mild, und nur ganz entfernt drohten Schauer. Überall in den niedrigen Dornsträuchern und Hecken schnatterten und sangen kleine Vögel. Der kleine See unterhalb des Hauses war immer noch von seinem Winterschilf umgeben, in der Farbe nassen Weizens. Alle warteten mit dem Essen, bis der Priester kam. Er war der einzige, der seinen kleinen Wagen dem Feldweg aussetzte. Er müsse bald wieder gehen, wegen eines Krankenbesuches, sagte er.

Es gab keine Briefe oder Telegramme, die vorgelesen werden mußten. Der Priester sprach mit gefalteten Händen und geschlossenen Augen das

Tischgebet, und das Mahl begann: Suppe, die eine Tochter der Schwester von Rose, die auch die Fotos gemacht hatte, servierte; Huhn und Schinken, dazu Salat. Die Hochzeitstorte wurde angeschnitten. Der Priester hielt eine kurze Rede, in der er die Familien lobte und die auffallende Bescheidenheit des Hochzeitsmahls. Heutzutage würde zuviel Wert auf Äußerlichkeiten gelegt, auf Rolls-Royces und große Hotels, verschwenderische, teure Protzerei. Es wäre schön, Menschen zu sehen, die sich wieder den alten Sitten zuwandten, sagte er. Es gab Wein und Whiskey und Bier für den Toast. Der Trauzeuge sagte, daß er es nicht gewohnt sei, Reden zu halten, daß er es beinahe gar nicht geschafft hätte, zu kommen, daß er aber Gott dem Herrn hier danken wollte für alles, was er getan hatte, und der Familie der Braut hier für dieses Festmahl und all die Mühe, die sie sich gemacht hatten, und dann brachte er den Toast aus. Der Bruder, der Rose hatte weggeben müssen, antwortete sogar noch kürzer, und bald danach ging der Priester.

Allmählich bröckelte das Hochzeitsfrühstück ab. Einer von Roses großen stillen Brüdern ging mit einer Flasche Wein und einer Flasche Whiskey um den Tisch herum, aber sie tranken nur wenig. Als der Trauzeuge sich räusperte und verkündete, daß er nun den Reifen flicken wollte, bevor er wieder losfuhr, folgten ihm alle Kinder Morans bis auf die Straße und standen um ihn herum, während er sich den Wagenheber und Flickzeug und Lösemittel holte. Als er zum Haus zurückkam, lehnte er es ab, sich noch einmal hinzusetzen oder etwas zu trinken.

»Ich fahr' jetzt besser los. Ich muß heute abend noch was erledigen.«

»Dann können wir eigentlich auch gleich mitkommen«, sagte Moran, und Rose stand ungeduldig auf. Sie hatte all die Sachen, die sie mitnehmen wollte, schon gepackt. Die restlichen Sachen konnte sie jederzeit abholen. Ihre Mutter und die Schwestern und Brüder umarmten sie alle, aber sie blieb unbewegt. Alle brachten sie bis zum großen Ford am Ende des Feldwegs. Sie umarmten Rose ein zweites Mal, und alle schüttelten sich die Hand. An der Brücke stiegen Moran und Rose in ihren eigenen kleinen blauen Wagen um, und der Onkel fuhr die Kinder nach Hause. Er wartete am Haus, bis die Braut und der Bräutigam ankamen, war aber nicht zu überreden, noch mit ins Haus zu kommen.

Roses ganze Familie ging schweigend den Feldweg zu ihrem Haus zurück. »Sie hatte viele Verehrer«, sagte die alte Mutter in einem Ton der Bestürzung und Trauer, als sie sich dem Haus näherten. »Viele Verehrer... Viele Verehrer...«

»Sie war nicht zu bremsen. Sie war fest dazu entschlossen. Jetzt ist es ihr Leben«, sagte ihre verheiratete Schwester sanft.

»Ich hoffe, daß sie glücklich wird«, sagte die Frau von einem der Brüder ganz nüchtern.

Die vier hochgewachsenen Brüder gingen gebückt und schweigend, aber ihre Frauen schwatzten freundlich miteinander. Eine Tochter hielt die Mutter voller Mitgefühl bei der Hand.

Als sie wieder das Haus betraten, griff einer der Brüder nach der Whiskeyflasche und goß ihnen zum ersten Mal an jenem Tag vier volle Gläser ein. Sie waren eine sehr enge Familie, aber in den folgenden Jahren fand niemals ein Treffen oder eine Hochzeit, nicht einmal ein einfaches Treffen je wieder bei einem von ihnen zu Hause statt. Sie gingen in große Hotels, als wären sie entschlossen, in ihrem ganzen Leben nie wieder so etwas wie diese Haushochzeit erleben zu müssen. Weder Rose noch Moran nahmen je an einem dieser Treffen teil. Sie wurden nie eingeladen. Sie wären auch nicht gekommen, wenn man sie eingeladen hätte.

»Ich weiß ja nicht, was der Rest möchte, aber ich hätte jetzt wirklich gern eine schöne heiße Tasse Tee«, sagte Rose, sobald sie alle im Haus waren. Sie stimmte sofort einen Ton an, von dem man sie so schnell nicht mehr abbringen konnte. Moran beobachtete alles schweigend.

Alle Mädchen halfen ihr dabei, Feuer zu machen, das Tischtuch auszubreiten, Teller und Tassen zu decken, sie lachten und flüsterten und liefen geschäftig hin und her, während sie sie in die Geheimnisse der Küche einweihten, ihr zeigten, wo alles hinkam in dem Raum, der nun ihr Reich war. In dieser wilden Geschäftigkeit lag ein Hauch von Hysterie. Die übertriebene Hektik, mit der sie ihre kleinen Arbeiten erledigten, überdeckte, daß sie mehr mit Moran beschäftigt waren als mit dem, was sie gerade taten. Manchmal brach es aus Versehen aus ihnen heraus, wenn sie einen Teller oder eine Tasse fallen ließen. Während sie ihr das Haus zeigten, schien Rose die Gegenwart Morans, der jetzt in seinem Sessel saß und nachdenklich seine Daumen umeinanderkreisen ließ, immer schrecklicher bewußt zu werden. An diesem seinem Hochzeitstag schien er auf seltsame Weise Frieden gefunden zu haben. Es war, als bräuchte er dieses Maß an Aufmerksamkeit, das sich auf ihn konzentrierte, um vollkommen ruhig sein zu können.

Den ganzen Tag über hatte er das starke, unbefriedigende Gefühl, daß sich sein ganzes Leben vor seinen Augen abspielte, ohne daß wirklich etwas geschah. Entfernungen wurden zurückgelegt. Worte wurden gesagt. Ringe wurden getauscht. Die Gesellschaft bewegte sich von der Kirche zum Haus. Alles wirkte wie eine Art von Parodie. Es war, als wäre überhaupt nichts geschehen. Er hatte es satt, sich damit abzukämpfen, darüber nachzugrübeln, während er mitunter mit wilder Bestürzung den Rücken seiner Braut musterte; aber jetzt, von dieser verstohlenen Aufmerksamkeit umgeben, war er froh, den Dingen ihren Lauf zu lassen: Er würde Tee trinken wie ein Herr mit seiner Familie.

Hatte er genug Milch im Tee oder vielleicht sogar ein bißchen zuviel? Sie konnten noch ein bißchen mehr Tee nachschenken, wenn er ein wenig abgetrunken hatte. Er nahm keinen Zucker mehr. Wollte er das normale Brot oder das Brot mit der schwarzen Johannisbeermarmelade oder ein Stück von der Apfeltorte? »Der Tee war aber gut«, beteuerte er, und sie wußten, daß er keineswegs unzufrieden war. »Das ist jetzt aber wirklich genug für mich. Was ich heute gegessen hab', reicht ja für eine Woche. Ich werde platzen, wenn ich noch einen einzigen Bissen nehme.«

Rose und die Mädchen lächelten, während der Tee und die Teller um ihn kreisten. Sie hatten sich bereits verschworen. Sie wurden beherrscht, und doch steuerten sie gemeinsam, wovon sie beherrscht wurden.

»Danke«, er schob seine Tasse weg. »Ich werde für ein paar Stunden auf die Felder gehen, um mir was von dem hier wieder abzuarbeiten.«

Er schlüpfte wieder in seine alten Sachen und ging. Sie wuschen ab, trockneten die Tassen und Teller ab und räumten sie weg. Eine Stille, die an Niedergeschlagenheit grenzte, löste die wilde Hektik der Vorbereitungen ab, aber sie genossen das Zusammensein, die tierhafte Freude an der Anwesenheit des anderen, die Vertreibung der Einsamkeit.

Draußen dünnte Moran die Hecke, die am unteren Ende des Obstgartens entlangführte, um mehrere kleine Eschen aus. Er mochte technische Geräte, und er freute sich darüber, daß die Kettensäge, die er in der Vergangenheit mehrere Male hatte auseinandernehmen müssen, perfekt zu funktionieren schien. »Es muß die Steuerung gewesen sein, die sonst nicht ging.« Das Fällen, Trimmen und Schneiden beanspruchte ihn völlig, und weil die Säge, wenn sie lief, so scharf war und verheerend sein konnte, verlangte die Situation seine ganze Aufmerksamkeit. Michael kam mit ihm nach draußen und half dabei, die abgesägten Äste zum Verbrennen aufzuhäufen, und dann stapelten sie das verstreute Brennholz aufeinander.

Drinnen zeigten die Mädchen Rose das ganze Haus. Danach begann sie, ihnen ein bißchen von ihrem Leben in Schottland zu erzählen, besonders von ihrem Leben bei den Rosenblooms.

»Manchmal kam Mr. Rosenbloom am Wochenende und bat mich, seine Hemden zu bügeln. Er hatte Hunderte von Hemden, und warum er nun wollte, daß ausgerechnet *ich* sie bügelte, werde ich wohl nie erfahren. Mrs. Rosenbloom fand das fast immer heraus und war dann jedesmal wütend, daß er mich von der Arbeit mit den Kindern abgehalten hatte. Den ganzen Morgen gab es dann heftigen Streit. Nach dem Mittagessen ging er dann in die Stadt und kam mit einem ganzen Armvoll Rosen wieder, die so viel kosteten wie ein ganzer Haufen Hemden.«

»War sie damit zufrieden?« fragten die Mädchen gierig.

»Sie war noch eine Weile wütend, aber wenn er mit den Rosen zurückgekommen war, war es wieder gut. Er schwor natürlich, daß er mich nie wieder von meinen eigentlichen Pflichten bei den Kindern abbringen würde. Sie schnitt und arrangierte die Rosen. Dann zogen sie sich fein an und gingen zum Abendessen in ein Restaurant, lachten und redeten miteinander, als wäre gar nichts geschehen.«

»Worüber redeten sie denn, Rose?«

»Darüber, was sie an dem Abend im Restaurant essen und welche Weine sie trinken wollten. Man fragte sich, wie sie nach all der Zeit, die sie damit verbracht hatten, übers Essen zu reden, überhaupt noch essen konnten.«

Als Moran mit Michael wieder von den Feldern hereinkam, war er sehr gut gelaunt.

»Dieser Mann und ich haben da draußen ein paar Bäume kleingehackt.«

Sogar die Art, wie er seinen Hut aufhängte, war überschwenglich und bezog gleich den ganzen Raum mit ein. Die Mädchen wußten, wie schnell diese Stimmung wieder umschlagen konnte, wenn man nicht gleich darauf einging.

»Ich könnte mich schon wieder über ein ganzes Kind hermachen«, scherzte er, als sie sich zum Essen niederließen.

»Also Michael, das ist wohl kaum nötig«, schimpfte Rose sanft.

»Das vielleicht nicht, aber es ist die reine Wahrheit«, versicherte er so schlagfertig, daß alle am Tisch lachten.

Nach dem Tee schlug er vor, Karten zu spielen, und mischte bereits die Karten, die er von der Fensterbank holte. Sie spielten Siebzehnundvier; die Punkte wurden auf der Innenseite einer Lyons Green Label Teepackung eingetragen. Moran war der beste Spieler und gewann meistens, aber an diesem Abend schob er es auf die guten Karten, die er bekommen hatte, wenn er gewann. Sie knieten zum Rosenkranz nieder. Moran begann: »Herr, öffne mir die Lippen«, so wie er jeden Abend begann. Es gab eine Pause, als er die Ersten Geheimnisse beendete. Alle Augen richteten sich auf Rose, aber sie fuhr, nach einem kurzen Seitenblick auf Moran, mit den Zweiten Geheimnissen fort, als hätte sie sie schon ihr Leben lang mit ihnen abends gebetet.

Nach den Gebeten gingen sie nacheinander zu Moran und küßten ihn und dann Rose, die ihre Küsse voll Wärme erwiderte, und dann huschten sie in ihre Zimmer. Der Junge ging in seine Abstellkammer und war sichtlich aufgeregt darüber, daß er zum ersten Mal ein eigenes Zimmer hatte. Auch er küßte Rose. Rose und Moran blieben allein im Zimmer sitzen. Sie schwiegen nicht, sprachen aber immer nur nach langen Pausen, und was sie sagten, war in den Zimmern im ersten Stock nicht mehr zu hören. Als das Paar in sein Schlafzimmer ging, wurden die Mädchen sogar noch hellwacher, als sie ohnehin schon waren. Sie versuchten, nicht zu atmen, während sie lauschten. Sie waren zu nervös und zu erschrocken, um darauf zu reagieren oder in Worte zu fassen, was sie aus dem Zimmer hörten, in dem ihr Vater mit Rose schlief.

Rose war am nächsten Morgen um sieben Uhr auf, eine Stunde vor der Zeit, zu der das Leben im Haus normalerweise erwachte. Als die Mädchen herunterkamen, fanden sie das Zimmer schon warm vor, das Feuer brannte, der Kessel dampfte. Rose wollte Moran gerade einen Becher Tee bringen.

»Daddy will nichts davon wissen, sein Frühstück ans Bett zu bekommen«, sagte sie mit einem kleinen, gewinnenden Lachen. »Aber das kann er doch haben, bevor er aufsteht.«

Daß sie nun im Haus war, veränderte alles. Seit dem Tod ihrer Mutter hatte Maggie den Haushalt geführt, mit ein bißchen Hilfe von Mona und Sheila. Anfangs war die Schwester ihrer Mutter hin und wieder gekommen, aber sie und Moran hatten Streit bekommen. Das Essen interessierte ihn nur insoweit, als es nicht zuviel kosten und nicht roh sein sollte. Die Mädchen hatten nie gelernt, wie man kocht oder den Haushalt führt. Sie konnten Gemüse und Fleisch auf einfache Weise zubereiten, kamen mit Eiern und Speck und Porridge zurecht, und sie konnten backen und den Haushalt führen, indem sie bei der Arbeit dazulernten. Viel mehr brauchten sie nicht zu wissen.

Rose änderte alles. Sie konnte sich ihren Tag so einteilen, daß, obwohl sie weniger abgehetzt wirkte als Maggie, das Essen immer köstlich und pünktlich auf dem Tisch war. Dann begann sie, im Haus Zimmer für Zimmer sauberzumachen und zu streichen. Moran beschwerte sich über die unnötige Störung, obwohl es in Wirklichkeit die Kosten waren, über die er sich heimlich Sorgen machte. Sie wies darauf hin, daß ohne Anstrich der Verputz bald abbröckeln würde. Wann immer er sich allzusehr über die Kosten ausließ, ging sie los und kaufte, was sie brauchte, von ihrem eigenen Geld. Das mißfiel ihm sogar noch mehr. Am Ende gab er ihr immer, was sie brauchte, aber es paßte ihm ganz und gar nicht. Sie schien das nicht zu stören, und sie war äußerst vorsichtig. »Ihr wißt ja, wie Daddy ist«, lachte sie entschuldigend den Mädchen zu. Alle Kinder halfen ihr bei der Renovierung des Hauses. Als sie fertig waren, hatte das ganze Haus an Annehmlichkeit und Bequemlichkeit gewonnen. Sogar Moran mußte das zugeben, auch wenn er es im gleichen Atemzug wieder zurücknahm, als er sagte, daß für seinen Geschmack alles genauso hätte bleiben können, wie es gewesen war.

Es wurde auch klar, daß sich Maggie nicht mehr um den Haushalt zu kümmern brauchte. Rose brachte das sehr behutsam Moran gegenüber zur Sprache.

»Solange ich noch nicht unter der Erde bin, soll sie immer ein Dach über dem Kopf haben«, antwortete er aggressiv.

»Solange ich hier bin, soll sie das natürlich auch haben, aber ich finde, daß sie mehr haben sollte.«

»Was will sie denn noch mehr?«

»Sie ist fast neunzehn. Die Zeiten sind vorbei, als ein Mädchen bloß warten mußte, bis irgendein

Mann eine Frau brauchte. Sie sollte die Sicherheit einer Arbeit haben.«

»Was für einen halbwegs anständigen Job könnte sie denn hier kriegen? Sie ist mit vierzehn von der Schule gegangen. Außerdem war sie nicht sehr gut in der Schule.«

»In England herrscht Mangel an Krankenschwestern. Ich habe es immer bedauert, daß ich keine Ausbildung gemacht habe. Ich habe mit ihr gesprochen, und sie hat Interesse.«

»Da warst du aber ganz schön fix, was? Eine Menge von unseren Leuten fallen in England auf die Nase.«

»Ich habe eine Weile da gelebt«, sagte sie spitz, aber sie war vorsichtig genug, nicht zuviel Druck auszuüben. Sie hatte bereits von den Mädchen gehört, wie Luke gegen Morans erbitterten Widerstand versucht hatte, Maggie zu überreden, nach England zu gehen, um Krankenschwester zu werden, wie ihr älterer Bruder und Moran miteinander gekämpft hatten, und wie Luke, als Maggie Morans Druck nachgab und blieb, allein gegangen war, ohne seinem Vater ein Wort davon zu sagen.

Sie wartete, bis Moran von selbst anfangen mußte, über Maggie zu reden. Sheila und Mona waren in der Klosterrealschule, Michael beendete die National School. Maggie hatte tagsüber so wenig zu tun, daß sie viel Zeit damit verbrachte, mit Rose zu schwatzen und zu klatschen. Immer, wenn sie Moran kommen hörte, tat sie so, als hätte sie zu tun. »Daddy haßt es, wenn er sieht, daß man rumsitzt und nichts tut.« »Armer Daddy«, lächelte Rose zärtlich, wenn er wieder fort war.

Moran sah allmählich ein, wie wenig Maggie im Haus noch zu tun hatte und daß sie jetzt Geld fürs Tanzen und für Kleider brauchte. Er hatte den Verdacht, daß Rose ihr etwas von ihrem eigenen Geld zusteckte.

»Meinst du immer noch, daß Maggie nach England gehen sollte, um als Krankenschwester zu arbeiten?« fragte er schließlich.

»Ja. Sie hätte etwas, worauf sie sich immer verlassen könnte. Man weiß ja nie, was einem im Leben noch alles zustoßen kann. Es ist ein Beruf.«

»Ich weiß nicht. Ich war vollkommen dagegen, als ihr Bruder wollte, daß sie geht. Natürlich interessierte ihn überhaupt nicht, was gut oder schlecht für ein Mädchen war. Er wollte es nur, weil es gegen mich gerichtet war.«

»Ich bin überhaupt nicht gegen dich, das weißt du doch. Ich will nur das Beste für sie. Sie kann, solange ich lebe, jederzeit hierher nach Hause kommen.«

Wegen des Mangels an Krankenschwestern erschienen in den Tageszeitungen viele Anzeigen. Rose half Maggie dabei, die Unterlagen anzufordern und sie auszufüllen, als sie kamen. Zu Morans Überraschung wurde sie von fünf Krankenhäusern für eine Lehre angenommen. Alle setzten sich eines Abends nach dem Rosenkranz zusammen, um das Krankenhaus auszusuchen, in das sie gehen sollte. Sie entschieden sich für das London Hospital, weil da schon ein paar Leute aus ihrer Umgebung arbeiteten. Nachdem sie diese Entscheidung getroffen hatten, begann Michael zu weinen und war nicht mehr zu trösten.

»Bald sind alle weg«, sagte er auf ihre freundliche Nachfrage. »Das ist schrecklich. Das ist nicht fair.«

Als Rose vorschlug, daß sie an Luke schreiben sollten, um ihn zu bitten, Maggie abzuholen, wenn sie mit der Bahn in London ankam, wurde Moran rasend.

»Haben nicht die Leute vom Krankenhaus gesagt, daß sie sie abholen würden?«

»Er ist ihr Bruder. Es ist doch ganz normal, daß er sie abholt.«

»Bei diesem Gentleman ist überhaupt nichts normal. Ich habe ihm mehrmals geschrieben, und die einzige Antwort, die ich bekam, war im Stil von Mir-geht's-gut.–Wie-geht's-Euch? Ist das etwa normal, nach all dem, was wir für ihn getan haben?«

»So etwas gibt es in allen Familien, und es geht auch wieder vorbei«, sagte Rose leise. »Plötzlich passiert ein Unfall, oder es heiratet jemand. Die Menschen werden gezwungen, wieder zusammenzukommen. Ich weiß, wie du dich fühlst, Daddy, aber vielleicht ist es besser, wenn du nicht zu hart bleibst. Alles verändert sich immerzu. Man weiß nie, wie sich die Dinge wenden. Wenn man großzügig ist, hat man sich später nichts vorzuwerfen.«

»Man kann mir was vorwerfen. Täusch dich da nicht. Bei dieser Sache kann man mir immer irgendwas vorwerfen.«

»Ich weiß, es ist schwer, aber es ist besser, wenn man zu ignorieren versucht, was gegen einen gesagt wird. Wenn man das ignorieren kann, dann weiß man auch, daß man sich später nichts vorzuwerfen hat. Tu nichts Übereiltes.«

»Was soll ich deiner Meinung nach also tun?«

»Ich glaube, es wäre besser, wenn *du* ihm schreibst«, schlug Rose vor.

»Dafür krieg' ich wahrscheinlich auch nur wieder einen Schlag ins Gesicht, aber ich werd's dennoch tun.«

Moran verbrachte sehr viel Zeit damit, den Brief zu entwerfen. Er konnte der Neigung nicht widerstehen, neue Anschuldigungen hinzuzufügen. Luke beantwortete den Brief mit einem Telegramm. Telegramme kamen selten, und niemand war erbaut, wenn eins kam. Der kleine grüne Umschlag mit der Harfe enthielt gewöhnlich die Nachricht eines plötzlichen Todesfalls. Morans gespannte Nervosität, die normalerweise unter langsamen, bedächtigen Bewegungen verborgen blieb, zeigte sich nun gänzlich unverhüllt, als er sich wie ein Tier, das auf unbekanntes Territorium gerät, umsah und den Umschlag aufriß. Als er las BIN ENTZÜCKT MAGGIE ABZUHOLEN STOP ALLES LIEBE STOP LUKE, mußte er kämpfen, um sich zu beherrschen. Er war kaum fähig, seine Wut zu verbergen, bis er den Briefträger bezahlt hatte, den er noch den ganzen Weg bis zum eisernen Tor begleitete.

»Vielleicht hat er erst das Telegramm geschickt, und in ein paar Tagen kommt dann noch ein Brief«, versuchte Maggie, ihn zu beschwichtigen.

»Es wird kein Brief kommen. Er läßt mich wie ein Idiot im Regen stehen.«

»Ich weiß nicht, wie du auf so etwas kommst, Daddy. Du warst doch in allem sehr freundlich«, sagte Rose.

»Warum in Gottes Namen mußt du deine Dummheit derartig zur Schau stellen«, fauchte er sie an. »Du weißt doch gar nichts über die ganze Geschichte, Frau.«

Daß das Telegramm äußerlich höflich war und seine eigenen Angriffe völlig ignorierte, machte Moran wütend. Nachdem er sie laut gelesen hatte, knüllte er die Mitteilung zusammen und warf sie ins Feuer, als wäre schon ihr bloßer Anblick hassenswert.

»Nun, wenigstens hast du jemanden, der dich in Euston abholt«, sagte Rose leise zu Maggie, die bereits wußte, daß sie abgeholt werden würde.

»Natürlich wird er sie abholen. Er wird sie abholen und versuchen, sie gegen mich aufzubringen«, schrie Moran.

»Er war doch sehr höflich«, deutete Rose an.

»Was weißt du denn schon darüber? Was zum Teufel weißt du überhaupt?«

Er schnappte sich den Hut von der Anrichte, quetschte ihn sich auf den Kopf und ging nach draußen, als wollte er alle Türen eintreten, die ihm im Wege waren. Bald hörten sie die scharfen, hastigen Geräusche der Axt, als er begann, Äste fürs Feuerholz zu zerhacken.

Sie stand da wie vom Donner gerührt. So hatte er noch nie mit ihr gesprochen. In der Stille, die sich nun ausbreitete, sah sie sich nach den anderen um. Sie waren alle dagewesen, als Moran das Telegramm laut vorgelesen hatte. Irgendwo erwartete sie, daß sie über diese wilde und unmäßige Reaktion lachten und ihr den Weg zur lieben und gewohnten Normalität zurück bahnten, aber als sie sich umsah, war nur noch Maggie im Zimmer. Die anderen waren verschwunden wie Gespenster. Maggie knetete Rosinen in einen Teig, der in einer Glasschüssel auf der Anrichte stand, und war so vertieft in diese Arbeit, als knetete sie ihr ganzes Leben in den blassen Teig hinein.

»Wo sind sie denn alle so plötzlich hin, Maggie?«

»Sie müssen nach draußen gegangen sein«, Maggie sah äußerst gespannt vom Teig auf.

»Ich dachte, sie würden vielleicht über den armen Daddy lachen«, sagte Rose und ließ ihren eigenen Schock und ihre Angst in ein nervöses Lachen einmünden, aber Maggies Gesicht blieb blaß und ernst.

»Ich weiß nicht, was mit Daddy los ist«, sagte Rose.

»So ist er manchmal.«

»Ich habe ihn noch nie so wütend gesehen.«

»Er war schon lange nicht mehr so.«

»War er oft so?«

»Früher, aber jetzt schon lange nicht mehr«, gab Maggie widerwillig zu, und Rose wollte gar nicht mehr wissen. Sie hatte ohnehin schon mehr zu bewältigen, als sie überhaupt wollte. In der Stille war von einem der Felder in der Nähe das dumpfe Geräusch des Zuschlaghammers, der auf Steine einschlug, zu hören. Er war mit dem Holz bereits fertig.

Schon oft, wenn sie mit den Mädchen sprach, war ihr aufgefallen, daß sie schwiegen und erstarrten, sobald Moran das Zimmer betrat; und wenn er aß oder im Zimmer arbeitete – das Blatt einer Säge einsetzte, an einem regnerischen Tag den zerbrochenen Griff eines Spatens reparierte, das Beleuchtungsaggregat auseinandernahm, das nie sehr lang zu laufen schien –, dann versuchten sie immer, sich davonzustehlen. Wenn sie dableiben mußten, bewegten sie sich wie Schatten. Nur wenn sie etwas fallen ließen oder mit etwas klapperten, zeigte sich an dieser erschreckten Miene, mit der sie zu Moran hinüberschauten, die nervöse Anspannung, die es sie kostete, so leise herumzuschleichen. Rose hatte dies bemerkt, und sie hatte es auf die Ehrfurcht und den Respekt zurückgeführt, die diesem Mann, den sie so liebte, entgegenschlugen, und sie sah es jetzt ungern anders. Sie hatte Moran gewählt und ihn gegen jede Konvention und den Widerstand ihrer Familie geheiratet. Ihre ganze Eitelkeit war getroffen. Sie zog es vor, die Gewalt, die Moran ihr gegenüber an den Tag gelegt hatte, zu ignorieren, schluckte ihren eigenen Ärger herunter und machte es wie die Mädchen, die sich verstohlen herumdrückten, so daß ihre Anwesenheit ihn nicht provozierte.

Er kam sehr spät ins Haus, argwöhnisch, wachsam. Auf die Fröhlichkeit, mit der Rose ihn begrüßte, reagierte er äußerst reserviert. Sie war darauf nicht vorbereitet, und ihre Nervosität wuchs ums Zehnfache, als sie hin und her eilte, um ihm seinen Tee zu bringen. Sheila und Mona schrieben an Beistelltischen; Michael kniete am großen Lehnstuhl, ein Buch zwischen den Ellbogen, als betete er, eine Haltung, in der er manchmal lernte. Alle drei schauten ernst auf, um die Anwesenheit ihres Vaters zur Kenntnis zu nehmen; aber sie vergruben sich sofort wieder in ihren Schulaufgaben, als sie seine Laune bemerkten.

»Wo ist Maggie?« fragte er.

»Sie ist ausgegangen, um ein paar Freunde im Dorf zu besuchen.«

»Sie scheint in letzter Zeit nur noch unterwegs zu sein.«

»Sie ist in erster Linie unterwegs, um Leuten auf Wiedersehen zu sagen.«

»Man wird sie sicher vermissen«, sagte er bissig.

Rose goß ihm Tee ein. Der Tisch war mit einem makellosen Tuch bedeckt. Während er aß und trank, begann sie aus lauter Nervosität mit ihm zu schwatzen und alles, was ihr durch den Kopf ging, zu erzählen, die kleinen Begebenheiten eines Tages. Sie redete aus reiner Verwirrung: aus Angst, Unsicherheit, Liebe. Ihr Instinkt sagte ihr, daß sie nicht reden sollte, aber sie konnte nicht aufhören. Er machte mehrmals brüske, ungeduldige Bewegungen am Tisch, aber sie konnte noch immer nicht aufhören. Da drehte er sich in einem Anfall von Haß in seinem Stuhl herum. Die Kinder lauschten, obwohl sie ihre Augen fest auf ihre Schulbücher gerichtet hielten.

»Hast du dich eigentlich selbst schon mal reden gehört, Rose?« fragte er. »Wenn du dich selbst mal richtig hören könntest, dann würdest du, glaube ich, ein ganzes Stück weniger reden.«

Sie wirkte wie jemand, der ohne Vorwarnung geschlagen worden war, aber sie versuchte nicht wegzulaufen oder aufzuschreien. Für einen langen Augenblick, der den anderen wie eine Ewigkeit vorkam, stand sie einfach nur still da. Dann beendete sie niedergeschlagen, als wäre sie in Gedanken versunken, die nur ihre eigene Dumpfheit spiegelten, die Arbeit, die sie gemacht hatte, und verließ ohne ein Wort an die Kinder, die gespannt gewartet hatten, das Zimmer.

»Wo gehst du hin, Rose?« fragte er in einem Ton, der ihr verriet, daß er wußte, daß er zu weit gegangen war, aber sie setzte ihren Weg fort.

Es ärgerte ihn maßlos, untätig in der Stille sitzen bleiben zu müssen; noch schlimmer war, daß sie alles mitbekommen hatten. Sie hielten ihre Köpfe weiterhin in ihre Bücher gesenkt, obwohl sie schon seit einiger Zeit nicht mehr lasen, aber sie wollten nicht, daß sein Blick auf sie fiel, sie wollten nicht einmal laut atmen. Im Angesicht von Gewalt hatten sie nie etwas anderes vermocht, als sich ihr zu beugen.

Moran saß lange so da. Als er das Schweigen nicht mehr ertragen konnte, ging er forsch in das andere Zimmer. »Es tut mir leid, Rose«, hörten sie ihn sagen. Sie konnten alles ganz deutlich hören, obwohl er die Tür hinter sich geschlossen hatte. »Es tut mir leid, Rose«, mußte er noch einmal sagen. »Ich habe die Beherrschung verloren.« Nach einer Pause, die ihnen unendlich schien, hörten sie: »Ich will allein sein«, klar wie ein einzelner Glokkenton und frei von jeglicher Überheblichkeit. Er verharrte noch einen Moment in dem Zimmer, aber schließlich blieb ihm nichts anderes übrig, als sich zurückzuziehen.

Als er zurückkam, setzte er sich neben die Reste seiner Mahlzeit zwischen die drei Kinder an den Tisch und wußte nicht so recht, was er mit sich anfangen sollte. Dann holte er sich einen Bleistift und Papier und begann, all die Gelder, über die er gegenwärtig verfügte, gegen seine Ausgaben aufzurechnen. Er verbrachte eine Menge Zeit mit diesen Berechnungen, und sie schienen ihn zu beruhigen.

»Wir können jetzt ruhig den Rosenkranz beten«, verkündete er, als er Papier und Bleistift weglegte, holte den Kranz heraus und ließ die Perlen laut gegeneinanderklappern. Sie legten ihre Schulaufgaben weg und holten ihre Rosenkränze heraus.

»Mach die Türen auf, falls Rose mithören möchte«, sagte er zu dem Jungen. Michael öffnete beide Türen zu ihrem Zimmer. Er blieb an der Schlafzimmertür stehen, aber die undeutliche Gestalt unter dem Bettzeug sagte nichts und rührte sich auch nicht.

Bei den Zweiten der Glorreichen Geheimnisse hielt Moran inne. Manchmal, wenn jemand im Hause krank war, beteiligte sich derjenige durch die offenen Türen an den Gebeten, aber als sich in der Stille nichts rührte, nickte er Mona zu, und sie übernahm Roses Part. Nach dem Rosenkranz kochten Mona und Sheila Tee, und sie alle zogen sich früh zurück.

Moran blieb allein in dem Zimmer zurück. Er war so mit sich selbst beschäftigt, daß er bei dem Geräusch der Hintertür, die sich kurz nach Mitternacht öffnete, aufschrak. Maggie erschrak noch mehr, als sie ihn beim Eintreten allein antraf, und war sofort erleichtert, daß sie dem Jungen, der sie vom Dorf nach Hause gebracht hatte, nicht erlaubt hatte, sie weiter als bis zum Tor an der Straße zu begleiten.

»Du bist sehr spät dran«, sagte er.

»Das Konzert war erst nach elf zu Ende.«

»Hast du auf dem Nachhauseweg deine Gebete gesprochen?«

»Nein, Daddy. Ich bete, wenn ich oben bin.«

»Aber paß auf, daß du die andern nicht weckst, die morgen früh in die Schule müssen.«

»Ich passe schon auf. Gute Nacht, Daddy.« Wie an jedem Abend ging sie zu ihm und küßte ihn auf den Mund.

Er blieb allein sitzen, bis sein ganzes Unbehagen in einer wohligen Selbstversenkung aufgegangen war. Das Feuer war erloschen. Er war ganz steif, als er sich aus dem Sessel erhob, dann knipste er das Licht aus, tastete sich durch die immer noch offene Tür zum Bett und ließ seine Kleider auf den Boden fallen. Als er sich ins Bett legte, kehrte er Rose nachdrücklich den Rücken zu.

Sie stand am nächsten Morgen sogar noch früher auf als sonst. Normalerweise genoß sie ihre kleinen morgendlichen Pflichten, aber an diesem Morgen war sie wie noch nie dankbar für die immergleichen kleinen Hausarbeiten; den Kamin auszuklopfen, die Asche draußen auf dem Rasen auszustreuen und zu spüren, wie das geschürte Feuer das Zimmer wärmte. Sie deckte den Tisch und machte das Frühstück. Als die drei, die zur Schule mußten, erschienen, behandelten sie sie zunächst äußerst vorsichtig, aber sie konnte genügend Kraft aufbringen, um ihre Schwäche zu verbergen, und als sie sich auf den Weg zur Schule machten, waren sie wieder ganz beruhigt. Als Moran schließlich erschien, sagte er kein Wort, sondern zog sich übertrieben umständlich seine Socken und Stiefel an. Sie half ihm nicht.

»Ich glaube, ich muß mich entschuldigen«, sagte er schließlich.

»Es war sehr hart, was du gesagt hast.«

»Ich war wütend über das Telegramm, das mir mein werter Sohn geschickt hat. Es war, als wäre ich Luft für ihn.«

»Ich weiß, aber es war trotzdem sehr hart, was du gesagt hast.«

»Also gut, es tut mir leid.«

Das war alles, was sie verlangte, und sofort hellte sich ihr Gesicht auf. »Es ist schon gut, Michael. Ich weiß, daß es nicht leicht ist.« Sie sah ihn liebevoll an. Obwohl sie allein waren, umarmten und küßten sie sich nicht. Das gehörte ins Dunkel und in die Nacht.

»Weißt du, was ich denke, Rose? Wir sind hier manchmal ganz schön eingesperrt. Laß uns doch einen Ausflug machen!«

»Wo sollen wir denn hinfahren?«

»Wir können fahren, wohin wir wollen. Das ist doch das Gute, wenn man einen Wagen hat. Wir müssen ihn bloß aus dem Schuppen holen und *losfahren.*«

»Meinst du denn, daß du dir einen Tag freinehmen kannst?« Sie war noch immer vorsichtig.

»Es wäre ja schlimm, wenn man sich nicht mal einen Tag freinehmen könnte«, sagte er lachend. Er war jetzt glücklich, erleichtert, mit sich selbst wieder im reinen und bereit, nachsichtig zu sein.

Er fuhr den Ford rückwärts aus dem Schuppen und parkte ihn mit der Front zur Straße. Maggie war aufgestanden und frühstückte, als er hereinkam.

»Möchtest du irgend etwas, Daddy?«

»Nichts auf der ganzen Welt, Gott sei Dank.« Sie war erleichtert, als sie seinen Ton hörte. »Du hast heute das ganze Haus für dich. Rose und ich machen einen Ausflug.«

»Wann meinst du, seid ihr wieder da, Daddy?«

Rose hatte seinen braunen Anzug herausgelegt, ein Hemd, einen Schlips und Socken, und er begann sich anzukleiden.

»Wir sind wieder da, wenn du uns kommen siehst. Aber wir sind auf jeden Fall vor heute abend wieder zurück«, sagte er, während er sich das Hemd in die Hose stopfte, die er an den Hüften hochzog.

»Ich halte alle auf«, Rose zupfte dezent an sich herum. Sie sah gut aus, sogar auf eine diskrete Art modisch, mit ihrem Tweedkostüm und der weißen Bluse.

»Daddy sieht großartig aus. Ich hoffe, ich blamiere ihn nicht allzusehr«, lachte sie nervös, und ihre Handbewegungen und ihr Gesicht drückten nur den einen Wunsch aus – zu gefallen.

»Du siehst wunderschön aus, Rose. Du siehst wie eine Lady aus«, sagte Maggie.

»Und mich werden sie für den Chauffeur halten«, er lachte auf, sprach das Wort genußvoll falsch aus, aber er wurde nicht korrigiert, wie er gehofft hatte.

»Davor brauchst du nun wirklich keine Angst zu haben«, sagte sie gefühlvoll.

Sie fuhren zusammen in dem kleinen Wagen davon, und Roses mädchenhaftes Lächeln und ihr Winken unterstrichen zusätzlich das Bild vom glücklichen Paar, das allein einen Tagesausflug unternimmt. Maggie verfolgte, wie der Wagen vorsichtig auf die Hauptstraße bog, und dann ging sie und schloß das Tor unter der großen Eibe.

Moran fuhr entschlossen. Der Wagen überquerte in Boyle den seichten, schnell dahinströmenden Fluß, fuhr an den grauen Mauern des Klosters ohne Dach vorbei und blieb auf der Hauptstraße, die durch die Curlews führte. Rose hatte ihn nicht gefragt, wohin sie fuhren; es war ihr ohnehin egal: Es genügte ihr, daß sie den ganzen Tag mit ihm zusammen war.

»Auf dem Weg nach Kinsale haben O'Neill und O'Donnell diese Stelle mit Kanonen und Pferden in einer Nacht überquert«, erzählte er ihr, als der Wagen die niedrigen Berge erklomm. »Sie konnten das, weil die strenge Kälte den Boden in jener Nacht hart wie Stein fror.«

Nachdem er gesprochen hatte, schien er entspannter zu sein und nicht mehr so starr auf die leere Straße zu schauen.

»Ich nehme an, einige deiner Nächte, als du auf der Flucht warst, waren dem nicht ganz unähnlich«, sie wagte sich in das vor, worüber sie nie gesprochen hatten.

»Nein. Sie waren anders«, sagte er nicht unfreundlich, aber es war klar, daß er über diese Nächte nicht reden wollte.

»Würdest du gern nach Strandhill fahren? Als die Kinder klein waren, sind wir da jedes Jahr hingefahren.«

»Ich würde sehr gern das Meer sehen«, sagte sie. Es war ihr gleich, wo sie hinfuhren oder was sie sich anschauten, solange es ihm Spaß machte und sie mit ihm zusammen war. Jetzt kamen fast all ihre

Lust und ihr ganzer Schmerz nur noch von ihm. In seiner Gegenwart verspürte sie immer eine seltsame Erregung, als ob gleich etwas geschehen würde. Nie kehrte Ruhe ein. Sie war ihm übermäßig dankbar, wenn er sich normal benahm.

»Dort ist das Meer ruhig«, er zeigte auf den Meeresarm, der auf Ballysadare zufloß, während sie auf der schmalen, verschlungenen Straße nach Strandhill hineinfuhren. »Wir haben dort immer alle gebadet. Man ist mehr unter sich, und es ist sicherer. Direkt an der Küste ist das Meer rauh und gefährlich. Es gab kaum einen Sommer, in dem nicht drei oder vier Menschen ertrunken sind.«

»Es war sehr gut von dir, sie mit ans Meer zu nehmen. Außer den Lehrern hat fast keiner je daran gedacht, seine Kinder mit ans Meer zu nehmen.«

»Ich habe immer versucht, das Beste zu tun oder das, was ich für das Beste hielt. Manchmal ist es nicht leicht, das herauszufinden. Genau in dem Augenblick, in dem man glaubt, man liegt richtig, kriegt man es um die Ohren gehauen. Luke wollte zuletzt nicht mehr mit ans Meer fahren.«

»Alle Jungs sind so, wenn sie groß werden«, sagte sie.

»Da mußten wir aufhören, Torf zu verkaufen«, sagte er.

»Was für Torf?« fragte sie.

»Wir haben eine ganze Lastwagenladung Torf für unsern eigenen Kamin mitgenommen und den Rest in Säcken von Haus zu Haus verkauft.« Er zeigte auf die mit Kieselsteinen bestreute Straße vor Park's Guest House, wo sie zuerst gewohnt hatten, und auf den Bungalow zwischen der Kirche und dem Golfplatz, das sie gemietet hatten. »Von dort aus haben wir den Torf verkauft. Damit konnten wir den ganzen Urlaub finanzieren. Es gab einen großen Bedarf. Der ganze Sommer war verregnet. Alle wollten wegen des Regens Feuer machen. Wir haben im Urlaub sogar noch dazuverdient.«

An der Küste standen nur noch zwei weitere Wagen, und sie kamen neben dem Sockel zum Stehen, auf dem eine alte Kanone stand, die wie ein Köter mit breitem Brustkasten auf das Meer hinaus zeigte. Lange saßen sie schweigend da und sahen zu, wie die Wellen des Atlantiks an die leere Küste brandeten.

»Seit drei Jahren sind wir nicht mehr am Meer gewesen. Ich glaube, so wird man alt. Man tut plötzlich eine ganze Menge Sachen nicht mehr, die man früher gemacht hat, ohne überhaupt darüber nachzudenken.«

»Du bist nicht alt«, sagte Rose.

»Der Zähler läuft«, sagte er. »Den kann man nicht zurückdrehen.«

»Ich wußte ja nicht, was du vorhattest«, sagte Rose mit äußerster Behutsamkeit, »aber ich habe für alle Fälle eine Thermosflasche mit Tee und Sandwichs mitgebracht.«

»Das ist großartig.« Er hatte schon Angst gehabt, daß er nach einem Lokal zum Lunch hätte suchen müssen. Er kannte hier keine billigen Restaurants mehr, und er hätte wie ein Blinder nach einem suchen müssen. »Hinterher können wir gehen, wohin wir wollen«, fügte er für den Fall hinzu, daß er geizig auf sie wirkte.

Rose öffnete die Thermosflasche und breitete die Sandwichs auf dem Armaturenbrett aus.

»... und segne, Herr, was du uns bescheret hast...« Er aß und trank voller Vergnügen, zeigte auf ein Fischerboot, das aus dem Hafen von Sligo auslief, und bemerkte, daß Rosses Point an der anderen Seite der Bucht ein sicherer Badeplatz war, während man hier nicht einmal im Wasser stehen konnte, ohne gleich zu merken, wie die Strömung einem den Sand unter den Füßen wegspülte. »Aber es ist langweilig an dem ollen Point, Rose. Selbst bei Sturm sind die Wellen dort flach. Hier kriegt man das richtige Gefühl für das Meer. Das habe ich meiner Bande immer erzählt.«

»Es ist ein wunderbarer Ort«, sagte sie.

»Ich fühle mich wie neugeboren«, sagte er, als sie die Thermosflasche wegräumte und die Krümel vom Armaturenbrett in ihre hohle Hand fegte. Sie begannen beide mit: »Wir danken dir, o allmächtiger Gott, für all deine Gaben, die wir durch Christus unseren Herrn erhalten haben, der lebt und herrscht in Ewigkeit, Amen.« Fröhlich verließen sie das Auto und liefen in den offenen Tag hinein, kletterten die Felsen hinunter zum Strand und gingen bis ans Wasser. Sie gingen zwei Kilometer am Wasser entlang. Rose sammelte ein paar Muscheln und abgeschliffene Steine ein, und Moran steckte sich Rotalgenstückchen in die Tasche. Sie kehrten wieder um, bevor sie die Kirche ohne Dach mitten auf dem alten Friedhof draußen auf der Landzunge erreicht hatten.

»Die Leute hier benutzen den Friedhof immer noch«, erzählte er ihr.

Sie gingen auf dem Pfad zurück, der zwischen den Sanddünen hindurchführte. Ein paar Bienen krabbelten schon auf dem ersten Klee herum.

»In einem Monat wird hier alles voller Zelte und Wohnwagen und Leute sein.«

»Hier geht man viel schöner als am Strand. Da ist eine wunderhübsche Quelle im Gras.«

»Aber du mußt auf die Kaninchenbaue achten. Man kann sich mir nichts, dir nichts den Knöchel verstauchen.«

»Ist es nicht ein Glück, daß wir uns kennengelernt haben und jetzt diesen ganzen Tag für uns haben und das Meer und den Himmel«, sagte Rose begeistert.

»So ist unser Leben«, sagte er schroff. Sie sah ihn vorsichtig an. Der Wechsel seiner Launen war unberechenbarer als der der Gezeiten. Bald würde er seine Wut, die sich, wie sie spürte, schon in ihm anstaute, an jemandem auslassen müssen, und sie war der erstbeste Mensch in seiner Nähe. Ihr Leben war vollkommen mit diesem Mann verknüpft, den sie so liebte und vor dessen dunklen Seiten sie sich fürchtete. Sie sollten nach Hause fahren, bevor der ganze Tag ruiniert war.

»Sollten wir vielleicht zu einem der Hotels fahren und Tee trinken oder Eis essen?« fragte er gereizt, als spürte er irgendwie, daß sie sich zurückzog.

Als ob er darauf hinweisen wollte, daß sie nicht völlig allein waren, kam ein Mann mit einem weißen Terrier hinter den Sandhügeln hervor und auf sie zu. Er hatte einen bleichen Knochen bei sich, den er immer wieder in die Düne hineinschleuderte, damit der Hund ihn apportieren konnte. Ohne ein Wort zu sagen, lüftete er seine Mütze, als sie vorbeigingen.

»Nein«, sagte sie in entschiedenem Ton. »Ich glaube, wir sollten nach Hause fahren. Man verdirbt sich so leicht den Tag, wenn man zuviel auf einmal will.«

»Bist du sicher, Rose?«

»Ganz sicher.«

»Wir müssen so was häufiger machen, Rose«, sagte er, als er mit dem Ford an der Zierkanone zurücksetzte. Inzwischen waren vier Menschen auf dem langen weißen Strandabschnitt. Sie wirkten klein und schwarz vor der Weite der heranbrausenden Wellen und des bleichen Sandes.

»Das können wir natürlich, aber wenn Maggie erst einmal aus dem Haus ist, kommen wir nicht mehr so leicht weg«, sagte sie in einem freundlichen Ton, der ihn manchmal aufheiterte und ihn andere Male auf die Palme brachte. Diesmal schien er ihm zu gefallen. Es hätte ihm nicht gepaßt, wenn es so geklungen hätte, daß sie jederzeit, wenn es ihnen gerade einfiel, wegfahren konnten. Alles Leichte und Angenehme erregte sein tiefes Mißtrauen, und Menschen, die ihren Spaß hatten, waren normalerweise weniger bereit, anderen ihre Aufmerksamkeit zu schenken.

Vor der Heirat war Maggie kaum mehr als eine Magd im Haus gewesen. Rose erlöste sie. Sie achtete darauf, daß sie hübsche Kleider wie die anderen Mädchen in ihrem Alter und ein bißchen Taschengeld zum Ausgehen bekam. Sie hörte sich die Geschichten von ihren kleinen Triumphen an, die sie von ihren Tanzabenden mitbrachte. Maggie hatte noch nie soviel Aufmerksamkeit bekommen. Gestärkt durch dieses neue Selbstvertrauen ging sie bereitwillig zu Moran auf die Felder. Sie half ihm bei kleinen Arbeiten, Äste einsammeln oder das Vieh zusammentreiben, oder sie blieb bei ihm, um ihm bei der Arbeit Gesellschaft zu leisten.

Sie würde bald fortgehen, und so fiel es ihm leicht, liebenswert zu sein. Er schalt sie nur, wenn er eine seiner vorübergehenden Anwandlungen von schlechter Laune hatte. Instinktiv versuchte er, sie stärker an sich zu binden. »Das Leben ist ein seltsames Spiel«, sagte er gern. »Man weiß nie, wo man einmal stehen wird, ob oben oder unten. Ganz gleich, wie weit man auch vorankommt in der Welt, man sollte nie auf andere herabschauen. So kann man sich auch nie allzusehr vertun.«

»Daddy ist toll«, sagte Maggie voller Stolz, als sie hereinkam.

Rose schwieg dazu, aber die Freude zeigte sich auf ihrem Gesicht.

»Wenn er gut gelaunt ist, dann kann er wirklich so nett sein«, Mona sah ernst von ihren Schulaufgaben auf.

»Es wäre sehr viel netter, wenn er immer so wäre«, fügte Sheila spitz hinzu.

»Wir sind vielleicht auch nicht immer so fehlerlos, wenn man mal genau hinschaut«, entgegnete Rose eilig.

Michael sah vom Fußboden vor dem alten Lehnstuhl auf, wo er kniete, die Bücher auf dem Stuhl ausgebreitet. Als er merkte, daß sie ihn nicht beachteten, wandte er sich wieder seinen Büchern zu.

An Maggies letztem Abend im Haus gab Rose eine kleine Party. Am Abend davor war Maggie lange fortgeblieben, um sich von all ihren Freunden zu verabschieden. Der letzte Abend gehörte der Familie.

Moran betete früh den Rosenkranz und fügte am Ende noch ein Gebet hinzu, in dem er um Schutz für das Mädchen in der neuen Welt, in die es nun eintrat, bat. Er sprach es mit solchem Nachdruck, daß ihnen die Tränen in die Augen stiegen, aber diese Stimmung wurde bald wieder durch all die herrlichen Speisen verscheucht, die Rose vorbereitet hatte.

Schüsseln mit der klaren Hühnersuppe, die sie liebten, kamen auf den Tisch. Ein Brathähnchen folgte, mit einer weißlichen Füllung, heißer Soße und Massen von mehligen Bratkartoffeln. Limonade wurde in die Gläser gegossen, und man trank auf das Essen. »Das ist ja wie in Amerika«, prahlte Moran. Dann folgten Schüsseln mit Trifle. »Wir platzen ja!« Er war so glücklich wie alle anderen auch. Rose wollte den Abwasch erst am nächsten Morgen machen, aber die Mädchen bestanden darauf, ihn gleich zu erledigen. Dann spielten sie Karten, bis unterdrücktes Gähnen und mißlungene Kartentricks erkennen ließen, daß nun die Müdigkeit regierte. Die drei, die am nächsten Morgen in die Schule mußten, gingen zu Bett. Auch Maggie folgte ihnen nach einer angemessenen Pause.

»Du wirst morgen einen langen Tag haben«, ermunterte sie Rose.

»Gott segne und schütze dich«, sagte Moran.

Maggie sah ihn voller Liebe an, als sie ihm den Gutenachtkuß gab. Er war ihr erster Mann, ihr Vater, während sie nun auf London und alles andere, was das Leben noch für sie bereithielt, zusteuerte.

Auf dem Bahnsteig des kleinen Bahnhofs am nächsten Tag sah er sehr fein aus. Er kleidete sich sorgfältig in den braunen Anzug, in dem er geheiratet hatte, und er kaufte die Fahrkarte mit stiller Autorität. Da er mit niemandem befreundet war, der dort stand, hatte er auch keine Veranlassung, mit den anderen, die auf dem weißen Schotter warteten, zu sprechen. Rose kannte viele Leute auf dem Bahnsteig, auch wenn sie die Hälfte ihres

Lebens in Schottland verbracht hatte, und sie erwiderte jeden Gruß voller Wärme, wobei sie vorsichtig darauf achtete, daß ihre Freundlichkeit Moran nicht irritierte. Maggie schwieg. Auch sie kannte weit weniger Menschen am Bahnhof als Rose, trotz der Tanzabende und Konzerte, die sie in letzter Zeit besucht hatte. Maggie hielt diese Wand, die er um sie herum errichtet hatte, für Vornehmheit und Strenge. Tief in ihrem Herzen hatte sie das Gefühl, daß Rose ein wenig gewöhnlich war, wenn sie so viele Leute kannte. Moran stand aufrecht und abseits auf dem Bahnsteig, völlig abgesondert, während er auf den Hügel jenseits der Gleise starrte, wo ein paar Rinder und Schafe und das braune Pferd des Stationsvorstehers grasten.

Rose faßte Maggie immer wieder an, während sie warteten, knetete manchmal ihre Schulter und ihren Arm. »Schau nur, was für ein prächtiges Mädchen wir haben. Du brauchst dich vor der Welt wirklich nicht zu verstecken«, als sähe sie ihr Glück und ihre Kinder, wenn die Zeit gekommen war, schon deutlich vor sich.

Als der Dieselzug einfuhr und die Leute auf dem Bahnsteig schon nach ihren Koffern griffen, drehte sich Moran um und küßte sie, als wäre dies ein letzter Gutenachtkuß für all die Abende, an denen sie zu ihm gekommen war.

»Denk daran, das Haus, das du verlassen hast, wird immer dein Zuhause bleiben. Solange Rose und ich leben, hast du ein Zuhause, das immer für dich da ist.«

»Wir werden auf dich warten«, sagte Rose, als sie sich küßten.

Maggie weinte. Als der Zug aus dem Bahnhof fuhr, suchte sie nach Morans Gesicht in der Menge, entdeckte es und winkte.

»Glaubst du, daß dieser Gentleman sie abholt?«

»Natürlich wird er sie abholen. Er wird sie doch nicht allein durch London laufen lassen. Er ist ihr Bruder.«

»Ich wünschte, ich könnte mir da genauso sicher sein wie du, aber ich hab' die Leute vom Krankenhaus für alle Fälle auch gebeten, sie abzuholen. Er holt sie, falls er nicht noch andere Gründe hat, wahrscheinlich nur ab, um mir eins auszuwischen.«

Sogar an völlig verregneten Tagen blieb Moran selten im Haus. Er hatte eins der Seitengebäude in eine Art Werkstatt verwandelt, wo er an kleinen Maschinen, die er gesammelt hatte, herumfummelte, uralten Beleuchtungsaggregaten und Wasserpumpen, die er im Laufe der Jahre fast umsonst auf ländlichen Versteigerungen erstanden hatte. Er hatte weder die Geduld noch das methodische Geschick, um genau herauszufinden, wie sie funktionierten, und er hielt sich auch nicht an irgendwelche Instruktionen, bis auf seine eigenen flüchtigen Blicke in bestimmte Gebrauchsanweisungen und Handbücher. Dennoch gelang es ihm ziemlich oft, durch seine aufs Geratewohl unternommenen Versuche, eine der Maschinen zum Laufen zu bringen. Dann war er sehr glücklich, und mit seiner angeborenen Energie übertrug er dieses Glück auf alles um ihn herum. Rose genoß solche Tage mit ihm sogar noch überschwenglicher, als wenn der Tag ihr allein gehört hätte. Es gab viele andere Tage, an denen ihm nichts gelang und jeder Fleck auf der langen, geschwärzten Werkbank mit einem Haufen von Einzelteilen bedeckt war. Solche Tage fürchtete Rose und quälte sich durch sie hindurch, und sie fand dann einen gewissen Seelenfrieden darin, sich den beiden Mädchen und dem Jungen zuwenden zu können. Sie hatte sie völlig für sich eingenommen. Sie schwatzten mit ihr über ihren Tag, bis sie sich an die Hausaufgaben machten. Beide Mädchen waren außergewöhnlich gut in der Schule und lernten gern. In ihren früheren Jahren waren die Schulaufgaben eine Zuflucht gewesen. Sie fühlten sich sicher und geschützt, wenn sie lernten.

Auch Michael war gut in der Schule, tat aber nur das Nötigste. Er hatte kaum eine halbe Stunde allein gesessen, da wurde er unruhig, verstreute seine Bücher unordentlich über den ganzen Tisch und verschwand nach draußen. »Bist du etwa schon fertig?« rief Rose neckend, aber er war fort und schlug die Tür zu. »Wenn er schon fertig ist, dann sollte er doch wenigstens nicht dieses Chaos auf dem Tisch hinterlassen«, nörgelten die Mädchen; aber sie oder Rose räumten seine Bücher jedesmal wieder weg. Obwohl er groß und kräftig für sein Alter war, mochte er keine körperliche

Arbeit, und er half Moran nur widerstrebend auf den Feldern. Er hatte verschiedene Haustiere: eine graue Katze namens Maria, den Hütehund Shep, der ihm überallhin auf die Felder folgte, verschiedene Vögel, darunter eine lahme Taube, mit der er gern Maria neckte; und in einem Frühjahr zog er eine Wildente auf, deren Ei er in einem verlassenen Nest gefunden hatte, und war noch Wochen nach dem Oktobertag, an dem sie schließlich davongeflogen war, untröstlich. Rose begann, bald nachdem sie gekommen war, einen kleinen Blumengarten vor dem Haus anzulegen, bald aber übernahm er selbst den Garten und dehnte ihn über den Fußweg aus, bis alles Grün innerhalb der Dornenhecke mit Farben übersät war: kleine Beete mit Vergißmeinnicht, Bartnelken und Reihen von Goldlack, die an den Abenden ihren Duft verströmten, symmetrische Lilien- und Rosenbeete. Sein Verhältnis zu Vögeln und anderen Tieren schien sich auch auf alle Blumen und Gewächse auszudehnen. Dies amüsierte und irritierte Moran zugleich.

»Bald wirst du dir auch noch 'nen Rock anziehen, nehme ich an.«

»Hosen sind viel praktischer«, es gelang ihm, mit einem Lächeln darauf zu regieren.

»Wenn du wenigstens so was wie Mohrrüben ziehen würdest, das wäre immerhin nützlich. Das kann lange dauern, bis du eine von diesen Blumen essen kannst.«

»Ich gucke sie gerne an.«

»Mit Gucken kommt man in dieser Welt nicht weit«, sagte Moran.

Aber verborgen in dem Nicken des Jungen, das als Antwort diente, lag eine ähnliche Verachtung für Morans Arbeit, die er für eine Art freiwilliger Sklaverei hielt. Da er von klein auf im Schutz von Mädchen aufgewachsen war und nun im Schatten von Rose Selbstvertrauen erlangte, entrann er der Furcht vor Moran.

Nachdem Maggie fort war, nahm Moran seine alte Angewohnheit wieder auf, zur Post zu gehen. Weil er nicht mehr an Verwandte oder alte Kriegskameraden schrieb, erklärte er steif: »Ich erwarte Nachricht von meiner Tochter in London. Junge Leute im Ausland können heutzutage ziemlich leichtsinnig sein.« Abend für Abend verging, ohne daß Annie, die Postmeisterin, einen Brief für ihn in dem grauen Sack, den das Postauto vorbeibrachte, entdeckt hätte. Als der Brief schließlich kam, in einem blauen Umschlag mit dem frommen SAG-Aufdruck* auf der Rückseite, zitterten, als er ihn entgegennahm, die Hände, die ein Gewehr oder ein Werkzeug so sicher halten konnten. Annie ärgerte sich über die abrupte Art, mit der er sich umdrehte und hinausging. Draußen auf dem Fußweg stand er unbeweglich da wie ein Stein und las den Brief. Leute, die das Postamt verließen, sprachen ihn an, aber er hörte sie nicht. Als er sich

* Abkürzung für »Saint Anthony Guides«, die Bitte frommer Iren an den Schutzheiligen des Postverkehrs, Antonius von Padua, Briefe sicher ankommen zu lassen. [A. d. Ü.]

schließlich in Bewegung setzte, ging er selbst beim Gehen den Brief immer wieder durch. Als er beim Haus angelangt war, konnte er jeden Satz auswendig.

»Sie hat sich schließlich gerührt und geschrieben«, sagte er, als er Rose den Brief gab.

»Sie muß sich an vieles erst einmal gewöhnen«, sagte Rose geistesabwesend, während sie den Brief überflog. Luke hatte sie in Euston abgeholt. Sie waren mit der U-Bahn zum Krankenhaus gefahren. Alle Schwesternschülerinnen hatten im Schwesternheim ein eigenes kleines Zimmer mit einem Tisch und einem Bett. Es gab mehrere irische Mädchen in ihrer Klasse, zwei aus der Nähe von Ballymote. Sie begann gerade erst, sich an die Krankensäle und Klassenräume zu gewöhnen. Nicht weit vom Krankenhaus lag ein großer Park mit einem See. Am letzten Sonntag hatte Luke sie besucht. Sie waren in den Park gegangen. Man konnte dort stundenweise Boote mieten, und sie waren auf dem See gerudert. Danach hatten sie Tee in einem hölzernen Kaffeehaus am See getrunken. Sie wünschte ihnen alles Liebe und schickte ihnen tausend Küsse.

»Man sollte doch meinen, daß sie nach all dem nun mal sagt, was Ihro Gnaden eigentlich in London machen.«

»Er hat sie immerhin abgeholt und am Sonntag besucht.«

»Das macht er. Ja. Das macht er gut.«

»Vielleicht ist sie noch gar nicht dazu gekommen, ihn näher nach seinem Leben zu fragen«, sagte Rose, um das brütende Schweigen zu brechen.

»Maggie ist vielleicht ein bißchen langsam, aber so langsam ist sie auch wieder nicht«, sagte er ungeduldig. »Unser Mann hat sie angewiesen, nichts darüber zu schreiben, was er macht. Deshalb schreibt sie nichts davon.«

Nachlässig ließ er eine Zeitungsseite neben den Tisch auf den Zement fallen und goß den Rosenkranz aus dem kleinen Täschchen in seine Hand. Er betete geistesabwesend, und es gelang ihm nicht, in das gleichmäßige, schläfrige Leiern und Murmeln des »Vater unser« und »Ave Maria« zu verfallen. Ihm unterliefen sogar eine Reihe von Versprechern und Wiederholungen, die er bei anderen sofort getadelt hätte. Er hatte seinen Rosenkranz noch nicht weggesteckt, da suchte er schon nach Füllfederhalter und Papier und saß bis spät abends an einem Brief an Maggie. Er hatte einen sauberen, nüchternen Stil; wenn er schrieb, schien er die Last seiner Persönlichkeit abstreifen zu können, was ihm von Angesicht zu Angesicht nicht gelang. Die drei Kinder waren zu Bett gegangen, und Rose wartete beim Feuer, als er endlich so zufrieden mit dem war, was er geschrieben hatte, daß er den Umschlag zukleben konnte.

Nun, da Maggie in London war, standen Sheila und Mona mehr im Mittelpunkt und konnten besser zum Zuge kommen. Sheila war mehr als gut in der Schule, impulsiv und bestimmt, aber bei der kleinsten Andeutung von Widerstand zog sie sich in ihr Schneckenhaus zurück. Rose liebte es, sie nach der Schule dazu zu bringen, daß sie aus sich herauskam, ihr respektlose Meinungen zu entlokken und dann zu verfolgen, wie ihr schneller Verstand sich bei der Anstrengung drehte und wendete, etwas zu verteidigen, was man normalerweise nicht verteidigen konnte. Mona war still, arbeitete hart und war äußerst stur, dabei ängstlich bemüht, allen zu gefallen; aber wenn sie einmal einen Standpunkt eingenommen hatte – oder bei einem ertappt worden war –, dann war sie nicht mehr davon abzubringen, und das hatte sie oft in Schwierigkeiten mit Moran gebracht. Daß Rose nun im Haus war, hatte ihr Leben erleichtert und gestattete ihnen, sich ganz auf die Schule und das Lernen zu konzentrieren, was sie vor allem als eine Möglichkeit betrachteten, dem Haus zu entrinnen und ein eigenes Leben führen zu können.

Schließlich kam ein Brief aus London, der auf Morans verärgerte Nachfragen über seinen älteren Sohn einging. Die Auskünfte hätten banaler kaum sein können. Anfangs hatte Maggie ihn beinahe jeden Tag getroffen. Jetzt sah sie ihn viel seltener. Die ersten Male, als er gekommen war, hatte er noch auf verschiedenen Baustellen gearbeitet. Jetzt arbeitete er in Büros der Gasbehörde und studierte Buchhaltung, meist in Abendkursen, obwohl die Behörde ihm einen Tag in der Woche freigab, um seine Klassen zu besuchen. Er hatte sich außerdem mit einem Mann aus Cockney angefreundet, älter als er, der Möbelpoliteur gewesen war und jetzt mit einem Lastwagen Antiquitätengeschäfte abklapperte und an sie nachgemachte Möbelstücke verkaufte. Er hatte von einem Plan gesprochen, alte Häuser aufzukaufen und daraus Eigentumswohnungen zu machen.

»Da siehst du's, er hat nicht lange gebraucht, um das Gesindel zu finden«, sagte Moran.

»Er scheint doch sehr hart zu arbeiten, und studiert«, Rose versuchte, wie immer, ihn aus vorsichtiger Distanz zu beruhigen.

»Das macht er schon gut, aber guck dir mal an, mit was für Leuten er sich einläßt.«

»Das ist vielleicht bloß Gerede«, wagte sie gereizt zu sagen.

»Fängt denn nicht alles mit Gerede an?«

Äußerlich waren es die entspanntesten und ruhigsten Zeiten, die es je im Haus gegeben hatte, aber die Beklommenheit wollte nicht weichen. Immer häufiger war Moran auf den Feldern zu sehen, wie er müßig auf irgendeine Arbeit starrte, die er zu Ende bringen sollte.

Die wilde Hetze der Heuernte war vorüber. Die Äpfel reiften an den Bäumen im Garten. Nun sahen sie dem Winter entgegen. Rose begann, wieder regelmäßig zu ihrer Mutter zu fahren. Der Bastkorb auf ihrer Fahrradlenkstange war immer voll, wenn sie das Haus verließ, und genauso voll mit Lebensmitteln von ihrer Mutter, wenn sie zurückkam.

»Wie ich sehe, vergeht im Moment kaum ein Tag, an dem Rose nicht ihre Verwandten besucht«, sagte Moran zu Sheila und Mona, als sie ihm eines Samstags eine Thermosflasche Tee auf die Felder brachten. »Und sie geht selten mit leeren Händen.« Rose hatte sie gebeten, ihm den Tee um vier Uhr nach draußen zu bringen. Sie wußten, daß sie ihrer Mutter Brot mitbrachte, Marmelade, die sie aus den schwarzen Johannisbeeren am Ende des Gartens gemacht hatte, aber wenn der Korb zurückkehrte, war er immer voll mit frischen Eiern, mit einem Bund Mohrrüben aus dem Torfmoor, Pflaumen, die sie liebte, und süßen, harten, gelben Äpfeln.

»Davon wissen wir nichts«, antwortete Sheila vorsichtig.

»Wieso wißt ihr davon nichts? Habt ihr denn nicht zwei Augen im Kopf?«

»Sie bringt immer wieder etwas mit.«

»Nur Sachen, die sie sonst wegschmeißen müßten!«

Sie wußten, daß diese Vorwürfe falsch waren. Sie schwiegen störrisch und blickten zugleich niedergeschlagen vor sich hin, die Tarnung, die sie sich zu ihrem Schutz zugelegt hatten.

»Möchtest du, daß wir die Garben binden, Daddy?« fragte Mona.

»Das wäre eine große Hilfe«, sagte er.

Alle Mädchen stellten sich geschickt an bei der Arbeit auf dem Hof, Arbeit, die sie von klein auf gemacht hatten. Schnell waren die Reihen zu Garben zusammengeschoben und gebunden. Sie liebten das helle Rascheln der Garben, wenn sie aufgestellt wurden, das Prasseln, mit dem die harten

Getreideflechten aneinanderschlugen, den Anblick fetter Ähren, die sich zart am Rande der Garbenbündel hervorneigten.

»Das war großartig«, sagte Moran. »Jetzt muß man sie nur noch beschneiden. Das kann ich selber machen. Ihr habt ja sicher eure Bücher«, fügte er ungewohnt rücksichtsvoll hinzu.

»Danke, Daddy.«

»Ich danke auch.« Und dann fügte er hinzu: »Wir könnten's auch ohne sie toll schaffen.«

Es war nicht so sehr, daß sie Sachen aus dem Haus mitnahm – obwohl seine angeborene Angst vor dem Armenhaus oder vorm Hungern tief saß –, sondern daß sie überhaupt das Haus verließ. Es war schon bedrohlich, wenn sie regelmäßig andere Leute besuchte. Das zeigte sich ja schon in kleinen Dingen. Das Wasser zum Rasieren kochte. Wollte sie einem das Gesicht verbrühen? Gott, o Gott, o Gott, was konnte sie eigentlich? Guck dir die Löcher in diesen Socken an. »Wo, Himmel noch mal, ist diese Frau jetzt? Muß man eine ganze Armee in Bewegung setzen, um dich suchen zu lassen, wenn man dich braucht?«

Sie versuchte nicht, sich zu verteidigen. »Ich komme, Daddy. Ich komme«, rief sie, wenn sie, oft außer Atem, ankam. Nicht ein einziges Mal protestierte sie gegen seine unfairen Vorwürfe. Sie schien bereit, beinahe alles hinzunehmen, um den häuslichen Frieden zu bewahren, seine schlechte Laune wieder zu besänftigen, seine ganze Erbitterung im Zaume zu halten, indem sie sie einfach schluckte.

Das verdoppelte sie gewöhnlich nur noch. Er schien jetzt entschlossen, seinen Aggressionen freien Lauf zu lassen, um zu sehen, wie weit er gehen konnte, und sie schien gewillt, allem nachzugeben, um ihn zu beschwichtigen.

Die Kinder waren tief beschämt: »So war es immer, als Luke noch hier war, Rose; nur noch schlimmer.«

»Solche Wutausbrüche gibt es in jeder Familie. Man kann so was leicht überbewerten. Daddy meint es sicher nicht böse. Man kann sich so was auch zu sehr zu Herzen nehmen.« Sie wollte den Vorwurf nicht hören.

»Es stimmt, was Mona sagt.«

»Also, man kann solche Dinge maßlos überbewerten. Daddy mag sich so benehmen – wir sind alle keine Engel –, aber er meint es nicht so. Ich weiß, wie sehr er euch alle liebt.«

»Es ist einfach nicht fair.«

»Ihr solltet nur begreifen, daß ihr euren Vater nicht mehr ändern werdet und daß er für jeden nur das Beste will«, wandte sie entschlossen ein, aber in ihren verzerrten, ängstlichen Gesichtszügen zeigte sich ihre ganze Anspannung.

Dann sagte er eines Abends, als sie das Zimmer saubermachte, so ruhig, als würde er sein Gewehr auf ein Ziel richten: »Du brauchst weiß Gott nicht das ganze Haus auf den Kopf zu stellen. Wir sind auch ohne dich sehr gut zurechtgekommen.«

Sie versuchte nicht, darauf zu antworten oder es zu ignorieren. Es war wieder so, als hätte man sie geschlagen, ihre Hände rührten sich kaum auf der Anrichte, von der sie gerade den Staub abgewischt hatte, sie ließ den Kopf hängen, und als sie fertig war, legte sie den feuchten Lappen sorgfältig neben das Spülbecken und schob einen siedenden Topf von der Kochplatte. Ihre Bewegungen waren so auffallend langsam und gehemmt, daß die Mädchen instinktiv von ihren Schulbüchern aufblickten, um alles genau zu verfolgen. Moran beobachtete jede ihrer Bewegungen, während er so tat, als würde er die Zeitung lesen. Dann ging sie mit der gleichen schockierenden Langsamkeit, ohne ein Wort zu sagen und ohne irgend jemanden anzusehen, zur Tür, öffnete sie und ließ sie leise hinter sich ins Schloß fallen. Sie hörten, wie sie genauso leise die Schlafzimmertür öffnete und wieder schloß. Es herrschte vollkommene Stille.

Moran raschelte einige Male mit der Zeitung, aber als er endlich aufschauen konnte, waren die drei Kinder schon wieder ganz in ihre Schulbücher vertieft. Nach einer Weile war Moran es müde, in die Zeitung zu schauen, und ging nach draußen, obwohl es schon fast Abend war.

»Was ist passiert?« fragte Michael lachend und hoffte, das Geschehene herunterspielen zu können.

»Rose ist ins Bett gegangen«, antwortete Mona, ohne von ihren Büchern aufzusehen, und obwohl der Junge eine Weile darüber nachdachte, fragte er nicht mehr weiter.

Als Moran zurückkam, war er sogar noch nervöser. Er blätterte noch einmal die Zeitung durch. Dann nahm er sich einen Füllfederhalter und einen Schreibblock und setzte sich an den Tisch. Er saß lange vor dem Schreibblock und überlegte, und dann stand er plötzlich auf und legte ihn weg, ohne etwas geschrieben zu haben.

»Wir sollten jetzt wohl beten«, sagte er und holte den Rosenkranz aus dem Ledertäschchen. Als sie sich hinknien wollten, fügte er hinzu: »Macht die Türen auf, falls Rose mithören möchte.« Mona ging und öffnete beide Türen. An der Schlafzimmertür rief sie leise: »Rose, wir beten jetzt den Rosenkranz.« Aber aus dem Zimmer kam nicht einmal ein Flüstern. Mona kam wieder zurück. »Die Türen sind offen«, und sie nahm ihren Platz ein, ohne irgend jemanden anzusehen.

»Herr, öffne mir die Lippen.«

»So wird mein Mund dein Lob verkünden«, kam ihre Antwort wie ein dumpfes Echo.

Die Türen blieben offen, aber aus dem anderen Zimmer war kein Murmeln zu hören. Moran hielt nach den Ersten Geheimnissen inne. Rose sprach immer die Zweiten Gebete, aber als nicht das geringste Geräusch aus dem Zimmer zu hören war, nickte er Mona ernst zu, daß sie beginnen sollte. Nach Abschluß des Zyklus mußte Moran wiederum die letzten Gebete sprechen. »Sollen wir die Türen schließen?« fragte Mona nervös, als sie sich wieder von den Knien erhoben.

»Ist es nicht egal, ob die Türen offen sind oder nicht?« sagte er, und die Türen blieben offen.

Als sie mit ihren Büchern durch waren, machten die beiden Mädchen ihm Tee. Rose machte um diese Zeit immer Tee. Gleich danach räumten sie ab, wuschen das Geschirr ab, gingen zu Moran, gaben ihm den Gutenachtkuß und zogen sich in ihre Zimmer zurück. Länger als eine Stunde saß er allein da, bevor er sich in das Zimmer schleppte, wobei er die Türen hinter sich laut ins Schloß fallen ließ. Im Zimmer sagte er nichts, ließ im Dunkeln seine Kleidung auf den Boden fallen und wartete auf eine Regung oder ein Zeichen von Rose, aber das einzige Geräusch im Zimmer war das Rauschen, mit dem seine Kleider im Dunkeln zu Boden fielen.

»Bist du wach, Rose?« flüsterte er, bevor er die Hand ausstreckte, um die Bettdecke zur Seite zu ziehen.

Sie antwortete zunächst nicht, bewegte sich aber oder drehte sich um.

»Ich bin wach«, sagte sie schließlich mit einer Stimme, der ihre ganze Verletztheit anzuhören war. »Ich muß von hier fort.«

»So einen Unsinn hab' ich noch nie gehört«, tobte er. »Mußt du denn alles gleich so ernst nehmen wie einige andere im Haus? Muß denn bei jeder Gelegenheit gleich das Jüngste Gericht anstehen?«

»Mir ist gesagt worden, daß ich im Haus nichts nütze. Ich kann nicht an einem Ort weiterleben, an dem ich nicht gebraucht werde«, sie sprach mit der leisen und verzweifelten Autorität von jemandem, der gemerkt hat, daß er nichts mehr zu verlieren hat.

»Himmel, Herrgott. Muß man denn alles gleich so ernst nehmen? So habe ich es nie gemeint. Alle Welt weiß doch, daß im Haus, erst seit du da bist, alles klappt. Das sieht doch ein Blinder, daß die Kinder dich über alles lieben. Sie würden sich die Augen ausweinen, wenn sie nur ein Wort von diesem albernen Gerede hören würden.«

»In meinen Ohren klang es gar nicht albern. Es hörte sich an, als wäre es genauso gemeint. Ich muß zurück nach Glasgow gehen und mein altes Leben wieder aufnehmen.«

»Himmel noch mal, kann man denn in seinem eigenen Haus nichts sagen, ohne daß es gleich falsch verstanden wird?« Und der Streit um ihre beiden Standpunkte drehte sich im Kreis, bis er die Hände ausstreckte und sie in die Arme nahm. Sie gab ihm weder nach, noch versuchte sie, sich zu entwinden.

»Ich liebe dich sehr, und ich liebe das Haus, aber wenn man mich nicht will, kann ich hier nicht leben.«

»Ich dachte, das hätten wir jetzt ein für allemal erledigt.« Er lag unruhig neben ihr, ballte die Fäuste und öffnete sie wieder. Er war in die Schranken gewiesen worden. An Stelle größeren Verständnisses war das einzige, was der Streit ihm eingebracht hatte, eine zunehmende Blindheit. Er wußte jetzt weniger über sie als an dem Tag, an dem sie sich zum ersten Mal im Postamt getroffen hatten und nebeneinander auf den geschrubbten, eingesunkenen Holzbohlen gestanden hatten und darauf warteten, daß das abendliche Postauto kam.

Mona und Sheila standen am nächsten Morgen früher als gewöhnlich auf. Sie hatten gehört, daß jemand sehr früh aufgestanden war, und sie waren ängstlich. Sie waren sich nicht sicher, ob sie Rose überhaupt noch antreffen würden oder wie sie sie antreffen würden, wenn sie noch da war. Sie waren verblüfft, zu sehen, daß sie lächelte und völlig beruhigt schien. Das Zimmer war bereits warm, und die Möbel glänzten, als ob sie über alle Möbelstücke mit einem feuchten Lappen gegangen wäre.

»Ihr seid alle ein bißchen zu früh auf. Ihr hättet euch noch ein paar Minuten gönnen können«, sagte sie, als hätte es den ganzen Abend nie gegeben. Sie goß ihnen Tee ein, saß mit ihrer Tasse Tee beim Feuer und schwatzte so leichthin mit ihnen, wie sie es jeden Morgen tat. »Daß euer Bruder je zu früh aufstehen könnte, die Gefahr besteht nicht«, sagte sie und ging, um Michael zu wecken. Als er ins Zimmer kam und sich schläfrig die Augen rieb, riß auch er sie weit auf, als könnte er nicht glauben, wie sehr dieser Morgen allen anderen glich. Nichts schien sich geändert zu haben.

Moran blieb an jenem Tag lange im Bett und verschwand schweigend in den Feldern, nachdem er gegessen hatte. Als die Kinder aus der Schule wiederkamen, entdeckten sie, daß sich immer noch nichts geändert hatte. Moran war wütend über irgendwelche Werkzeuge und weil eine Schubkarre im Regen stehengelassen worden war und klagte darüber, wieviel Geld die ganze Zeit leichtsinnig im Haus verschwendet wurde.

»Warum muß er immer so weitermachen?« fragte Sheila Rose, als Moran wieder nach draußen gegangen war, ermutigt durch das, was sie am Abend zuvor gesehen hatte.

»Daddy macht sich Sorgen. Er macht sich eine Menge Sorgen um alles«, sagte Rose mit soviel Einfühlungsvermögen, daß aller Kritik der Boden entzogen war. Sie konnten sie nur noch ansehen, aber keiner vermochte ihren Gesichtszügen irgend etwas abzulesen, und so wandten sie sich wieder ihren Büchern zu. Es waren nur noch ein paar Wochen bis zu den Prüfungen. Sie mußten noch so viel lernen, noch so viel wiederholen. Vom letztlich unberechenbaren Ergebnis dieser Prüfung hing mit ziemlicher Sicherheit ein gut Teil ihres weiteren Lebensglücks ab. Vor allem Sheila träumte von der Universität. Es gab viel zu gewinnen, noch mehr zu verlieren, und dann war da ja immer noch England.

Zu diesem Zeitpunkt bestellte Moran eine gewaltige Ladung Kalk, die die Allee blockierte. Um Geld zu sparen, holte er sich nicht die großen Streumaschinen aus der Fabrik, sondern begann ihn selbst mit Traktor und Schaufel zu verteilen. Tagelang steuerte er mit dem kleinen Kalkstreuer rückwärts in den Riesenberg hinein und fuhr die Furchen auf den Feldern ab, hielt alle paar Meter an, um den Kalk zu verteilen, wobei er jede Schaufel Kalk in den Wind schleuderte, damit er den weißen Staub über die Gräser wehte. Ganz gleich wie sorgfältig er jede Schaufel in einem Bogen in den Wind warf, immer wieder kamen unvorhersehbare Windstöße, die die Körner aufwirbelten und zurück zum Traktor bliesen, so daß seine Kleidung am Abend ganz kalkverdreckt und sein Gesicht und seine Hände weiß wie Kreide waren, was das flammende Rot um seine Augen noch hervorhob. Die theatralische Blässe seines Gesichts und seiner Hände gefiel ihm. »Ich bin ein Gespenst«, mit seinem alten Charme tat er so, als wollte er Rose und die Kinder umherjagen. Rose war entzückt, weil diese Albernheiten nach ihrem unterschwelligen Kampf wieder Entlastung brachten. Der Kampf wäre nie endgültig vorüber, aber Roses Platz im Haus konnte ihr nie wieder streitig gemacht oder in Frage gestellt werden. »Ich bin ein Gespenst. Ich bin ein Gespenst«, er machte spielerische Ausfälle nach links und rechts, während alle so taten, als wollten sie ausweichen, und schrien und lachten.

Während die Tage verstrichen und der geschäftige kleine Kalkstreuer sich nur langsam den Weg in den Riesenhaufen Kalk zu bahnen schien, hörte er schließlich auf, ihn behutsam mit der Schaufel zu verstreuen, damit der Wind ihn erfaßte, sondern streute ihn irgendwohin, überallhin, damit er ihn nur loswerden konnte. Wegen seiner Ungeduld wehte er ihm noch häufiger wieder ins Gesicht, und sein ganzer Körper war von Kalkstaub bedeckt. Jeden Abend waren seine Augen noch mehr gerötet, und er war vor lauter Müdigkeit kaum noch in der Lage, die Füße zu heben, sein Gesicht war mit einer weißen Kalkkruste bedeckt, er hatte Kalk in den Augen und Ohren und Nasenlöchern, seine Kehle war trocken, Kalk klebte ihm in den Haaren und Kleidern, und als er sich an den Tisch setzte, hatte er das Gefühl, Kalk zu essen.

Das Blindekuhspiel à la »Ich bin ein Gespenst« war vorbei, und sie nahmen auf seine Müdigkeit mit vorsichtigem Schweigen Rücksicht. Rose, ganz Aufmerksamkeit, beugte sich über ihn.

»Glaubst du, daß es regnen wird?« fragte er Rose.

»Im Wetterbericht haben sie für die nächste Zeit dasselbe knochentrockene Wetter vorhergesagt.«

»Wenn es regnet«, sagte er düster, »wenn es regnet, dann wird dieser Haufen wie Beton werden, und wir werden ihn nie mehr los«; und obwohl es kein Zeichen für einen Wetterumschwung gab, deckte er den langsam kleiner werdenden Haufen nachts mit einer durchsichtigen Plastikfolie ab, die er mit Steinen beschwerte.

Die Mädchen hatten jetzt nur noch wenig Zeit bis zu den Prüfungen und waren zu ängstlich, mehr zu tun, als hin und wieder zu ihm aufzuschauen, aber es fiel auf, wie oft er mitten in der ermüdenden und schmutzigen Kalkarbeit mit einem Ausdruck, der fast melancholisch und grüblerisch wirkte, auf ihre Köpfe sah, die über die von der Lampe beschienenen Seiten gebeugt waren.

»In der achten Klasse war ich in Moyne«, sagte er und nannte vier Jungen aus derselben Klasse.

»Weiter kam man in Moyne nicht. Ich war zwei Jahre da. Alle anderen haben dann weitergemacht, um Priester zu werden. Joe Brady ist Bischof in Colorado geworden. Er ist vor zwei Jahren gestorben. Bis zu seinem Tod habe ich ihm geschrieben. Man konnte nach der achten Klasse nur weitermachen, wenn man Priester werden wollte.«

»Auch wenn man Geld hatte?« fragte Rose.

»In Moyne hatte niemand Geld«, sagte er lächelnd, wund vor Müdigkeit, dreckig und weiß vom Kalk. »Wir waren alle gut in der achten Klasse in Moyne, aber ich war der beste in Mathematik.« Er nannte die anderen, die in verschiedenen Fächern geglänzt hatten. »Sie haben alle weitergemacht, um Priester zu werden, und dann fingen die Unruhen an, und ich bin auch gegangen. Merkwürdig, bis zum heutigen Tag habe ich keinen Priester getroffen, der nicht Angst vorm Tod hatte. Das habe ich nie begreifen können. Das widerlegte doch einfach alles.«

»Wenn es andere Zeiten gewesen wären, dann wärst du Arzt oder Ingenieur geworden«, sagte Rose.

»Arzt wäre ich nicht geworden«, er zitterte vor Müdigkeit, und schon bei der bloßen Vorstellung einer Lebensform, die anders war als seine eigene, empfand er Unbehagen. »Diese Mädels werden von ihrem vielen Lernen ganz ausgelaugt sein«, wechselte Moran das Thema.

»Nein, Daddy. Wir wiederholen nur noch mal was für die Prüfung.«

»Wir haben jetzt seit Wochen gutes Wetter. Ihr seid den ganzen Tag in der Schule. Ihr solltet mit euren Büchern mal an die frische Luft gehen.« Er kam immer wieder darauf zurück, das gute Wetter hielt an, und schließlich waren sie gezwungen, nach draußen zu gehen. Sie fuhren nach Oakport Woods, ließen die Fahrräder an dem großen Eisentor und gingen mit ihren Büchern über das Gras zum Waldstreifen, der sich am Oakport Lake entlangzog. Die späte Maisonne brannte vom Himmel. Im Wald würde es kühl und dunkel sein, und dort gab es auch eine Quelle mit eiskaltem Wasser.

»Ich weiß nicht, warum er uns rausjagen mußte. Wir haben schon genug Zeit damit verschwendet, hierherzufahren. Zu Hause könnten wir besser lernen«, schimpfte Sheila, als sie über die Wiesen gingen.

»So ist er eben«, antwortete Mona. »Er ist nie mit dem zufrieden, was gerade ist.«

Sie gingen an den zarten, weißen Blüten der Wildkirschen vorbei, Sheila marschierte grollend vor Wut voraus, und Mona folgte in ihrem Schatten. Das Wasser schien zwischen den Bäumen hindurch, als sie sich dem schmalen Waldstück am See näherten, aber als sie am Waldrand angelangt waren, verflog ihr ganzer Ärger beim Anblick des dicken Teppichs aus Glockenblumen unter den Bäumen. Weiter in den Wald vorzudringen hieß, auf der Farbe Blau herumzutrampeln.

»Es müssen Tausende sein.«

»Nein, Millionen!«

Ihre Füße hinterließen deutliche Spuren im Teppich aus Glockenblumen, als gingen sie durch dunklen Schnee, und die weichen Stengel wurden unter ihren Sohlen zu Brei zerstampft. Sie ließen ihre Bücher am Brunnen und gingen zum Ufer hinunter. Das Wasser war unbewegt. Der Sommer hatte das weizenfarbene Winterschilf am Rande des Sees noch nicht grün gefärbt. Draußen auf dem See kreisten die Möwen und schimpften über ihre Jungen auf dem Haufen Schilfgras, der, von Felsen eingefaßt, Seagull Island formte. In Nutleys Bootshaus waren keine Boote mehr. Aus den Seitenwänden waren einige Bretter herausgerissen worden, und seine schwarze Teerfarbe war verblaßt.

»Ich mag diesen Ort nicht«, sagte Sheila.

»Weißt du noch, wie wir am Samstag immer mit Daddy Boot gefahren sind?«

»Wie könnte ich das vergessen!« sagte Sheila höhnisch.

Bevor sie sich wieder an ihre Bücher machten, suchten sie sich einen hohlen Strohhalm und beugten sich dicht über die Quelle, um das Wasser zu trinken, das für seine Kälte berühmt war. Es war, als wollten sie, indem sie das Wasser tranken, den Geist des Ortes besänftigen, damit er ihrem Lernen nicht ungnädig sei; aber sie konnten es sich nicht bequem machen, während sie zu lesen und sich Notizen zu machen versuchten. Eine Fliege landete auf einer Nase. Ein vollkommen weißer Schmetterling flatterte im Licht am Rande des Sees herum. Bienen flogen von Glockenblume zu Glokkenblume. Ein Zaunkönig oder Rotkehlchen hüpfte in einem Dornendickicht herum und schien zu schimpfen.

»Das ist lachhaft«, Sheila schloß ihr Buch. »Ich kann mir hier kein einziges Wort merken. Ich fahre nach Hause. Was kann er schon sagen? Es ist so kurz vor den Prüfungen, daß wir keine Zeit mehr zu verlieren haben.«

»Er kann uns nicht vorwerfen, daß wir's nicht versucht hätten.« Auch Mona war froh, wieder gehen zu können.

»Wir hätten es besser wissen müssen«, kam die gereizte Antwort.

Sogar Sheila bekam etwas Angst, als sie sich dem Haus näherten. So früh nach Hause zu kommen, konnte so erscheinen, als wollten sie sich mit Moran anlegen.

»Ihr seid ja schneller wieder da, als ihr weggefahren seid.« Er fing sie am Tor ab und lächelte. »Nichts eignet sich zum Pauken besser als der See und die frische Luft.«

»Wir haben nichts geschafft, Daddy.« Sheila ließ niedergeschlagen den Kopf hängen.

»Da bin ich aber überrascht. Ich dachte, als ich euch zwei kommen sah, daß ihr eure Lektionen im Schnellverfahren abgehakt habt«, sagte Moran lachend. Es bestand kein Grund zur Angst; im Gegenteil, er war hocherfreut.

»Es gab zuviel zu gucken«, sagte Mona zu ihrer Rechtfertigung.

»Jetzt sucht ihr aber nach Entschuldigungen«, neckte er sie. »Ihr wart einfach nur faul und habt's nicht geschafft zu lernen.«

Nachdem sie hineingegangen waren und ihr Büffeln an ihren gewohnten Plätzen wieder aufgenommen hatten, kam Rose zu ihm heraus und sagte sanft: »Das war schlimm von dir, Daddy, sie zu zwingen, an den See zu fahren.«

»Was soll so schlimm daran sein?« lachte er, noch immer gutgelaunt. »Da sind sie an der frischen Luft, oder? Sie müssen von Zeit zu Zeit mal aus sich herauskommen. Nur Lernen und kein Spiel, da sieht Hänschen vom Leben nicht viel. Jetzt können sie das Drinnensein viel eher schätzen.«

Diese kleine Störung lenkte sie nicht lange ab. Sie lasen und lasen noch einmal, sahen oft ziemlich abwesend aus, prägten sich schweigend ganze Abschnitte ein, den Blick in weite Ferne gerichtet; und wenn bestimmte Gedanken sich nicht fassen ließen oder sie verwirrten, dann wandten sie sich hilfesuchend der anderen zu, und beide Schwestern schienen aus ihrer Nähe Kraft und Trost zu ziehen.

Moran fühlte sich von ihrem konzentrierten Lernen so ausgeschlossen und so wenig beachtet, daß er sich schon darauf verlegen mußte, in einer Art übertriebener Parodie wie jemand, der versucht, ungehört irgendwo einzudringen, auf Zehenspitzen in das Zimmer zu kommen, aber sein einziges Publikum – und auch das nicht oft –

war der Junge, und sein Gelächter ließ die Mädchen nur für einen kurzen und gleich schon wieder vergessenen Moment von den Büchern aufschauen.

Jeder dieser klaren Tage voll fallender weißer Äpfel- und Birnbaumblüten brachte sie unaufhaltsam jenem Tag näher, an dem sie das erste Mal ohne Bücher losfuhren und am Abend wiederkamen und die rosa oder blauen Testblätter zeigten, an denen sie sich im Prüfungssaal gemessen hatten.

»Wie meint ihr denn, habt ihr abgeschnitten?« fragte Moran jeden Abend nach bangem Warten.

»Das wissen wir nicht, Daddy. Die Schwester meint, daß wir gar nicht schlecht waren.«

»Na ja, macht nichts. Wir werden jedenfalls immer genug zu essen haben«, sagte er und fühlte sich ungeschützt angesichts einer Macht, über die er nicht verfügen konnte.

Dann waren die Prüfungen plötzlich vorbei. Sie konnten ihre Bücher weglegen. Aber anstelle der Befreiung und Ungezwungenheit, nach der sie sich gesehnt hatten, empfanden sie bloß Leere, wo vorher nur Anspannung und Arbeit gewesen waren. Sie mußten müßige Tage des Wartens hinter sich bringen, die sich vor ihnen in einer Ewigkeit von Wochen bis zum August erstreckten.

»Ihr müßt euch wirklich keine Sorgen machen«, sagte Moran immer wieder. »Ihr müßt euch überhaupt keine Sorgen machen.«

Anfang Juli wurde ihr Warten von der Aufregung darüber unterbrochen, daß Maggie das erste Mal nach Hause kam, seit sie nach London gegangen war. Sie kam für ganze drei Wochen nach Hause, und zu der Zeit, da sie wieder nach London aufbrechen würde, stünden auch ihre Prüfungsergebnisse bald fest.

Rose hatte bereits während der ersten Prüfungstage begonnen, das Wohnzimmer zu streichen. Die befreiten Mädchen halfen ihr, die Arbeit zu Ende zu bringen und Tische und Stühle zu scheuern. Die alten Möbel standen draußen zum Lüften in der Sonne. Sie scheuerten den Fußboden blank, und die alten braunen Fliesen in der Diele nahmen einen feuchten Glanz an. Michaels Vorgarten sah wunderschön aus mit seinen Levkojen, den Beeten mit Bartnelken und Tagetes, die gierig den anderen Pflanzen die Sonne raubten, mit Stiefmütterchen, Rosen und Lilien. Moran wusch und polierte den Wagen, räumte sogar die rostigen Maschinen fort, die rund ums Haus herumstanden. Er war aufgeregter als alle anderen und machte ununterbrochen Witze.

Am Tag ihrer Ankunft überlegte er, ob er Maggie in Carrick abholen sollte, aber er hatte Angst, daß er sie verpassen könnte, und beschloß, nach Boyle zu fahren. Er fuhr allein los, noch bevor der Zug Carrick erreichte. Trotz Roses Schelte fuhr er in seiner alten Arbeitskluft, als wollte er in einer irgendwie perversen Weise leugnen, daß dieser Tag ein besonderer war. »Sie wird mich schon so nehmen müssen. Sie ist jetzt wieder auf dem Lande.« Nachdem er fort war, hingen alle nur noch mit den Blicken an der Uhr.

»Der Zug fährt in Carrick ein!«

Das erwartungsvolle Schweigen wurde von einem »Ich glaube, jetzt fährt er in Carrick wieder los« unterbrochen, und sie gingen alle auf die Felder hinterm Haus, um einen Blick auf den vorbeifahrenden Zug zu erhaschen. Sie hörten den Dieselmotor, das schnelle Rattern der Räder auf den Gleisen und dann die Raupe der Waggons, die über den Steinmauern auftauchte, wobei die kleinen Fenster in der Sonne aufblitzten, als sie durch ihr Sichtfeld rumpelten und wieder verschwanden. Dann begaben sich alle vor das Haus, um auf der Straße Ausschau zu halten und zu warten.

Sie hielten so gespannt nach jedem Auto Ausschau, daß sie Morans Wagen erst sahen, als er langsam in das Tor unter der Eibe einbog. Moran wirkte ernst und befangen, als er die kurze Allee hochfuhr. Beim Anblick des Hauses und der kleinen vertrauten Schar, die draußen vor dem hölzernen Gartentor auf sie wartete, brach Maggie in Tränen aus. Alle umarmten sich blind und küßten einander.

»Was bist du nur hübsch geworden«, Rose blickte voller Gefallen an ihr herauf und herunter.

»Kannst du dir vorstellen, daß so ein alter Knakker wie ich da ankommt, um solch ein prächtiges Mädchen abzuholen?«

Rose lachte, und dann gab es ein allgemeines Gebalge darum, wer das Gepäck ins Haus trug.

Drinnen packte Maggie die Geschenke aus, die sie mitgebracht hatte: einen leuchtend roten, wollenen Schal für Rose, einen braunen Pullover mit V-Ausschnitt für Moran; Sheila und Mona bekamen seidene Kopftücher und Michael einen safrangelben Schlips, der zu seinem Haar paßte. Sie hatte ihm außerdem Samen mit den Bildern der Blumen vorn auf der Verpackung mitgebracht.

»Glaubst du, daß die hier wachsen werden?« fragte er, beeindruckt davon, daß sie den ganzen weiten Weg von London bis hierher zurückgelegt hatten.

Eine große Schachtel Pralinen mit Cremefüllung wurde herumgereicht. Es wurde Tee gekocht. Am Tisch war sie der Mittelpunkt. Begierig fragten sie sie über London aus.

»Und wie ist Luke jetzt?« brach es aus Sheila heraus.

Sofort breitete sich Stille aus. Alle Blicke richteten sich auf Moran, der in seinem eigenen schmerzerfüllten Schweigen verharrte.

»Er ist ganz der alte«, sagte Maggie und fuhr fort, über das Schwesternheim zu erzählen, während Sheila sich auf die Zunge biß.

Die Aufregung und die allgemeine Konzentration auf Maggie waren so groß, daß Moran sich, aller Bemühungen von Rose zum Trotz, allmählich ausgeschlossen fühlte und begann, sich zu langweilen.

»Ich glaube, es ist Zeit für den Rosenkranz«, sagte er früher als gewöhnlich und holte seinen Kranz heraus. Sie legten Zeitungen aus und knieten nieder. An diesem Abend artikulierte Moran jedes wiederkehrende Wort so langsam, deutlich und voller Nachdruck, als ob das lange Verweilen bei Leiden, Tod und menschlicher Fürbitte all die nichtigen Eitelkeiten der großen Welt zerstreute; und die gedämpften Antworten, die ausdrückten, daß sie Diener des Herrn seien, besserten seine Laune nicht. Das Husten, das Rascheln der Zeitungen, das Schaben von Jackenknöpfen auf einem Tisch oder Stuhl steigerten noch sein gereiztes Brüten. Die Hochstimmung am Teetisch war verflogen. Dann, wie ein Fischschwarm, der in einem Netz hin und her schwimmt, begannen Rose und die Mädchen, den Tisch abzuräumen, die Krümel wegzuwischen, abzuwaschen und abzutrocknen und das Geschirr wieder an seinen Platz zu stellen, alles mit gedämpfter Energie; Flüstern, Scherze, kleine beiseite gesprochene Ermahnungen – »nein, das kommt woanders hin« oder die Erinnerung daran, daß sie denselben Fehler schon mal gemacht hatten, um jegliche Schroffheit bei den Ermahnungen abzumildern, tiefgebeugt beim entschuldigenden Lachen. In dem ganzen Wirbel der Geschäftigkeit lächelten sie sich gewinnend zu, flogen einschmeichelnde Worte hin und her. Dabei waren sie sich stets der Anwesenheit Morans bewußt, der sie beobachtete, was alles, was sie taten, mit der Gefahr belastete, sie könnten etwas fallen lassen und kaputt machen, womit sie das ganze Gewicht seiner Mißbilligung auf sich zögen. All ihre Bewegungen beruhten mehr auf Gewohnheit, Instinkt und Furcht als auf irgendeiner echten Drohung, aber dennoch war ihnen alles in Fleisch und Blut übergegangen. Sie würden genauso abwaschen, auch wenn er sie nicht beobachtete.

Wie man, wenn man aus großer Höhe hinabschaut, den Drang verspürt, sich hinunterzustürzen, um damit zugleich der Angst vorm Hinabstürzen zu entrinnen, so setzte sein dauerndes Lauern sie unter Druck, beim Abtrocknen und Aufeinanderstapeln der Tassen und Teller nun erst recht etwas fallen zu lassen. Es gab mehrere gefährliche Situationen, die zu erleichterndem Kichern führten, als nichts passierte. Dann wuschen sie sich still die Hände, trockneten sie ab und kehrten ins Wohnzimmer zurück. Moran saß weiter so da, brütete in seinem Autositz, während seine Daumen müßig umeinanderkreisten.

»Ich glaube, wir sollten jetzt eine Tasse Tee trinken«, sagte Rose heiter und aufmunternd zu Moran, aber als er nur zu ihr aufschaute, redete sie einfach weiter, während sie den Kessel und die Teekanne holte. »Maggie wird sicher früh ins Bett gehen wollen. Ich weiß, wie müde sie nach der Reise sein muß. Die Nachtfähre ist am schlimmsten von allem und das Warten.« Ob es nun Suggestion war oder echte Müdigkeit, Maggie gähnte jedenfalls, als wollte sie ihre Worte unterstreichen.

Am nächsten Morgen standen die Mädchen spät auf. Moran war schon auf die Felder gegangen. Während des langen, üppigen Frühstücks erzählte Maggie Rose, Sheila und Mona noch mehr Einzelheiten aus ihrem Leben in London, als sie am vorigen Abend hatte tun können – über die Partys, die Tanzabende, die verschiedenen Bands und Sänger, die Jungs, die sie kennengelernt hatte, ihre Freundinnen.

Rose konnte ihre eigene Zeit als junges Mädchen in Glasgow beisteuern. Mona und Sheila standen so dicht vor ihrer eigenen Selbständigkeit, daß sie lauschten, als hörten sie vom Strom jenes Lebens, in den sie nun selbst bald eintauchen würden. Nach dem langen Frühstück gingen die drei Mädchen los, um Moran auf den Feldern einen Besuch abzustatten.

Sie hatten als Kinder so hart auf den Feldern gearbeitet, daß ihnen jede Wiese, jeder Acker und jeder Baum ans Herz gewachsen war, besonders die Hecken. Maggie suchte nach dem alten Damaszenerpflaumenbaum bei den McCabes, dem Holzapfelbaum und der Wildkirsche. Der Himmel über ihnen war wolkenlos. Kein Lüftchen regte sich. Kleine Vögel flatterten im Schatten der Äste, und Bienen krabbelten über den roten und weißen Klee. Sie fanden Moran, indem sie dem Geräusch des Holzhammers folgten. Er ersetzte zerbrochene Pfähle in einem Stacheldrahtzaun auf einer der Weiden. Der Anblick seiner Töchter in ihren ärmellosen Kleidern erlöste ihn von der einsamen Langeweile seiner Arbeit.

»Ich habe vor, diese Weide fertigzumachen, bevor es Nacht wird«, sagte er zu ihnen, bevor sie wieder gingen, und scherzte: »Ihr müßt eure Hände härten, bevor ihr geht.«

»So weich sind sie gar nicht, Daddy.«

Als sie durch all das Grün von ihm fortgingen, das blasse Blau über ihnen, sagte Maggie, die Stimme belegt vor lauter Gefühl: »Daddy ist einfach wunderbar, wenn er so ist.«

»Niemand kann ihm das Wasser reichen«, fügte Mona hinzu. Die Mädchen wollten jede auf ihre Weise den Vater und den ganzen, echten, herzzerreißenden Tag in ihre Arme schließen.

Am Abend hatte sich Morans Laune wieder völlig verändert. Er wechselte seine Stiefel und Kleider niedergedrückt und still und aß, ohne ein Wort zu sagen. Was immer ihn quälte, es nagte an ihm, während er aß. Sie kannten ihn so gut, daß sie alle in Schweigen verfielen und wie auf Zehenspitzen um ihn herumzugehen schienen.

»Triffst du deinen Bruder jetzt überhaupt noch?« fragte er, ohne aufzusehen, als er fertig war, und schob seinen Stuhl grob vom Tisch weg.

»Ja schon, aber nicht sehr oft.«

»Was meinst du mit nicht sehr oft?«

»Er hat mich vom Bahnhof abgeholt ... «

»Himmel, glaubst du nicht, daß ich das weiß?«

»Er ist in der ersten Zeit jedes Wochenende zum Krankenhaus rausgekommen, aber seitdem kommt er nur noch gelegentlich. Einmal haben wir uns im Westend getroffen und sind ins Kino gegangen.« Maggie wollte ihm in diesen Ferien um jeden Preis gefällig sein und ihn beruhigen.

»Wie sieht er aus?«

»Er sieht gut aus. Er sieht immer noch genauso aus wie früher.«

»Hast du nicht, als du geschrieben hast, erwähnt, daß er mit irgend so einem Lumpen aus Cockney zusammengluckt?«

»Es hat etwas mit der Instandsetzung und Umwandlung alter Häuser zu tun. Ich weiß nicht genau, um was es geht.«

»Er wollte nur nicht sagen, worum es geht, glaub mir.«

»Aber er geht zur Abendschule«, verteidigte sie ihn voller Unbehagen.

»Was lernt er da?«

»Buchhaltung. Er macht demnächst seinen Abschluß.«

»Hat er je nach uns gefragt?«

»Er fragt immer, ob es irgendwas Neues gibt.«

»Hat er je davon gesprochen, nach Hause zu kommen?«

»Nein.«

»Hat er denn nicht irgend etwas ausrichten lassen, als er hörte, daß du nach Hause fährst?«

»Doch. Er hat etwas ausrichten lassen. Er wünschte jedem alles Gute.«

»Himmel, ich weiß nicht, was in diesem Haus nicht stimmt«, Moran erhob sich, um nach draußen zu gehen. »Wenn man von euch etwas erfahren will, ist das ja, als wollte man euch die Zähne ziehen.«

»Mehr wissen wir auch nicht«, beschwerte sich Maggie bei Rose, nachdem er gegangen war. »Ich habe Daddy alles erzählt, was wir über Luke wissen.«

»Mach dir keine Gedanken«, beschwichtigte sie Rose. »So ist Daddy nun mal. Er nimmt all diese Dinge viel zu ernst.«

Als er einige Stunden später, weil es Abend wurde, wieder hereinkam, war er immer noch verärgert und erregt. »Ich weiß nicht«, sagte er, als er sich an den Tisch setzte. »Ich weiß nicht, was ich getan habe, daß ich so etwas verdient hätte. Ich weiß nicht, warum die Dinge in diesem Haus nicht so sein können wie in allen anderen Familien in diesem Land. Ich weiß nicht, warum immer *ich* es bin, der für alles herhalten muß.«

Rose bemutterte ihn diskret, aber er konnte nicht sehr lange im Mittelpunkt der Aufmerksamkeit stehen. Maggie ging zu einem Tanzabend und nahm Mona und Sheila mit. Alle drei Mädchen zogen sich um, und ihre jugendliche Erregung erfaßte das ganze Haus. Auch Rose wurde von ihren Vorbereitungen in Bann geschlagen.

»Paßt auf«, riet ihnen Moran, als sie gehen wollten und er sie nacheinander küßte. »Paßt auf und tut nichts, was euerm Ruf oder dem der Familie schaden könnte.«

»Das würden wir nie tun, Daddy.«

»Amüsiert euch«, riet Rose ihnen bloß.

Nachdem sie gegangen waren, senkte sich eine bleierne Stille, die alles andere schluckte, über sie und wurde nur noch gestört, als Moran seine Stiefel auszog, um früh ins Bett zu gehen.

Als die Mädchen am nächsten Morgen erwachten, klapperte unaufhörlich der Kreiselmäher, der sich auf der großen Wiese drehte. Moran hatte angefangen zu mähen. Jetzt wurden alle Hände gebraucht. Was immer die Ferien an Muße verheißen hatten, damit war es jetzt vorbei. Alle würden vom Fieber der Heuernte in Anspruch genommen werden, von der Furcht vor schlechtem Wetter, bis jeder Halm eingefahren war.

»Die große Wiese ist gemäht. Von jetzt an heißt es: Alle Mann an Deck«, sagte Moran zu den Mädchen, während sie bei einem späten Frühstück saßen. Er war glücklich und erleichtert, daß die erste Phase des Mähens bewältigt war, ohne daß es irgendwelche Störungen gegeben hatte.

»Es wäre toll, wenn es keinen Regen gäbe«, sagte Rose.

»Es könnte dem Tanzen etwas von seiner Spannung nehmen«, sagte Moran neckend. »Heute abend werdet ihr zum Tanzen sowieso viel zu müde sein.«

»Das schadet womöglich überhaupt nicht!« lächelten sie zurück.

Sobald der Tau in der Sonne verdunstet war, waren alle auf der Heuwiese, schüttelten die schweren, verfilzten Grasklumpen, die der Heuwender nicht erwischt hatte, mit der Forke auseinander, harkten, was leicht war, an den Rändern zusammen. Gegen Abend, als das Gras begann, das trockene Knistern des Heus anzunehmen, war es, als würden ihre kleinen Handgriffe auf der Wiese aus dem Boden schießen. Das Wetter sah nicht so aus, als würde es umschlagen. Moran hakte den Kreiselmäher wieder an den Traktor und mähte die zweite und dritte Wiese. Bei Einbruch der Nacht waren sie mit der großen Wiese fast fertig. Zu diesem Zeitpunkt tat ihnen schon jeder Muskel weh, und sie waren zutiefst dankbar, als sie sich endlich mühsam ins Haus schleppen konnten. »Heute abend gehen wir sicher nicht mehr zum Tanzen.« »Das kannst du wirklich zweimal sagen.«

Am nächsten Morgen waren sie steif wie Bretter. Bei jeder Bewegung taten ihnen alle Muskeln weh, aber mittags waren sie schon wieder auf den Wiesen. Rose und Michael brachten Tee und Sandwichs auf die Wiese hinaus. Moran mähte entweder eine neue Wiese oder ging die Wiese vor ihnen mit dem Heuwender durch, aber er gesellte sich zu der Gruppe der Mädchen im Schatten einer der großen Buchen, als Rose mit dem Korb und der Kanne kam.

»Es hilft nichts, es muß gemacht werden«, sagte er, nachdem sie gegessen und sich ausgeruht hatten. Rose sammelte wieder ein, was von den Sandwichs mit Lachs und Sardinen aus der Dose übriggeblieben war. Die Mädchen erhoben sich steif im grünen Schatten und wandten sich wieder der sonnenbeschienenen Wiese zu. Maggie und Mona waren gute Arbeiterinnen. Sie arbeiteten schweigend und schauten kaum einmal auf. Sheila haßte die Arbeit. Sie klagte über Blasen an ihren Händen und machte dauernd längere Abstecher zum Haus, um der mörderischen Langeweile zu entkommen. Der Junge arbeitete sprunghaft und in Schüben, besonders, wenn Rose ihn lobte. Andere Male stand er entmutigt da, bis Moran ihn anbrüllte, daß er mehr tun solle, als bloß in der verdammten Gegend rumzustehen, während alle anderen sich totarbeiteten. Dann hob er wütend seine Heugabel und tat so, als arbeitete er. Rose allein war in der Lage, zu lachen und mit Maggie zu schwatzen und gleichzeitig mehr zu schaffen als alle anderen auf dem Feld.

Fünf glühende Tage lang arbeiteten sie so durch und waren abends zu müde und zu steif, um noch irgendwo anders hingehen zu wollen als ins Bett. Mit Ausnahme der letzten Wiese hatten sie alles Heu eingefahren, als das Wetter umschlug. Die Mädchen hätten nie gedacht, daß sie einmal voller Dankbarkeit die Gesichter in den Regen halten würden. Sie sahen zu, wie er den ganzen Tag lang die Wiesen verwüstete.

»Zum Teufel damit. Jetzt kann uns in jedem Fall nichts mehr passieren. Selbst wenn wir die letzte Wiese nicht mehr kriegen, kann man sie immer noch für Streu verwenden. Wenn ich euch alle nicht gehabt hätte, dann wäre ich nicht halb soweit gekommen«, war Moran fähig, sie zu loben.

»Ach, das war nicht der Rede wert, Daddy.«

»Es war das Entscheidende. Allein mögen wir nichts sein. Gemeinsam können wir alles schaffen.«

Gegen die Depression des Dauerregens entfachte Rose ein großes Feuer im Kamin. Alle liebten es, sich in seiner Wärme und Wohligkeit zu räkeln und aus dem hellen Zimmer in den Regen hinauszuschauen, der gleichmäßig zwischen den Bäumen niederströmte. Wenn sie vom Feuer weg in die entfernteren Zimmer gingen, wirkte das gleichmäßige und unaufhörliche Klatschen der Regentropfen von den Dachrinnen in der Stille, als würde Frieden sich über sie senken.

Jetzt konnten sie guten Gewissens tanzen gehen. Die großen Regattatänze in dem riesigen grauen Zelt am Quai von Carrick fingen gerade erst an, aber es waren nur noch so wenige Ferientage übrig, daß Maggie es vorzog, sie im Haus zu verbringen und mit Rose oder ihren Schwestern am Feuer zu schwatzen oder mit Michael draußen im Vorgarten zwischen seinen Blumenbeeten zu plaudern; und manchmal, während langer Regenpausen, gingen sie hinaus zu Moran, der auf den Wiesen Ordnung machte.

Als Maggie nach London zurück mußte, war ihnen, als hätten sie sich nie näher gefühlt, nie mehr Wärme, ja sogar Glück empfunden. Die Nähe war genauso stark wie ihr Drang zu einem eigenen Leben; der Schmerz der Individuation verlor sich in ihrem Schutz. In London oder Dublin würden die Mädchen an das Haus zurückdenken, um Trost zu finden. Das Licht auf den leeren Heufeldern würde im nachhinein magische Qualitäten annehmen, der grüne Schatten der Buchen würde eine köstliche Kühle spenden, wenn sie wieder die Sardinen auf Brot aßen: Wenn sie fort wären, würde das Haus zum sommerlichen Licht und Schatten über ihrem ganzen Leben werden.

»Wenn wir nicht gut in der Prüfung abschneiden, wenn wir hier nichts bekommen«, platzte Sheila heraus, als sie sich draußen vorm Vorgarten voneinander verabschiedeten, während Moran mit laufendem Motor wartete, um Maggie zum Bahnhof zu bringen, »dann siehst du uns vielleicht schon sehr bald in London wieder.«

Ihre Angst während der letzten beiden Tage, bevor sie die Prüfungsergebnisse bekamen, war so groß, daß Mona und Sheila kaum essen oder schlafen konnten.

»Das Warten ist das Schlimmste«, sagte Rose einfühlsam, als sie sah, wie sie mit dem Essen kämpften. »Wenn ihr erst mal gesehen habt, was in den Briefen steht, ist alles wieder in Ordnung.«

»Ich weiß nicht. Ich weiß nicht«, sagte Sheila ungeduldig.

»Vielleicht sind sie ja verheerend.«

»Nein, das sind sie bestimmt nicht. Nichts ist schlimmer, als sich alles mögliche vorstellen zu müssen.«

Um an dem Tag, an dem die Ergebnisse kommen sollten, nicht auf der leeren Straße nach dem Briefträger Ausschau halten zu müssen, zogen sich die Mädchen getrennt voneinander tief in die Felder zurück, aber lange konnten sie es nicht allein aushalten; und jedesmal, wenn sie wieder an die Straße gingen, war sie immer noch leer. Als sie ihn endlich doch kommen sahen, mußten sie zusehen, wie er sich langsam von der Straße näherte, wie er vorsichtig sein Fahrrad an die Mauer unter der Eibe lehnte und dann langsam zwischen den beiden Buchsbaumreihen zum Haus hochstapfte. Moran, der genauso bang wie die beiden Mädchen zugesehen hatte, fing ihn am Holztor ab. Sie standen da und schwatzten miteinander über das Tor hinweg – es kam ihnen wie eine Ewigkeit vor –, bis Moran sich zum Haus umdrehte und mit den beiden Umschlägen, die er in der ausgestreckten Hand hielt, aufreizend wedelte. Unfähig, es noch länger zu ertragen, ging Sheila zu ihm hin, und bevor er überhaupt reagieren konnte, hatte sie sich schon beide Umschläge geschnappt, öffnete fieberhaft ihren eigenen und gab den anderen Mona, die fast unfähig schien, ihn überhaupt in die Hand zu nehmen. Mona sah zu, wie Sheila die Ergebnisse mehr verschlang, als sie zu lesen. Moran war so verblüfft von der Art, wie Sheila ihm die Umschläge aus der Hand gerissen hatte, daß er staunend dastand.

»Sie sind gut! Sie sind besser, als ich je erwartet hätte ... Lies mal.« Ohne genau zu wissen, was sie tat, streckte sie Moran grob den Brief hin.

»Warum hast du deinen denn noch nicht geöffnet?« Sie wandte sich Mona zu. Sie nahm ihr den Brief aus der Hand und öffnete ihn. »Sie sind auch sehr gut«, sie umarmte ihre Schwester, und sie wirbelten einander auf dem Gartenweg herum, bis die Blumenbeete in Gefahr waren. Beide Mädchen hatten gute Noten, aber die von Sheila waren sogar ausgezeichnet.

»Das ist ja großartig«, sagte Rose. »Wir sind sehr stolz auf euch.«

Als Reaktion auf diese Hochstimmung, die sie an den Tag legten, sagte Moran entschlossen: »Ich glaube, wir müssen alles gut überlegen.«

»Was meinst du mit *gut überlegen*?« Sheilas Stimme zitterte. »Wir müssen gut überlegen, was das jetzt für alle bedeutet«, sagte er. »Und was wir uns leisten können. Wenn man um irgend etwas zuviel Aufhebens macht, bringt das kein Glück.«

Aber seinen Worten zum Trotz wurde viel Aufhebens um ihren Erfolg gemacht. Sie waren so gut gewesen, daß das Kloster ihre Fotos in die Lokalzeitung hatte setzen lassen. Moran kam vom Postamt zurück, um ihnen zu berichten, daß Annie und Lizzie Loblieder über sie gesungen hätten.

»Ich habe ihnen gesagt, daß das alles nicht der Rede wert sei. Die Mädchen mußten doch bloß lernen. Jeder, der die Möglichkeit bekommen hätte, hätte es doch schaffen können. Sie haben mich fast geschlagen«, sagte er zu allen, sehr eingenommen von dem, was er gesagt hatte.

Die Mädchen waren so verletzt, daß sie ihn mit weit geöffneten Augen ansahen.

»Sie werden denken, daß du deine eigenen Kinder schlechtmachst.« Rose sprach aus, was sie fühlten.

»Wenn ich sie im Postamt gelobt hätte, dann hätten sie sie, weil sie Iren sind, auf das Normalmaß reduzieren *müssen*«, wandte Moran ein. »Weil ich sie aber nicht gelobt habe, mußten Annie und Lizzie statt dessen ihr Lob singen. Auf diese Weise halten sie doppelt soviel von den Mädchen, als wenn ich sie selbst gelobt hätte.« Er war sehr eingenommen von seinem eigenen Scharfsinn.

»Es wäre besser gewesen, wenn er uns gelobt hätte, egal was andere dazu sagen würden«, sagte Sheila, als die Mädchen mit Rose allein waren, enttäuscht darüber, daß er in der Öffentlichkeit nicht für sie eingetreten war, ganz gleich, was seine Absichten gewesen waren.

»Also, so ist Daddy nun mal«, widersprach Rose. »Er dachte wahrscheinlich, daß er euch so am ehesten einen Gefallen täte. Er ist so stolz auf euch alle. Er dachte, es würde euch nur schaden, wenn er es zu deutlich zeigte.«

Mona bekam das Angebot einer festen Stelle im Landwirtschaftsministerium, und Sheila wurde eine ähnliche Stelle im Finanzministerium angeboten. Diese Stellenangebote kamen neben einer Reihe von anderen, weniger interessanten, auf die sich die Mädchen beworben hatten.

»Wer hat, dem wird zuviel gegeben. Wer nichts hat, dem gibt man einen Tritt in den Arsch«, war Morans Antwort auf die zahllosen Möglichkeiten. Er nahm an, daß sich beide Mädchen für den öffentlichen Dienst entscheiden würden. Dann erhielt Sheila ein Stipendium für die Universität. Plötzlich stand ihr die ganze Welt offen.

»Ich sage gar nichts. Ich will niemandem im Wege stehen. Sie muß sich selbst entscheiden.

Heute abend müssen wir alle für sie um Gottes Beistand beten«, sagte Moran.

Während der verbleibenden Tage, die sie noch Bedenkzeit hatte, spielte sie die verschiedenen Möglichkeiten durch, wohl wissend, daß man sie letztlich zwingen würde, den sicheren Weg in den öffentlichen Dienst einzuschlagen. Sie ging zum Kloster, um sich Rat zu holen. Schwester Oliver drängte sie, ihre Chance zu nutzen und zur Universität zu gehen. Sheila brachte all die Bedenken und Einwände vor, von denen sie sich bereits umgeben fühlte und die im Kern auf Morans mangelnde Unterstützung hinausliefen, aber die Nonne drängte sie, es sich gut zu überlegen.

»Ich habe mit Schwester Oliver gesprochen. Sie möchte, daß ich den öffentlichen Dienst vergesse und zur Universität gehe«, sagte sie, sobald sie zu Hause war.

»Zur Universität gehen?« wiederholte Moran.

»Ich habe das Stipendium bekommen«, setzte sie forsch hinzu.

»Würde das Stipendium denn alles abdecken?«

»Sie würden das meiste bezahlen.«

»Und woher soll der Rest kommen?«

»Ich könnte in den Ferien arbeiten.« Sie fühlte sich stark unter Druck gesetzt.

»Was möchtest du denn studieren?«

»Ich würde gern Medizin machen.«

»Wie lange würde das dauern?«

»Höchstens sieben Jahre.«

»Arzt, hilf dir selber«, brummte er vor sich hin, so daß sie es nur zur Hälfte mitbekam, und ging hinaus.

Einen schlimmeren Beruf hätte Sheila sich nicht wünschen können. Es waren die Priester und Ärzte und nicht die Guerilla-Kämpfer, die jetzt die hohen Tiere in dem Land waren, für das Moran gekämpft hatte. Daß nun seine eigene Tochter Anspruch auf eine solche Stellung erhob, war ein unerträglicher Affront. Die Priester mußten für ihre Stellung wenigstens mit Zölibat und Gebeten bezahlen. Die ganze Wucht von Morans Ressentiment aber galt den Ärzten.

Sheila zog sich in wütendes Schweigen zurück. Es gab Augenblicke, in denen sie daran dachte, Hilfe von außen zu suchen, aber es gab niemanden, der ihr wirklich hätte helfen können. Maggie hatte kaum genug zum Leben. Sie überlegte, ob sie an Luke in London schreiben sollte – sie hatte schon den Notizblock herausgeholt –, aber sie machte sich klar, daß sie damit auf eine direkte Konfrontation mit Moran zusteuerte. Sie konnte es nicht über sich bringen.

Die ganze Zeit hindurch versuchte Moran nicht, Sheila direkt zu beeinflussen, aber er verweigerte ihr jegliche Hilfe.

Nach zwei Tagen verkündete Sheila trotzig: »Ich gehe nicht zur Universität. Ich werde in den öffentlichen Dienst gehen.«

»Ich wollte dir nicht im Wege stehen, deshalb habe ich nichts gesagt, aber ich kann mir nur denken, daß es besser zu dir paßt.«

»Wieso?« Ihre Wut lockte seine eigenen Aggressionen hervor.

»Wieso, was? Sprichst du etwa mit mir?« fragte er.

»Was meinst du, Daddy? Ich habe nicht verstanden, was du gesagt hast, das ist alles«, sie änderte schnell ihren Ton, weigerte sich aber, klein beizugeben.

»Du verstehst sehr gut, wenn du nur willst. Du kennst doch den alten Ausspruch, daß die am taubsten sind, die nicht hören wollen.«

»Es tut mir leid. Ich hab's einfach nicht verstanden, Daddy.«

»Medizin zu studieren ist reichlich hoch gegriffen, oder? Sogar mit einem Stipendium kostet das Geld. Ich behandele alle in meiner Familie gleich. Ich mag es nicht, wenn einer versucht, mehr zu sein als die anderen.«

»So etwas habe ich nie gesagt. Ich habe bloß gesagt, was ich gern tun würde«, sagte sie gebrochen, voller Bitterkeit.

»So ist's recht. Mach mir Vorwürfe, weil die Welt nicht perfekt ist«, schimpfte Moran mit gleicher Bitterkeit. »Vorwürfe, Vorwürfe, ganz gleich, was man tut. In dieser Familie erntet man nur Vorwürfe.«

Mona hielt sich aus den Auseinandersetzungen heraus. Sie hatte von Anfang an auf den sicheren Weg in die Beamtenlaufbahn gesetzt. Voll versteckter Leidenschaft, war sie unnatürlich fügsam, fürchtete sich davor, daß ihre eigene Unnachgiebigkeit ans Licht käme und die Folgen zerstörerisch wären.

Sobald auch Sheila auf den sicheren Weg in die Beamtenlaufbahn eingeschworen war, begann Moran, ob aus Schwäche oder Schuldgefühlen, mit vagen, vorsichtigen Angeboten um sie zu werben; wenn sie unbedingt zur Universität gehen wollte, könnte man immer noch überlegen, wie man das hinkriegen könnte, und sie würden irgendwie versuchen, das hinzukriegen, wie schwierig es auch sei. Sie lehnte ab. Sie wußte, daß diese Angebote in dem Augenblick wieder vom Tisch wären, in dem sie wirklich auf sie zurückkäme.

In der Woche, bevor sie nach Dublin fuhren, ging er mit den beiden Mädchen und Rose zu Boles in die Stadt.

»Ihr müßt euch aussuchen, was ihr wollt. Ihr müßt den Kopf so hoch tragen können wie jeder andere in Dublin. Sucht euch gute Sachen aus. Die Morans sind zu arm, als daß sie sich billige Schuhe leisten könnten. Es wird auch noch nach uns Geld geben, wenn wir tot sind.« Rose nahm ihn nicht beim Wort. Sie gab nur wenig aus. »Du hast ja nicht mal die Hälfte von dem ausgegeben, was du hättest ausgeben können«, sagte er, als er die Rechnung sah.

Er litt sichtlich, weil er Sheila ihre Chance zu studieren, zunichte gemacht hatte, aber er hätte wegen seiner tiefverwurzelten Angst vor dem Armenhaus oder einfach wegen seines Naturells nicht anders handeln können.

»Mach dir keine Sorgen, Daddy«, sagte Mona. »Du hast wirklich alles für uns getan. Du hast viel zuviel für uns getan.« Sheila nickte in heftiger Zustimmung.

An diesem Abend, nachdem Sheila und Mona nach Dublin aufgebrochen waren, sagte Michael ärgerlich: »Jetzt sind sie alle fort.« Nachdem erst Luke und dann Maggie nach London gegangen waren, waren immer noch genügend andere dagewesen, um den Kummer und das Gefühl der Leere zu betäuben, aber nun, da alle Mädchen fort waren, war es, als wäre das ganze Haus leergefegt. »Das ist nicht fair.«

»So ist das Leben, fürchte ich, Michael«, sagte Rose.

»Wie werden sie denn ohne uns zurechtkommen?« Sein Gesicht war weich von Tränen.

»Wie werden wir ohne sie zurechtkommen?« sagte Rose. »Sie werden es schon schaffen, so Gott will. Wir müssen es alle irgendwie schaffen.«

»Sie hätten nicht alle weggehen sollen.«

Moran blickte vom Gesicht seines Sohnes in das seiner Frau, aber sein eigenes blieb ausdruckslos. Als er sich aus seinem Sessel erhob, schüttete er bereits den Rosenkranz aus dem kleinen schwarzen Täschchen in seine Hand. »Wir sollten jetzt besser unsere Gebete sagen.«

Die Zeitungen wurden ausgelegt, die Stühle zurechtgerückt, aber jetzt gab es so viel Platz auf dem Boden, daß die drei knienden Gestalten, Moran aufrecht am Tisch, Rose und Michael gebeugt an den Stühlen, verstreut und weit voneinander entfernt wirkten. Zu Beginn der Dritten Geheimnisse gab es eine beklommene Pause, als warteten sie auf Mona. Moran beeilte sich, zu den Vierten zu kommen. Auch Rose war zögerlich, als sie mit den Fünften Geheimnissen begann. Der Wind wirbelte um das Haus herum, manchmal wehte eine Bö in den Kamin, und sie verspürten zunehmend so etwas wie Angst, während die Bäume draußen im Sturm schwankten, als die Gebete zu Ende waren. Zum ersten Mal schien das Haus nur schwachen Schutz gegen all den Aufruhr zu bieten, der draußen herrschte.

Die Gebete hatten nicht geholfen, die Empfindungen angesichts der Nacht und der schwankenden Bäume draußen und des gegen die Fenster prasselnden Regens zu verscheuchen.

Als Moran seinen Rosenkranz wieder ernst im Täschchen verstaute, klagte Michael erneut. »Es ist furchtbar im Haus, wenn alle weg sind.« Rose sah von Moran zu dem Jungen und wieder zu Moran und schwieg.

»Nun sind sie aber weg«, sagte Moran. »Sie haben gute Jobs. Ich schätze, sie schicken uns bald Geld. Wir werden noch darin schwimmen«, sagte Moran halb im Scherz; und als Michael zu schluchzen begann, legte er ihm die Hand auf sein dickes, lockiges Haar. »Sie haben dich sowieso viel zu lange verhätschelt. Du mußt jetzt erwachsen werden und dir deinen Platz erkämpfen.«

»Wir machen jetzt Tee. Es gibt Früchtekuchen und Brot und Marmelade. Ich bin ganz erschöpft von all dem Wirbel der letzten Tage«, sagte Rose.

Nachdem Rose und der Junge zu Bett gegangen waren, saß er allein und bewegungslos am Feuer, das er geschürt hatte, und starrte auf den Fußboden. Als er aufstand, um ins Schlafzimmer zu gehen, wirkte er wie jemand, der bei den Gedanken, denen er nachgehangen hatte, den Faden verloren hatte, leer und empfindungslos geworden war und nur noch wußte, daß er immer noch irgendwie anwesend war.

Obwohl der Garten in der prachtvollen Blüte des späten Septembers stand, hatte Michael alles Interesse an ihm verloren; die fallenden Blätter wurden nicht weggefegt, und die Blumen verwelkten und verrotteten in einem wirren Durcheinander. Rose versuchte mehrmals, ihn anzuspornen, damit er etwas im Garten tat, aber nach kurzer Zeit stand er nur noch niedergeschlagen zwischen den Beeten und blickte auf die Unordnung, bevor er wegging. Die Mädchen hatten sein grünes Händchen gelobt. Aber sein Engagement für den kleinen Garten reichte nicht aus, um ohne ihr Lob zu überdauern.

Er hatte kaum andere Interessen. Er spielte weder Fußball noch sonst irgendeinen Mannschaftssport, er angelte nicht, jagte oder schwamm auch nicht. Er konnte ohne Mühe Wissen und Kenntnisse aufschnappen, und er war fast immer einer der Besten in der Klasse, ohne daß er zu lernen schien. Er zeigte auch keine besondere Vorliebe für irgendein Fach außer für Mathematik, und daß Mathematik ihm Spaß machte, schien daher zu rühren, daß es ihm so leichtfiel, während andere so zu kämpfen hatten. Nun, da die Mädchen fort waren, fehlte ihm sein wichtigster Zeitvertreib, ihre Gesellschaft, denn wann immer er nicht unter den Augen Morans gewesen war, hatte er nichts lieber getan, als sie zu necken und mit ihnen zu spielen und sie mit ihm. Er hatte mit fünfzehn bereits seine endgültige Körpergröße erreicht, und obwohl er nie so außergewöhnlich gut aussehen würde wie Moran, war er doch hübsch. Nachdem seine Schwestern fort waren, entdeckte er, daß Frauen ihn attraktiv fanden, aber es waren ältere Frauen, zu denen er sich hingezogen fühlte. Von Moran hatte er eine gewisse Verachtung für Frauen geerbt, genauso wie die Abhängigkeit von ihnen, aber das minderte nicht sein gewinnendes Wesen. Sein einziger Mangel war sein Geldmangel. Um mit jungen Frauen auszugehen, brauchte er Geld, und Moran rückte nichts heraus.

Er ging zu Rose. Sie gab ihm ein bißchen Geld, begann aber, sich Sorgen zu machen, als er immer häufiger erst spät nach Hause kam. Wenn sie noch einmal aufstand, um sich zu überzeugen, daß mit ihm auch alles in Ordnung war, entdeckte sie, daß er nach Alkohol roch. In der Schule begann er, sich Geld zu verdienen, indem er für die langsameren Mitschüler schwierige Mathematikaufgaben machte. Moran hatte, seitdem die Mädchen fort waren, kaum Anteil am häuslichen Leben genommen, aber nachdem er einmal erfahren hatte, daß

Michael bis spät in der Nacht fortblieb, handelte er entschlossen. Ohne jede Vorwarnung verschloß er alle Türen und Fenster im Haus und wartete ab.

Als er hörte, wie der Griff der Hintertür angehoben wurde, döste er gerade im Dunkeln vor sich hin. Dann hörte er, wie er es an verschiedenen Fenstern probierte. Leise ging er zur Hintertür und zog den Riegel heraus, und sobald er Schritte hörte, die sich wieder näherten, öffnete er die Tür.

»Du bist ja gut in der Zeit«, sagte er.

»Ich war in der Stadt. Ich hab' keinen gefunden, der mich mitnimmt. Ich mußte zu Fuß gehen.«

»Was hast du in der Stadt gemacht?«

»Es gab einen Tanzabend.«

»Hast du gefragt, ob du zum Tanzen gehen kannst?«

»Nein.«

»Nein *was*? Was heißt hier nein?«

»Nein, Daddy.«

Moran winkte ihn herein, und als er in dem schmalen Flur an ihm vorbeiging, packte er ihn und schlug ihm brutal auf den Kopf. »Ich werd' dich lehren, so spät nach Hause zu kommen! Ich werd' dich lehren, auszugehen, ohne zu fragen! Außerdem müßt ihr bei diesem Zirkus getrunken haben!«

Da er immer von seinen Schwestern beschützt worden war, war Michael Prügel nicht gewohnt und schrie wütend auf, als er geschlagen wurde. Nur Roses Erscheinen verhinderte einen heftigen Kampf.

»Um diese Zeit kommst du nach Hause, Michael! Daddy ist die ganze Nacht wach gewesen und hat sich Sorgen gemacht.«

»Mich hat keiner mitgenommen. Er hat mich gehauen«, heulte der Junge.

»Das war nur ein kleiner Vorgeschmack. Ich werd' dir das ein für allemal beibringen. Solange ich hier das Sagen habe, kommt keiner zu irgendeiner nachtschlafenen Zeit nach Haus, wenn's ihm gerade paßt.«

»Wir sind jetzt alle müde. Laßt uns ins Bett gehen. Alles, was besprochen werden muß, kann auch morgen besprochen werden«, sagte Rose.

Moran starrte sie zornig an. Er schien sie beiseite schieben zu wollen, um sich den Jungen zu schnappen, ließ aber davon ab. »Du kannst von Glück sagen, daß diese Frau hier ist.«

»Er hat mich gehauen«, schluchzte der Junge.

»Und ich werd' dir verdammt noch mal zeigen, was eine Abreibung ist, wenn du das nächste Mal so spät nach Hause kommst. Solange ich hier bin, wirst du nicht alles so machen, wie es dir gerade paßt.«

»Ich gehe sowieso weg«, schrie der Junge voller Selbstmitleid.

»Wir sind alle müde. Guck dir mal an, wie spät es ist. Du kannst nicht so spät nach Hause kommen. Der arme Daddy und alle anderen haben sich furchtbare Sorgen um dich gemacht«, schimpfte Rose, und es gelang ihr, beide Männer in ihre Zimmer zu scheuchen, ohne daß es noch weiteren Ärger gab.

»Morgen früh knöpfe ich mir diesen Gentleman noch mal vor«, sagte Moran warnend. »Er soll nicht denken, daß er hier mit allem durchkommen kann.«

Es gelang Rose, ihn schon früh am Morgen zur Schule zu schicken, aber das war nur ein Aufschub. Während des Wochenendes war Michael so vernünftig, sich im Hintergrund zu halten, und Mona und Sheila kamen für das Wochenende aus Dublin, was jede Auseinandersetzung noch weiter aufschob. Moran war so mit den Mädchen und ihrem Leben in Dublin beschäftigt, daß er ihn kaum bemerkte.

Diese Besuche seiner Töchter aus London und Dublin sollten wie eine Welle der Erleichterung durchs Haus strömen. Sie brachten Ablenkung, etwas, worauf man sich freuen konnte, etwas, über das man nachgrübeln konnte, nachdem sie fort waren. Vor allem vermittelten sie den frischen Atem der Außenwelt, einer Außenwelt, die Moran anzuerkennen sich weigerte, es sei denn, sie kam von der Familie. Ohne sie hätte es nur noch ein allmähliches Dahinwelken gegeben. Die Mädchen bestätigten sich mit den regelmäßigen Besuchen ihr Überlegenheitsgefühl, eine Überlegenheit, die sie vollständig von Moran übernommen hatten und die von der großen weiten Welt, in der sie leben und arbeiten mußten, nicht unbedingt anerkannt wurde. Dieses ungeprüft übernommene Überlegenheitsgefühl wurde oft stark erschüttert, und sie kamen jedes Mal nach Hause, wenn sie es wieder herstellen mußten. Jedesmal, wenn er sie am Bahnhof abholte, fühlten sie sich schon durch seine bloße Gegenwart bestätigt und ebenso, wenn er ihnen den Abschiedskuß gab. Waren sie einmal im Haus, war die Außenwelt ausgeschlossen. Es gab nur Moran, ihren geliebten Vater; in seinem Schatten und in den vier Wänden des Hauses hatten sie das Gefühl, daß sie nie sterben würden; und jedesmal, wenn sie nach Great Meadow kamen, wuchs in ihnen wieder diese alles umfassende Empfindung: daß sie die einzigartigen und so besonderen Morans waren.

»Dieser Junge glaubt, er kann zu jeder Tages- und Nachtzeit hier hereinspazieren, wann's ihm gerade paßt. Ich habe ihn ein für allemal gewarnt, und ein zweites Mal werde ich es nicht tun. Vielleicht hört er nicht auf mich, und wenn er es nicht tut, dann werde ich vielleicht eure Hilfe brauchen, um ihn wieder zur Vernunft zu bringen«, vertraute Moran Sheila während eines der Wochenenden an, an denen die Mädchen aus Dublin kamen. Sie nickte und hörte zu. Sie wollte nicht wissen, was diese Worte bedeuteten. Morgen würde sie wieder in Dublin sein. »Ihn ein für allemal zur Vernunft zu bringen« war wie weit entfernter Donner, der jedes mögliche Wetter ankünden konnte.

Morans Ermahnungen an dem Abend, als er Michael ausgeschlossen hatte, hatten nur die Wirkung, daß er berechnender wurde. Er war so viele Jahre lang von anderen beschützt und abgeschirmt worden, daß nur er nicht die unterschwellige

Angst vor Moran empfand, die alle anderen dauernd verspürten. Wenn er erst spät nach Hause kommen wollte, dann fand er jetzt irgendeine Entschuldigung dafür. Moran war häufig müde, was Grund genug für ihn war, nicht aufzubleiben, um zu kontrollieren, wie spät der Junge wirklich kam. Aber der wundeste Punkt war sein dauernder Geldbedarf.

»Du hältst mich wohl für einen Krösus. Du glaubst wohl, das Geld wächst auf den Bäumen. Du glaubst wohl, ich muß nur vor die Tür gehen und das Geld mit beiden Händen von der Straße aufsammeln. In deinem Alter hatte ich kein Geld. Und von den anderen im Haus hatte keiner je das Geld, das du jetzt haben willst.«

»In der Schule haben alle Geld, mehr Geld als ich«, sagte der Junge verärgert.

»Dann müssen ihre Dummköpfe von Vätern mehr Geld als Verstand haben. Das sage ich dir, hier gibt's kein Geld. Ich sage dir das ein für allemal, und damit hat sich's.«

Dann ging Michael zu Rose. Wieder gab sie ihm kleine Beträge. Sie mochte den Jungen sehr gern, der inzwischen allerdings mit seiner Körpergröße und Kraft, bis auf eine gewisse Ungelenkigkeit, die an ein Fohlen erinnerte, mehr Mann als Junge war. Alle freuten sich nun auf Weihnachten. Mit jeder Nacht rückte es einen Tag näher. Die Mädchen würden nach Hause kommen, und sie wären alle wieder unter einem Dach vereint. Jede öde Nacht steigerte ihre Vorfreude.

Rose hatte bereits den Plumpudding gemacht. Er stand, in feuchte Gaze eingewickelt, in der Biskuitform auf der Anrichte. Eine Woche vor Weihnachten schleifte Moran einen riesigen Ast voll roter Beeren durch die Haustür herein und lud ihn mitten im Zimmer ab, wo er den ganzen Fußboden bedeckte.

»Was soll das denn hier?« fragte Rose bestürzt.

»Hast du mich nicht gebeten, nach Stechpalmenzweigen Ausschau zu halten? Einen röteren als den hier wirst du wohl kaum finden. Ich verstehe gar nicht, wie der den Vögeln entgehen konnte.«

»Ich sagte, ein paar Zweige, nicht einen ganzen Baum.«

»Es ist leichter, den Ast abzuschlagen, als hier und da zwischen den Dornen herumzupflücken. Du kannst doch einfach wegwerfen, was du nicht mehr haben willst, oder?«

»Oh, Daddy, wir wollen doch bloß ein paar Zweige für die Fenster und Bilder. Die Beeren sind zwar wunderschön. Aber es ist so ein Jammer, einen ganzen Baum wegen ein paar Ästen zu zerstören.«

»Er würde ohnehin den Vögeln zum Opfer fallen. Besser zuviel als zuwenig.« Er ging hinaus, erfreut über den bloß milden Tadel für den ganzen Baum mit den roten Beeren, der mitten auf dem Fußboden lag.

Es führte dazu, daß Rose das Haus sofort ausschmückte, damit sie den riesigen Ast wieder loswurde, und Michael half ihr dabei. Innerhalb einer Stunde steckten kleine Stechpalmenzweige voll roter Beeren in allen Bilderschnüren und lagen in Reihen auf Fensterbrettern und Regalen. »Daddy kann keine halben Sachen machen«, lachte Rose, während sie den Ast nach draußen zerrten. Er trug immer noch so viel Beeren, daß man damit noch mehrere Häuser hätte schmücken können, und sie lachten beide nachsichtig und amüsiert.

Während dieser Wochen, bei der Aussicht, daß seine Schwestern bald nach Hause kämen, wurde Michael wieder zum Kind im Haus. Er war ganz angespannt in seinem verschwommenen Hochgefühl, genauso begierig darauf, wieder gehätschelt und gepäppelt zu werden, wie darauf, seine Aufregung angeberisch und mackerhaft auszutoben. Maggie kam mit der Fähre am Abend vor Heiligabend nach Dublin. Sie verbrachte den Tag in Dublin, und die drei Mädchen nahmen am nächsten Tag den Spätzug.

Moran fuhr allein zum Bahnhof. Michael blieb draußen in der kalten klaren Nacht, bis auf einmal die erleuchteten Fensterquadrate des Dieselzugs durch das Dunkel der Plains ratterten. »Der Zug ist vorbeigefahren!« beeilte er sich, Rose zuzurufen, als er ins Haus rannte. Trotz der Kälte öffnete er immer wieder die Haustür. Weil sie selbst aufgeregt war und seine Aufregung sich auf sie übertrug, brachte sie es nicht übers Herz, ihm zu sagen, daß er die Tür zulassen sollte. »Sie sind da!« rief er ihr zu, als die Scheinwerfer in die kleine Allee einschwenkten, und sie gingen dem Wagen entgegen, wobei sie die Tür weit offen ließen. Am kleinen Holztor umarmten sie sich und weinten, küßten sich heftig, riefen ihre Namen: Sheila, Maggie, Michael, Mona, Rose, Rose, Rose, Rose, jeder Name ein Ausdruck von Freude und Glück. Sie waren zu Hause, sie waren Weihnachten zu Hause. Morans Familie war Weihnachten vollzählig, fast vollzählig, wieder unter einem Dach vereint. Sie waren zu dem zurückgekehrt, was ihnen von allem in der Welt am vertrautesten war.

»Schau mal, was ich uns zu Weihnachten mitgebracht habe«, lachte Moran stolz, als sie alle im Haus waren. »Drei wundervolle Frauen.« Bei den beiden, die furchtbar gerne redeten, Maggie und Sheila, gab ein Wort das andere, sie unterbrachen sich gegenseitig, lachten bei jeder Unterbrechung ungeduldig und plapperten weiter. Mona schwieg oder sprach leise.

Als es Zeit für den Tee war, hatten sie sich wieder beruhigt und redeten normal. Jetzt mußten sie sich nur noch an die glücklichen Rituale halten: den Truthahn vorbereiten helfen, die Vorhänge an den Fenstern zur Straße zur Seite ziehen, eine Kerze in jedes Fenster stellen und anzünden, sich hinknien, um den Rosenkranz zu beten, sich umziehen und für die Mitternachtsmesse fertig machen. Als sie auf dem Fußboden niederknieten, begann Moran: »Im Namen des Vaters, des Sohnes und des Heiligen Geistes beten wir diesen heiligen Rosenkranz für das Mitglied der Familie, das heute abend nicht bei uns ist«, und dieser übertriebene Hinweis auf die eine Ausnahme lenkte eine beklemmende Aufmerksamkeit auf die beunruhigenden Bürden ihrer Zusammengehörigkeit.

Die drei Mädchen, Rose und Michael quetschten sich in den kleinen Wagen, mit dem Moran sie zur Mitternachtsmesse fuhr. Sie hockten sich auf den Knien und witzelten. »Ich glaube, seit du in Dublin bist, hast du zugenommen.« »Deine Knie sind inzwischen auch nicht weicher geworden.« Sie lachten und plapperten und verscheuchten damit die Unannehmlichkeiten der körperlichen Enge. In allen Häusern am Wege brannten einzelne Kerzen in den Fenstern, und Lichtpunkte glitzerten noch auf den ersten Hängen des Berges in der Ferne in einem Meer der Dunkelheit.

Nachdem sie die Brücke überquert hatten, tauchte die Kirche wie ein riesiges, erleuchtetes Schiff in der Nacht auf. Es lag etwas Wunderbares und Bewegendes darin, den Wagen an der Straße stehenzulassen und in der Kälte und Dunkelheit gemeinsam auf die große, erleuchtete Kirche zuzugehen. Die Mädchen falteten schweigend die Hände und rückten beim Gehen dichter zusammen. Als sie durch die Kirchentüren geschritten waren, kamen mehrere Leute auf sie zu, begrüßten sie wieder daheim, wünschten ihnen fröhliche Weihnachten und flüsterten, wie gut sie aussähen, während sie sich nickend und lächelnd wegbeugten. Die Kirche war voll besetzt, und es herrschte ein aufgeregtes Murmeln. Viele waren da, die wie die Moran-Mädchen zu Weihnachten nach Hause gekommen waren. Sie würden alle herausgepickt werden, wenn sie nach der Heiligen Kommunion von der Kommunionbank wegtraten, und bei Hunderten von Abendessen würde man am nächsten Tag über sie reden: wer nach Hause gekommen war, wo sie jetzt lebten und was für eine Arbeit sie hatten und wie sie aussahen und von wem sie ihr gutes Aussehen hatten und was sie letzte Nacht getragen hatten, als sie von der Bank wegtraten. Wie es sich für hübsche Mädchen in ihrer ersten Blüte ziemt, so gehörten die drei Moran-Töchter zu den Stars der Kommunionbank in jener Weihnachtsnacht.

»Ich überlasse euch euerm Gegacker«, sagte Moran nachsichtig, sobald sie wieder zu Hause waren und er seinen Tee getrunken hatte. »Aber ich würde euch raten, ins Bett zu gehen.«

»Ich glaube, wir sollten jetzt alle ins Bett gehen«, sagte Sheila energisch, als Moran gegangen war, aber kaum hatte sie diese Worte ausgesprochen, da fiel ihr schon ein: »Und habt ihr Mary Fahey gesehen?«, was zu weiteren Leuten, ihrem Aussehen, ihren Kleidern und Stellen führte, bis Rose mit ihrem entschuldigenden, kleinen Lachen sagte: »Wir könnten sicher noch die ganze Nacht so weitermachen, und dann wird Daddy sich fragen, worüber wir bloß die ganze Zeit geredet haben.«

Als sie fort war, fehlte die Seele des Gesprächs; und auf Sheilas: »Ich glaube, wir sollten ins Bett gehen«, gingen sie auch.

Wegen der Mitternachtsmesse konnten am nächsten Tag alle länger ausschlafen. Sobald sie aufgestanden waren, war der Tagesablauf vollkommen absehbar. Es würde keine Überraschungen geben, weder gute noch böse. An diesem Tag machte man keine Besuche und bekam auch keine – es galt als unpassend, das Haus am ersten Weihnachtstag zu verlassen –, und der Tag gipfelte in der Herrlichkeit des Festessens – gefüllter Truthahn – und klang dann wieder aus mit dem Kartenspiel am Abend.

»Es hat wohl nicht allzuviel Zweck, sich nach deinem Bruder zu erkundigen«, fragte Moran verlegen. »Jeder normale Mensch wäre Weihnachten bei seiner Familie.« Es war, als wollte er aus Achtung vor dem Tag und dem Festessen alles Unangenehme gleich hinter sich bringen.

»Ich hab' ihn nicht oft gesehen. Er wohnt auf der anderen Seite von London. Man braucht mit der U-Bahn mehr als eine Stunde bis dahin«, sagte Maggie vorsichtig.

»Was macht er denn selbst an Weihnachten?«

»Er sagte, daß er nach Kent hinunterfahren wolle. Er hat Freunde da.«

»Was für Freunde?«

»Leute, mit denen er zusammen arbeitet.«

»Hat er denn jetzt einen vernünftigen Job?«

»Er hat mit Leuten, die er kennengelernt hat, eine Firma gegründet. Sie kaufen alte Häuser. Er sagt, er muß jetzt zuviel Zeit im Büro verbringen. Er wäre lieber unterwegs und auf den Baustellen.«

»Das wird ihm irgendwann alles um die Ohren fliegen. Man ist bei so was von zu vielen Leuten abhängig. Es gibt da überall einen Haufen Banditen, aber natürlich kann man diesem Gentleman nichts sagen.«

»Er redet nicht sehr viel darüber.«

»Er hat sicher Angst, daß ich zuviel davon erfahren könnte. Wie sieht er denn so aus?«

»Er sieht eigentlich genauso aus, wie er immer ausgesehen hat.«

»Na, ich bin jedenfalls froh, daß du dir die Mühe machst, ihn zu treffen, auch wenn er sich so benimmt, als gehörte er nicht mehr zur Familie. Alle Mitglieder meiner Familie sind gleich, auch wenn sie es anders sehen. Man sollte niemanden verachten oder ausschließen. Nicht einmal, wenn er sich selbst ausschließen will.«

Köstliche Düfte zogen bereits durch das Zimmer. Zwei Tische wurden am Fenster zusammengeschoben und mit einem weißen Tuch bedeckt. Der Tisch wurde gedeckt. Der gewaltige gebräunte Truthahn wurde mitten auf den Tisch gestellt. Die goldgelbe Füllung wurde aus der Brust gelöffelt, weiße trockene Brotkrümel, die mit Zwiebeln und Petersilie und Pfeffer gewürzt waren. Es gab kleine Bratkartoffeln und Erbsen und danach den feuchten, mit Brandy getränkten Plumpudding. Braune Limonade wurde aus Siphonflaschen mit silbernen Verschlüssen in die Gläser gespritzt.

»Ich habe solch einen Hunger, daß ich einen ganzen Säugling verdrückten könnte«, sagte Moran, und alle lachten. Er saß am Kopf des verlängerten Tisches. Bevor Rose ins Haus kam, aß er immer allein am großen Tisch. Das Mahl wurde eingerahmt vom Tischgebet, das er vorher und hinterher sprach.

Dann, nachdem sie abgewaschen und aufgeräumt hatten, war es mühsam, den Rest des Tages hinter sich zu bringen. Mona und Sheila lasen. Die anderen spielten eine langwierige Partie Siebzehnundvier um Pennies. Moran gewann das meiste. Als nach dem Kartenspiel Tee gekocht wurde, wurde unterdrückt gegähnt, und Moran gähnte zum Scherz laut und übertrieben. Alle waren froh, früh in die Betten verschwinden zu können, nachdem der Rosenkranz gebetet war.

Als wollte man es wettmachen, daß am ersten Weihnachtstag alle Türen verschlossen blieben, standen sie am zweiten Weihnachtstag, dem Stephanstag, weit offen. Menschen wanderten ununterbrochen zwischen den Häusern hin und her, brachten Geschenke oder freundliche Worte oder schauten nur einmal herein. Die Morans hatten nie sehr viel Besuch bekommen, aber die Mädchen wurden überall, wo sie hinkamen, gefeiert. »Ihr seid zu Hause! Ihr seid Weihnachten zu Hause!«, und man gab sich die Hände und hielt sie fest, statt sie zu schütteln, um zu zeigen, wie stark die Gefühle waren. Michael begleitete die Mädchen zu einigen der Familien, blieb aber sehr in ihrem Schatten. Müde von all der Mißachtung und ganz ungehalten ging er nach Hause zu Rose. Beide gingen sie an die Tür, wenn die Wren-Boys anklopften, Kinder aus dem Ort in knalligen Karnevalskostümen, die Masken oder Kriegsbemalung trugen. Nur wenige konnten richtig tanzen oder singen oder ein Instrument spielen. Normalerweise boten sie eine quälende Parodie von allem dreien, während sie forsch mit den Münzen in ihren Blechdosen klapperten. Michael verlor seinen Groll, als er begann, sich über ihre Unfähigkeit zu amüsieren, während er versuchte, die Kinder hinter ihren bunten Bekleidungen zu identifizieren. Zwischen den kunterbunten Kinderbanden kamen die echten Wren-Boys auf dem Kohlenlaster aus Arigna. Die Mädchen paßten auf, daß sie auch im Haus waren. Viele der Wren-Boys versuchten gar nicht, sich zu verkleiden. Ein Akkordeon setzte ein, als sie vom Lastwagen ausschwärmten, dann noch mehr Akkordeons, Geigen, Querpfeifen und eine Trommel. Tänzer sprangen den Weg hoch und packten Rose und die Mädchen und tanzten mit ihnen genau im Takt durch das Zimmer. Es gab kreischendes Gelächter und herausfordernde Jubelrufe zur Musik. Alle verstummten, als ein altes Lied von einem reinen Tenor und fast ohne Begleitung gesungen wurde; dann wieder Musik und Tanzen und Albernheiten. Moran mochte die traditionelle Musik und gab ihnen mehr Geld als üblich. Bevor die Ardcarnes gingen, drängten sie alle, an jenem Abend zum großen Tanzfest in der Scheune zu kommen. Wie üblich würde alles Geld, das sie bekommen hatten, für Whiskey, Porter, Limonade, Sandwichs, Kuchen und Tee ausgegeben werden. Die gleichen Musiker würden wieder spielen. Alle würden trinken und essen und tanzen. Die kleine Party endete so plötzlich, wie sie begonnen hatte, mit Murmeln und deutlichen Worten des Dankes und Ermahnungen wie *Wir wollen euch heute abend nicht vermissen;* und dann dem melancholischen Geräusch von Instrumenten, die eingepackt werden.

Rose und die Mädchen versuchten, Moran dazu zu bewegen, mit ihnen an jenem Abend zum Tanz der Wren-Boys in die Scheune zu gehen, aber das eine Mal, das er mit Rose gegangen war, war ein Mal zuviel gewesen. »Es gibt eine Zeit, in der man tanzen geht, und dann andere Zeiten, in denen man sich besser heraushält. Geh doch mit den Mädchen«, sagte er zu Rose.

»Du weißt, daß ich nur mit dir gehe, Daddy«, sagte Rose. »Du weißt, daß da Leute sein werden, die viel älter sind als wir.«

»Das ist ihre Sache«, sagte Moran und schlurfte aus dem Zimmer.

Die Mädchen, aufgeregt wie sie waren, hatten sich für den Tanz wunderschön zurechtgemacht, aber niemand war aufgeregter und sorgfältiger gekleidet als Michael. Die Mädchen beachteten ihm kaum. Obwohl er hoch aufgeschossen war wie eine Bohnenstange, betrachteten sie ihn immer noch als Kind. Moran fuhr sie zum Tanz. Sie wollten zu Fuß zurückgehen oder jemanden bitten, sie mitzunehmen: Sie verspürten die unausgesprochene erotische Erregung, daß sie jemanden kennenlernen könnten, der sie nach Hause brächte.

An den Toren und dem verrammelten Torhaus brannten keine Lichter, als sie die schmale Allee hochfuhren. Auch das große Haus war dunkel, aber dahinter, zwischen den Ställen, war die riesige Scheune mit nackten Glühbirnen, die zwischen Holzpfählen an Kabeln hingen, hell erleuchtet. Drinnen war es bereits voll. Drei Musiker, die schon früher am Tag mit dem Arigna-Laster gekommen waren, spielten Reels auf einer Bühne, die aus Brettern zusammengezimmert war, aber noch tanzte niemand. Mädchen tranken Tee und redeten in Grüppchen um Tapeziertische, die an den Wänden standen. Ältere Frauen tranken Whiskey mit Männern in ihrem Alter. Um die Porter-Fässer herum drängten sich junge Männer. Das Bild wandelte sich kaum im Laufe der Jahre, und es hätte dieselbe Szene sein können, zu der Rose und Moran damals dazugestoßen waren.

Michael gesellte sich sofort zu einer der Trauben junger Männer und griff nach einem Glas Stout. Keines der Moran-Mädchen trank. Sie waren genauso schockiert von der Selbstverständlichkeit, mit der Michael sich zwischen den Männern bewegte, wie darüber, daß er überhaupt trank. Ihr kleiner Bruder war groß geworden, ohne daß sie es gemerkt hatten. Er bewegte sich lärmend zwischen den Männern, als der Alkohol ihm zu Kopfe stieg. Die Männer drehten diesem Männlichkeitsgehabe des Jungen einfach nur den Rücken zu. Als er die mißbilligenden Blicke seiner Schwestern bemerkte, winkte er ihnen quer durch den Saal mit seinem Glas zu und begann dann, die Frauen zu mustern.

Er war kein guter Tänzer, aber er bewegte sich geschickt und hielt sich gut, ganz wie sein Vater es auf diesen Tanzböden getan hatte, und er schenkte Nell Morahan seine ganze Aufmerksamkeit. Herausfordernd nahm er sie, wenn der Tanz zu Ende war, mit hinüber zu dem Tisch, wo es Whiskey und Stout gab. Mit der gleichen Einstellung fragte sie nach Whiskey. In den Augen der Moran-Mädchen war dies schamlos, ja sogar liederlich. Ihr war das egal. Sie wußte, daß sie sich für etwas Besseres hielten als die Morahans aus den Plains. Sie aber hielt ihren kleinen Bruder in ihren erfahrenen Händen. Er ließ sich von ihren mißbilligenden Blicken nicht abschrecken, sondern prostete ihnen mit seinem Whiskey quer durch den Saal lachend zu. Sie waren gezwungen, sich abzuwenden und sich in ihren kleinen Kreis zurückzuziehen.

Nell Morahan kam von einem kleinen Hof aus dem höhergelegenen Teil der Plains. Ihr Vater, Frank Morahan, arbeitete das ganze Jahr hindurch als Tagelöhner für die Großbauern und überließ es seiner Familie, die eigenen kärglichen Hektar Land zu bestellen; an Sonntagen und nach Feierabend half er, soviel er konnte. Man sah auf sie herab. Keines der Kinder war intelligent genug; die Schule bot für sie keinen Ausweg. Nell nahm eine Stelle als Hausmädchen bei der Familie eines Rechtsanwaltes in der Stadt an, wo sie das erste Mal in den Genuß von Sexspielchen mit den Söhnen des Hauses kam, die in den College-Ferien nach Hause kamen, Spielchen, gegen die sie nichts einzuwenden hatte. Danach ging sie als Ladenmädchen in eine Kleinstadt in der Nähe von Dublin und hatte einen Freund nach dem anderen aus den Reihenhäusern, bis eine Tante sie nach New York brachte. Dort entwickelte sie die für ihre Familie typische Tüchtigkeit, zunächst in einer Eiscreme-Fabrik, dann in einer Trockenreinigung und schließlich als Kellnerin, wo sie herausfand, daß sie mit ihrer guten Laune und ihrer Energie in einer Woche mehr verdienen, als sie in einem ganzen Jahr in Irland zurücklegen konnte. Sie hatte mit einem älteren Mann zusammengelebt, fühlte sich aber ausgenutzt, als er keine Anstalten machte, seine Versprechungen zu halten. Praktisch veranlagt wie sie war, verließ sie ihn ohne viel Bedauern oder Schmerz. Jetzt war sie zweiundzwanzig und für ein paar Monate wieder zu Hause, mit ihrem eigenen Geld. Sie hatte Kleider und Schuhe für ihre Geschwister gekauft und andere nützliche Dinge für das Häuschen auf den Plains. Sich selbst kaufte sie einen kleinen Wagen, den sie der Familie überlassen wollte. Sie würde eine ihrer jüngeren Schwestern mitnehmen, wenn sie wieder nach New York fuhr. Vor allem war sie entschlossen, dafür zu sorgen, daß ihr Vater sich ein bißchen amüsierte und sie nebenbei auch ihren Spaß hatte. Sie war genauso wenig häßlich, wie sie schön war, und sie war jung, kräftig und temperamentvoll. Michael Moran war erst fünfzehn, aber er sah gut aus und besaß eine erotische Ausstrahlung. Ihre ganze Kindheit hindurch hatte sie das Gefühl gehabt, daß Höfe wie die der Morans eine besondere Fruchtbarkeit und Frische besaßen, auch wenn ihr Vater sie müde immer wieder vom Gegenteil überzeugen wollte. Als Michael die Scheune durchquerte, um Nell Morahan zum Tanz zu bitten, war es nur natürlich, daß sie miteinander gingen.

»Man sollte doch meinen, daß sie was anderes zu tun hat, als sich an kleinen Kindern zu vergreifen«, sagte Maggie wütend.

»Ich hoffe nur, daß das Daddy nicht zu Ohren kommt«, sagte Sheila. Nur Männer, die zu ihnen hinüberkamen, um sie zum Tanzen aufzufordern, konnten in ihren geschlossenen, wütenden Kreis eindringen. Während der nächsten Tänze kasperte er auf dem Tanzboden herum. Seine Schwestern versuchten, die beiden zu ignorieren, aber später, als sie wieder nach dem Pärchen Ausschau hielten, war es aus der Scheune verschwunden. Obgleich jedes der Mädchen beim Tanzen zahlreiche Angebote von Männern erhielt, es nach Hause zu bringen, gingen sie ohne Begleitung und gemeinsam. Nachdem der letzte Tanz gespielt worden war und die müden Musiker sich anschickten, die Nationalhymne zu spielen, war nur Sheila aggressiv genug, den Saal zu durchqueren und Michael zu fragen: »Kommst du mit uns mit?«

»Nein, ich werd' schon von jemandem mitgenommen. Du kennst doch Nell Morahan?« Statt ihr die Hand zu schütteln, nickte Sheila kurz und marschierte davon.

»Was ist denn mit der los?«

»Du hast ihr den kleinen Bruder weggenommen«, antwortete er und rief seinen Schwestern hinterher: »Vergeßt nicht, die Hintertür offen zu lassen«, als sie in einer Wolke der Entrüstung davonrauschten, während sein Gelächter hinter ihnen her schallte.

Nells Auto parkte an der Allee. Es war schwarz und schnittig, und drinnen roch es nach neuem Leder. Zwei Schwestern von Nell und ihr Bruder saßen auf dem Rücksitz, Michael vorne neben Nell. Er war fünfzehn Jahre alt und beherrschte die Welt.

Während er mit den anderen Mitfahrern auf dem Rücksitz schwatzte, fuhr sie schweigend zu ihrem Häuschen in den Plains, und als sie sie absetzte, rief sie: »Ich komme auch gleich. Ich bringe nur Michael nach Hause.« Bevor sie die Eibe am Tor erreichte, bog sie in einen Feldweg ein, der nicht mehr befahren wurde, und stellte die Scheinwerfer ab. Schon beim Fahren fummelte er ihr mit der Hand zwischen den Schenkeln herum. Als sie sich ihm zuwandte, bedrängte er sie viel zu heftig, aber bald steuerte sie seinen jungen, gespannten Körper so, daß er nur tat, was sie wollte, und nicht mehr. Als er zum ersten Mal voll gesättigt zur Ruhe kam, tat sie so, als hätte er das ganz allein geschafft, zerzauste sein Haar und sagte: »Du riechst wundervoll. Deine Haut ist so weich«, und küßte ihn wieder und wieder.

Sie hatten die Hintertür offengelassen. Als er hereinkam, war das Haus dunkel und still. Mit den Schuhen in den Händen ging er, ohne ein Geräusch zu machen, in sein Zimmer. Aber am Morgen mußte er sich dem wütenden Groll seiner Schwestern stellen. Offen und nicht wenig stolz begegnete er ihrem Zorn. Sie konnten ihn nicht mehr wie ein Kind behandeln. Lässig aß er sein Frühstück, während sie schimpften. Sie konnten nichts machen. Sie konnten es nicht riskieren, Moran davon zu erzählen. Und da die Familie so abgekapselt lebte, erführe Moran es auch auf keinem anderen Wege. Als die Mädchen es Rose erzählten, lachte sie herzlich.

»Also, da ist der arme Michael aber auf die Füße gefallen. Wer hätte das gedacht?«

»Guck dir mal den Altersunterschied an. Wir machen uns ja zum Gespött«, sagten sie wütend.

»In ein paar Monaten redet kein Mensch mehr darüber. Nell wird wieder nach Amerika gehen, und das wird's dann gewesen sein; aber kein Wort zu Daddy«, riet sie.

»Daddy würde diesem Bengel bald Manieren beibringen.«

Ihr ganzer Groll richtete sich auf Nell Morahan, und sie ging ihnen aus dem Wege. Die Schwestern gingen nur zu den Tanzabenden am Ort. Nell fuhr mit Michael nach Longford, wo man sie nicht kannte.

Nach einer Woche waren die Weihnachtsferien vorüber. Die Mädchen fuhren wieder zurück zur Arbeit. Das Haus wirkte von neuem leer. Die Schule fing wieder an.

Rose weckte Michael, so wie sie ihn an jedem Morgen während der Schulzeit geweckt hatte, seit sie im Hause war, und machte ihm Frühstück.

»Du wirkst ein bißchen müde heute morgen, Michael«, neckte sie ihn, aber als Reaktion darauf konnte er sich nur die Augen reiben.

Er brach an jenem Morgen wie gewöhnlich zur Schule auf, aber er ging nie wieder zur Schule. Nell wartete am Stadtrand mit dem Auto auf ihn, und sie fuhren nach Strandhill ans Meer. Als sie neben der alten Kanone auf dem Holzsockel parkten, war kein anderes Auto zu sehen. »Im Sommer ist es hier brechend voll«, sagte er. Die Flut rollte weit draußen unterhalb der Felsen heran, aber die Wellen türmten sich hoch, und der helle Regen machte die Windschutzscheibe undurchsichtig, als die Scheibenwischer stoppten. Nell stellte sie wieder an. Seitenwinde schaukelten den Wagen. Er fand alles aufregend und erzählte Nell, wie schön es war im Vergleich zu den Sommern, in denen Moran für zwei Wochen ein Häuschen gemietet hatte und sie alle hierhergekommen waren. »Mein Gott, war das langweilig.«

»Wie konnte es denn am Meer langweilig sein? Wir mußten im Sommer immer auf den Feldern arbeiten«, sagte sie.

»Weil *er* da war«, er lachte brüllend über etwas, das er für geistreich hielt; und dann, als er sich zu langweilen begann, griff er nach ihr. Sie küßte ihn und stieß ihn neckisch, aber entschlossen weg.

»Morgens ist es für mich nicht so gut«, sagte sie.

Er saß mißmutig da, wandte sich von ihr ab und starrte durch den Halbkreis, den die Scheibenwischer auf der Windschutzscheibe hinterließen, auf den aufgewühlten Ozean und den langen Strand hinaus, den Strand, an dem er – es war noch gar nicht so viele Sommer her – beobachtet hatte, wie das Meer eine Sandburg, die er mit Eimer und Schaufel gebaut hatte, umspülte und wegschwemmte. Zu Nells Verdruß legte er die Füße auf das Armaturenbrett und wollte sie nicht wieder herunternehmen. So schnell wie der Regen gekommen war, klarte der Himmel wieder auf, und es wurde ein ganz anderer Tag. Die Sonne schien kraftlos auf das Wasser herab. Sie verließen den Wagen und kletterten über die schwarz gewordenen Felsbrocken zum Strand hinunter. Der Wind, der den ganzen flachen Strand entlangfegte, zerrte an ihren Haaren und Kleidern. Er spielte und tollte um sie herum, versuchte, rückwärts am Wind zu gehen, bis er beinahe hinfiel, packte dann ihre Hand, und sie versuchten beide, gegen den Wind anzurennen. Je mehr sie sich dem windgeschützten Point näherten, desto leichter fiel ihnen das Gehen. Plötzlich waren sie, als sie den Point erreicht hatten, im Schutz der hohen Dünen am Rande des Golfplatzes, und es war, als ob sie aus einem stillen

Kämmerlein auf die stürmische See und den tosenden Wind zurückschauten, durch die sie sich hindurchgekämpft hatten. Als er dieses Mal die Hände nach ihr ausstreckte, kam sie in seine Arme. Ihr Haar und das Gesicht schmeckten nach Gischt. Unbeholfen kletterten sie zusammen vom stillen Strand weg, benutzten die rauhen Grasbüschel, um sich an den Wänden der Dünen hochzuziehen, und ihre Schuhe füllten sich mit feuchtem Sand, als sie weitergingen. In einer Höhle zwischen hohen Dünen breiteten sie die Regenmäntel auf dem Sand aus und schleuderten ihre Schuhe weg. Dann zog sie, halb kniend, ihre Unterwäsche aus und drängte sich dicht an ihn, um sich zu wärmen. Er schob sich seine Sachen über die Schenkel hinunter und drang in sie ein, wie sie es ihm in ihrer ersten Nacht gezeigt hatte, sehr sanft und ein bißchen schüchtern, trotz des furchtbaren Dranges, den er verspürte. Über ihnen peitschte der Wind nur die höchsten Grasbüschel nieder, und das Rauschen des Meeres klang so, als wäre es weit entfernt. Als er das dritte Mal in sie eindrang, konnte sie sich auf ihre eigene Lust konzentrieren, und er konnte jetzt warten. Ihre Kraft war so groß, daß er Angst bekam. Sie schrie, packte ihn rauh an den Hüften und zwang ihm Bewegungen auf; und als es vorüber war, schlug sie ihre Augen auf und hielt sein Gesicht zwischen ihren Händen für einen kurzen, dankbaren Kuß, den er nicht begreifen konnte. Die schwache Sonne stand hoch über ihnen. Als sie die feuchte Kälte spürten, zogen sie sich an, schüttelten den Sand aus ihren Schuhen und Regenmänteln und kletterten zurück zum Strand hinunter. Auf dem ganzen leeren Strand war nicht einmal ein Hund, der einem Stock nachjagte, nur ein paar Vögel stelzten am Wasser entlang, das jetzt mit der steigenden Flut schon viel weiter den Strand hochschwappte. Als hätten sie eine Reise angetreten und fühlten sich nun moralisch verpflichtet, sie auch zu Ende zu bringen, gingen sie den ganzen Weg zurück und an der Kanone vorbei bis zu der zerstörten Kirche am anderen Ende des Strandes. Bei all seinem Draufgängertum war Michael voller Angst. Wie groß auch immer der Ruhm seiner gerade entdeckten Männlichkeit sein mochte, er mußte ja doch in wenigen Stunden mit seinem Bündel Bücher wie ein Schuljunge zu Moran zurückkehren. Nell an seiner Seite hatte ihre eigenen Sorgen. In wenigen Wochen war sie wieder in der Bronx. Michael war zu jung. Man sollte nehmen, was man kriegte, solange man es konnte, das sagte ihr der gesunde, bäuerliche Menschenverstand, aber so einfach war das nicht. Immer wollte sie mehr. Überall um sie herum war der weite, leere Strand von Strandhill, und sie hatten den ganzen Tag für sich. Nichts ist schwerer zu nutzen als ein ganzer Tag.

»Ist auch alles sicher?« fragte er.

»Typisch Mann, daß du erst hinterher fragst«, sagte Nell. »Du brauchst dir keine Sorgen zu machen.«

Sie sammelten Rotalgen auf den Felsen unter der Kirche ohne Dach und untersuchten eine Reihe von Pfützen zwischen den Felsen, in denen das Wasser ganz klar war. In den Pfützen gab es viele Kleinlebewesen, aber keine gestrandeten Fische.

»Ich verstehe nicht, was du meinst, wenn du sagst, daß es hier langweilig war. War es denn nicht eine Abwechslung?«

»Himmel«, sagte er. »Du hättest mal dabei sein sollen. Er hat eine Lastwagenladung voll Torf mitgenommen, um die Miete zu bezahlen. Wir mußten das von Haus zu Haus verkaufen. Allerdings war *er* nie in Gefahr, damit von Haus zu Haus gehen zu müssen.«

»Wenn man klein ist, macht einem das nicht viel aus.«

»Es war schrecklich, die Häuser abklappern zu müssen«, die Worte verrieten das gleiche Gefühl, etwas Besonderes zu sein, das ihr Vater auch den anderen eingeflößt hatte und das deutlich weniger vorteilhaft war, wenn es darum ging, Torf zu verkaufen. »Man wollte sich am liebsten verkriechen.«

Um zum Wagen zurückzukommen, mußten sie sich wieder dem Wind stellen. Sie waren hungrig. Alle Lokale am Meer waren für den Winter geschlossen, und so fuhren sie nach Sligo. In der Castle Street fanden sie ein schlichtes Café, aßen Hamburger mit Brot und Pommes frites und tranken dazu eine Kanne siedend heißen Tee. Dann spazierten sie müde in der Stadt herum. Sie wären gern ins »Gaiety« gegangen, um einen Western mit Alan Ladd zu sehen, aber sie hatten nicht mehr genug Zeit. Er war sehr still, als sie zurückfuhren, und sie setzte ihn ein paar Kilometer vor dem Haus ab. Mutig winkte er ihr nach, als sie wegfuhr.

»Wie war's in der Schule?« rief Rose gleich, als er hereinkam.

»Ach, wie immer«, antwortete er. Er hatte die Angewohnheit, seinen eigenen Gedanken nachzuhängen, während er so tat, als höre er zu, aber an diesem Abend versäumte er keine Silbe von Roses gutgelauntem Bericht über ihren Tag.

»Jetzt iß aber dein Abendbrot, Michael.«

Er schloß aus all dem, daß sie nichts davon gehört hatten, daß er nicht in der Schule gewesen war. »Danke, Rose.«

Nach einer Weile kam Moran herein, aber er wollte nicht reden. Ein paarmal warf er einen Blick in Richtung seines Sohnes, aber der Junge guckte nicht von seinem Buch auf.

»Ich möchte, daß du mir bei ein paar Schafen hilfst«, sagte er, als er aufstand, um hinauszugehen.

»Wann würde es dir passen, Daddy?«

»Jetzt.«

Moran und der Hund hatten die Schafe bereits in den Hof getrieben, wo sie sich aneinanderkauerten, die Augen aufgerissen vor Angst. Als Moran und Michael auf den Hof kamen, setzten sie sich in wilder Panik in Bewegung, bis sie sich, in die Enge getrieben, in einer anderen Ecke wieder aneinanderkauerten.

»Sie sind so dumm«, Michael lachte wie ein Kind über ihre Panik.

»Da gibt es noch andere«, antwortete Moran kurz angebunden.

Michael maß die Arznei mit einer kleinen Flasche ab. Moran zwang die Schafe, sie zu schlucken, während Michael sie festhielt. Dann drehten sie die Schafe auf den Rücken und beschnitten und wuschen die kleinen Hufe. Als sie fertig waren, markierten sie jedes einzelne Tier mit einem Klecks blauer Farbe, bevor sie es wieder laufen ließen. Mehr als sechzig Schafe waren zu behandeln, und es war zäh und monoton. Michael begann sich zu langweilen und Fehler zu machen. Moran schlug ihn beinahe, als er ein erschrockenes Schaf ausbrechen ließ, das dabei Moran zur Seite stieß; und dann ließ er die Dose mit der Arznei fallen.

»Gott, o Gott, o Gott. Wenn ich das bloß allein machen könnte. Du kannst ja nicht mal eine Minute lang aufpassen, nicht mal für eine Minute darauf achten, was du tust«, Moran packte die Dose wütend und füllte die Arznei selbst ab.

»Ich hab' dich nicht darum gebeten«, schrie der Junge mit der gleichen Wut.

»Natürlich hast du mich nicht darum gebeten, auch nur irgendwas zu tun. Du kannst dich bloß auf deinen Arsch hocken und für irgendwelche Frauen den Unterhalter spielen.«

»Ich hab' es so gut gemacht, wie ich konnte. Ich konnte nichts dafür, daß mir die Dose weggerutscht ist«, entgegnete der Junge.

»Wollen wir jetzt weitermachen, oder willst du den ganzen Tag herumjammern«, fragte Moran, und verärgert gingen sie wieder gemeinsam an die Arbeit. Als sie getan war, sah Moran zu, wie die Schafe ruhig aus dem Hof herausströmten. Für die nächsten zwei Monate müßte man sie nicht mehr anrühren. Er drehte sich voller Dankbarkeit um, um den Jungen zu loben. Er hatte vergessen, wie gut zwei Menschen zusammenarbeiten konnten. Ein Mensch, der allein arbeitet, war nichts. Wenn sich der Junge mit ihm zusammentun wollte, könnten die beiden wirklich alles machen. Sie könnten die Arbeit auf diesem Hof wie am Schnürchen erledigen. Sie könnten mit der Zeit sogar andere Höfe übernehmen, etwas, das er sich einmal mit seinem ältesten Sohn erträumt hatte: Gemeinsam könnten sie alles übernehmen.

Michael war ins Haus gegangen, ohne Moran um Erlaubnis zu bitten. Voller Bitterkeit machte er das Tor zur Weide hinter den Schafen zu. Dann prüfte er, ob das Vieh für die Nacht versorgt war. Als er hereinkam, sah er, daß Michael, der sich umgezogen hatte, selbstsicher vor dem Kamin stand.

»Du warst ja ziemlich schnell weg«, sagte Moran. »Ich hab' mich umgedreht, um etwas zu dir zu sagen, als ich die Schafe herausließ, und du warst schon auf und davon.«

»Ich dachte, wir wären fertig.«

»Du hättest vielleicht fragen können.«

»Ich dachte, das wäre nicht nötig. Ich dachte, wir wären fertig.«

»Es wäre ein Zeichen von guten Manieren, aber es ist offenbar sinnlos, in diesem Haus gute Manieren zu erwarten«, sagte Moran.

Draußen vor dem Fenster wurden die Felder schnell dunkel. Rose hantierte vorwurfsvoll um Michael herum am Kamin, und er entfernte sich und ging zum Tisch. Er hatte demonstrativ Bücher und Schreibzeug auf den Tisch gelegt.

»Hier sind warme Socken für dich, Daddy. In der Heißpresse ist eine Garnitur Unterwäsche. Du wirst dich gleich besser fühlen, wenn du erst mal aus den alten Klamotten raus bist.«

Moran zog seine Gummistiefel aus und saß in Socken in dem großen Autositz. Er rührte sich, als sie ihn ansprach, starrte aber weiterhin in den leeren Raum hinein und antwortete nicht. »Wen kümmert es schon?« murmelte er vor sich hin. »Was soll's? Wen kümmert es schon?«

Obwohl sie gerade den Tag miteinander verbracht hatten, verabredeten sich Michael und Nell auch wieder für den Abend. Sie würde mit dem Auto beim Rockingham Tor auf ihn warten. Michael konnte das Haus erst verlassen, nachdem der Rosenkranz gebetet war. Er flachste herum, während er wartete, aber er konnte nichts machen. Das Haus zu verlassen, bevor die Gebete gesprochen waren, hieß mit Sicherheit, eine Auseinandersetzung heraufzubeschwören. An diesem Abend muße Rose Moran daran erinnern, daß die Gebete noch nicht gesprochen waren. Als er die Zeitungen auf den Zementfußboden legte und sich am Tisch auf seine Knie niederließ, saß Nell bereits draußen in ihrem Auto vor der großen Einfahrt. Michael litt heftig unter dem Mißverhältnis seiner Situation – früh morgens noch ein Mann mit einer Frau am Meer und jetzt ein Junge, der auf dem Fußboden kniete. Als die Reihe an ihn kam, die Dritten Geheimnisse zu sprechen, sagte er sie mit schriller Stimme auf. Moran reagierte auf diesen Ton mit einem scharfen Blick, unterbrach aber die Gebete nicht. Er wartete, bis er sich wieder von den Knien erhoben hatte, und sagte dann: »Du hast deine Gebete aber auf eine merkwürdige Art gesprochen.« Es bedurfte nur noch eines winzigen Funkens, um eine gewaltsame Auseinandersetzung zwischen dem Mann und dem Jungen auszulösen. »In meinen schwachen Ohren klang das nach einem gewissen Mangel an Respekt.«

»Ich meinte es nicht respektlos«, Michael wich zurück.

»Da bin ich aber froh, das zu hören. Leuten, die das Maul ein bißchen zu weit aufreißen, legt man im allgemeinen einen Maulkorb an.«

Michael antwortete nicht. Er riskierte es nicht einmal zu sagen, daß er noch ausging. Er schlüpfte nach draußen, schnappte sich auf dem Weg seinen Mantel und zog ihn im Dunkeln an, während er zum Tor rannte. Obwohl er sich mehr als eine Stunde verspätet hatte, wartete Nell immer noch im Auto auf ihn, als er das Tor erreichte.

Am nächsten Morgen fuhren sie wieder nach Sligo. Diesmal sahen sie den Western in der Frühmatinee im »Gaiety«. In den folgenden Wochen fuhren sie in alle Orte der Umgebung, die sie schon immer hatten sehen wollen, sogar bis nach Galway. Sie fuhren nach Mullingar und Longford. In Ballymote standen sie gemeinsam vor jedem Schaufenster in der Stadt. An einem klaren Donnerstag fuhren sie über die Grenze und gingen Hand in Hand zwischen den langen Reihen von Ständen in Enniskillen umher. Neben dem Eingang zum Markt kaufte sie ihm eine billige Armbanduhr an einem indischen Stand. Er hatte noch nie eine eigene Uhr gehabt. Obwohl es Winter war, fuhren sie oft ans Meer, nach Rosses Point und Mullaghmore und Bundoran ebenso wie an den wilden Strand von Strandhill. Jedesmal, wenn es gerade zu dunkeln begann, war er mit seinen Büchern wieder bei Rose und Moran.

Sheila und Mona kamen zum Wochenende aus Dublin. Dieses Mal verbarg Michael lieber, was los war, als damit herumzuprotzen. Sie mißtrauten ihm, aber sie mußten am Montag wieder an ihrem Schreibtisch im Büro sein und hatten nicht genug Zeit, irgend etwas herauszufinden. Morans Isolation brachte es mit sich, daß keiner zu ihm gekommen war und auch keiner es riskieren würde, Rose gegenüber irgend etwas darüber verlauten zu lassen, wenn sie einkaufen ging.

Für Nell waren diese Wochen die besten in ihrem Leben, Wochen, auf die sie zurückschauen würde wie auf ein verlorenes Glück, in das sie beim Tanzfest der Wren-Boys in der Scheune hineingestolpert war. Dennoch war es ihr auf geheimnisvolle Weise wieder aus der Hand geglitten. Während ihrer Affäre war sie die Verantwortlichere der beiden. Daß sie nie einen Tag länger zur Schule gegangen war als gesetzlich vorgeschrieben und ihr ganzes Leben mit den Händen gearbeitet hatte, hatte zur Folge, daß sie eine gute Ausbildung höher schätzte als jene, denen sie offenstand: »Bist du sicher, daß du dir nicht alles verdirbst, wenn du weiter so die Schule schwänzt?«

»Mit der Schule bin ich fertig. Ich gehe nicht mehr hin. Das hier hat nichts damit zu tun.« Mehr als alles andere wollte er aus seinem bisherigen Leben ausbrechen. Er konnte das Leben zu Hause nicht mehr ertragen. Wenn er immer so weitermachte wie bisher, war es sicher, daß die Krise von allein käme. Und indem er tat, was er tat, führte er sie mit Sicherheit herbei. Erst dann müßte er sich ihr stellen.

»Die Chance, zur Schule zu gehen, bekommst du nie wieder«, sagte sie.

»Man bekommt sowieso nie etwas wieder«, antwortete er bitter.

»Und was willst du jetzt machen?«

»Vielleicht kann ich mit dir nach Amerika gehen?«

Sie schaute auf seine kindliche Ichbezogenheit und seine Unschuld und beugte sich zu ihm voll wilder Wünsche; aber ihr gesunder Menschenverstand sagte ihr, daß es nie so sein könnte, daß die ganze Welt dagegen stand.